김민복의 [illegible] 시리즈 3

전장회로판독법

김 민 복 ◆ 著

책을 펴내며

자동차 전기 회로도는 차량이 구동 및 운행에 필요한 각종 전기 장치의 제어 신호 및 처리, 구성 부품의 장착 위치 및 전선의 규격 등을 하나의 지면 위에 나타낸 것으로 자동차의 설계 및 정비에 없어서는 안되는 중요한 도면이다.

실제 정비 현장에서도 고장 정비를 하기 위해 전기 회로도의 활용 비율이 기계적인 도면에 비해 휠씬 높은 것만 보아도 전기 회로도의 중요성을 나타내고 있다.

이 전기 회로의 활용 비율이 많다는 것은 그 만큼 전기 회로의 트러블(trouble)이 기계적인 트러블(trouble) 보다 많이 증가하고 있다는 것을 의미하기도 하며 그 만큼 전장 부품이 증가하고 있다는 반증이기도 하다.

그러나 아직도 많은 기술인 들이 회로도를 정확히 판독 할 줄 몰라 잘못된 진단으로 작업 손실이 다반사 발생하고, 재수리 및 오수리로 이어지는 것을 늘 그들 가까이에서 목격해 오면서 회로 판독에 대한 요령을 정리하여 집필하기로 결심하게 되었다.

이 책의 특징은 회로의 판독 요령을 실무 중심으로 요약하고 전장 회로 판독을 실무에 적용할 수 있도록 각 장치별로 예시를 들어 설명하였다. 또한 매 항마다 회로의 판독 요령과 핵심 포인트를 정리하여 회로 판독을 배우려는 분들이 습득하기 쉽도록 하였다. 특히 주요 장치에 대한 전자 회로 및 전자제어 회로의 입·출력 회로까지 기술하여 ECU(전자 제어 장치)의 회로까지 판독 가능하게 하였다.

그러나 독자의 눈에는 많은 부족함이 있으리라 생각한다.

자동차 전장 기술을 함께하는 많은 분들께 많은 관심과 조언을 부탁드리며 앞으로도 독자 중심에 서서 기술인이 좋아하는 책을 만들도록 노력하겠습니다.

끝으로 이 책이 탄생하기까지 필요성을 공감하고 많은 조언과 협조를 해 주신 골든벨 출판사의 김길현 대표님과 편집부 여러분께 깊은 감사를 드린다.

2005년 12월

지은이

차 례

제1장 회로의 표기

제2장 회로 판독 요령

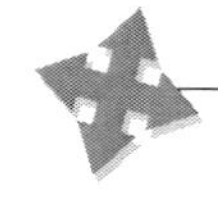

제 3 장

전장회로 판독

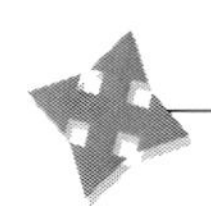

제 4 장 전자회로 기초

제5장 전자회로 판독

제6장 마이크로컴퓨터

제7장 전자제어 회로 판독

제8장 부 록

01 회로의 표기

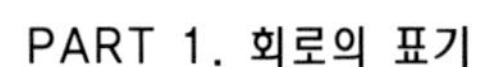

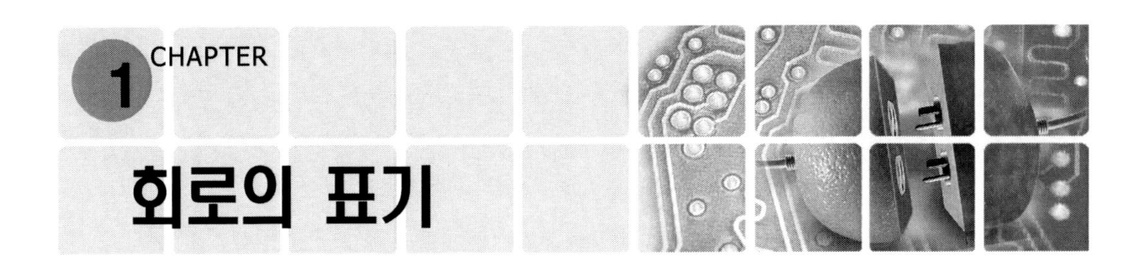

1 CHAPTER 회로의 표기

자동차 전장 회로

1. 회로 판독의 목적

건물을 짓거나 시설물을 보수하기 위해 건물의 구조와 시설을 나타내는 설계 도면이 필요하게 된다. 이 설계 도면에는 건축 구조물의 구조 도면, 공조 시설의 배관 도면 및 전기 장치의 전기 회로 도면 등과 같이 용도에 따라 다양한 도면이 필요한 것과 마찬가지로 자동차에도 차량을 정비하기 위해서는 구조 도면과 자동차의 전기 회로도 등이 필요하다.

이들 중 전기 회로도는 차량이 구동 및 운행을 하기 위해 각종 전기 장치의 제어 및 신호 처리, 장착 위치 및 전선의 규격 등을 하나의 지면 위에 나타낸 것으로 자동차의 설계 및 정비에 없어서는 안되는 중요한 도면이다. 실제 정비 현장에서도 고장 정비를 위해 전기 회로도의 활용 비율이 기계적인 도면에 비해 훨씬 높은 것만 보아도 이를 증명하는 셈이다. 또한 전기 회로의 활용 비율이 많다는 것은 그 만큼 전기 회로의 트러블(trouble)이 기계적인 트러블(trouble) 보다 많이 증가하고 있다는 것을 의미하기도 하다.

자동차는 메카트로닉스(mechatronics)의 대표적인 제품으로 전기 회로의 판독은 일선 정비사 뿐만 아니라 자동차를 공부하는 사람이라면 누구라도 습득해야 하는 필수 사항이 되었다. 특히 최근에는 자동차의 전장화 추세에 따라 각 자동차의 메이커는 전기 회로를 비중 있게 다르고 있어 그 중요성을 한층 더 실감하게 된다. 이와 같은 전기 회로도에는 저항, 코일, 콘덴서와 같은 수동 소자(passive elements)로 만 구성된 전기 회로와 다이오드(diode)와 트랜지스터(transistor), IC(integrated circuit)와 같은 능동 수자(active

elements)와 수동 소자로 구성된 전자 회로로 구분 한다. 그러나 자동차에는 전구와 코일과 같은 수동 소자는 물론 ECU(전자 제어 장치)와 같은 전자 제어 부품들이 많이 사용되고 있어 이러한 회로를 통칭해 우리는 자동차 전장 회로라 표현하기도 한다.

★전기 회로에는 전기 회로, 전자 회로, 전장 회로로 구분할 수 있다.
① **전기 회로** : 저항(R)과 코일(L), 콘덴서(C)로 구성된 회로를 말한다.
(예를 들면) 램프와 모터 그리고 릴레이 등으로 구성된 회로를 말한다.
② **전자 회로** : 능동 소자 즉 트랜지스터(TR), 반도체 IC(직접 회로)와 수동 소자 (저항과 코일, 콘덴서)로 구성된 회로를 말한다.
③ **전장 회로** : 전기 회로에 여러 가지 구성 장치가 포함되어 있는 회로를 말한다.
예를 들면 전기 회로에 전자 장치의 구성품, ECU(컴퓨터) 등이 포함 되어 있는 회로를 총칭 해 전장 회로라 한다. 전장 회로에는 자동차용 전장 회로, 항공기용 전장 회로, 선박용 전장 회로 등이 있다.

따라서 이 책에서는 이해를 돕기 위해 자동차 전장 회로와 전자 회로로 분류하여 표현하고자 한다. 우리가 자동차 전장 회로를 본다는 것은 그림 (1-1)과 같은 회로의 시스템이 작동하는 흐름을 파악하는 것으로 시스템(system)의 작동 흐름을 파악하지 못하고는 고장 원인 및 개소를 파악하기란 쉽지 않다.

전장 회로의 시스템(system) 흐름을 이해하기 위해서는 먼저 기초적인 전기 지식이 반드시 필요하며 둘째는 회로에 표기된 각 구성 부품의 기능을 알고 있지 않으면 안된다. 예컨대 그림(1-1)의 시동 회로에서 스타트 릴레이의 기능이 무엇인지 모른다면 이 시동 회로는 정확히 회로를 판독하는 것은 불가능하다는 의미이다.

셋째 시스템이 동작하는 조건을 알아야 한다. 예컨대 위의 시동 회로는 점화 스위치를 스타트(start)로 위치하여야 시동 모터가 회전한다는 것은 쉽게 회로를 통해 동작 조건을 알 수 있지만 엔진 ECU(전자 제어 장치)가 포함된 전장 회로인 경우 동작 조건을 미리 알고 있지 않으면 전장 회의 작동 흐름을 정확히 파악하기란 쉽지 않다.

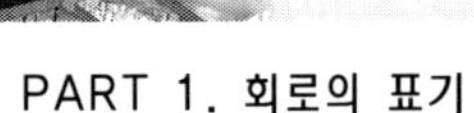

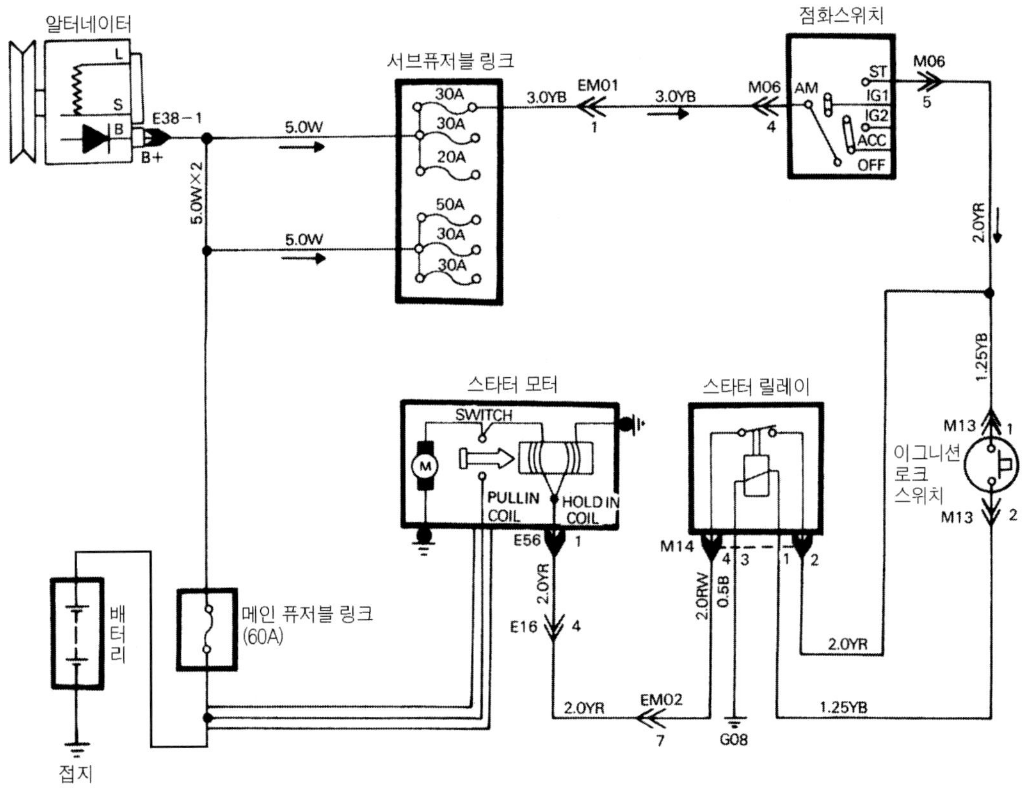

그림1-1 시동회로(예)

2. 회로를 판독하기 위해 선행 학습하여야 할 것들

★ 전장 회로를 판독하기 위해 선행하여 습득하여야 할 것들

① 기초 전기를 선행하여 습득한다.
- 적어도 직류 회로 정도는 이해하고 있어야 한다.
- 전기 회로에 표기되는 기호와 부호는 익숙해 질 수 있도록 자주 보고, 그려 보아 숙지하여 놓는다.

② 전기 회로에 사용되는 수동 소자(저항, 코일, 콘덴서)의 기능을 명확히 알고 있어야 회로의 흐름을 이해 할 수 있다.
- 자동차의 전장 회로에서는 모터, 릴레이, 솔레노이드 코일, 액추에이터, 스위치류 등의 기능을 충분히 이해하고 있어야 한다.

넷째는 구성 부품의 단자(pin)의 입·출력 기능을 알고 있어야 한다. 구성 부품의 기능을 알고 있을 지라도 구성 부품에 대한 단자(pin)의 입·출력 기능을 정확히 알고 있지 않으면 회로의 해석이 어렵기 때문이다.

예컨대 올터네이터(alternator)는 발전 기능을 가지고 있다는 것은 잘 알고 있지만 실제 회로 해석에 있어서 올터네이터의 B-단자, L-단자, S-단자의 기능을 확실히 알고 있지 않으면 충전 회로를 정확히 판독하기란 쉽지 않기 때문이다. 이 의미는 하나의 구성 부품을 이해하기 위해서는 구성 부품에 대한 최소한 시스템(system)의 블록 다이어그램(diagram) 정도는 파악하고 있지 않으면 회로 해석이 곤란 할 수 있다는 것을 말하는 것이다. 따라서 제어 장치와 같이 복잡한 구성 부품인 경우에는 최소한의 구성 부품의 블록 다이어그램(block diagram)을 파악할 수 있어야 한다.

전장 회로를 정확히 판독하기 위한 것은 자동차 점검, 정비를 얼마나 정확히 효율적으로 할 수 있느냐에 대한 중요한 관건이므로 전장 회로를 처음 접근하는 사람에게는 무엇보다도 먼저 기초 전기 지식의 습득과 자동차의 구성 부품의 기능을 병행하여 습득하여 두는 것이 회로 판독을 얼마나 빨리 접근 할 수 있는 지를 나타내는 첩경이라 생각 한다. 결과적으로 회로를 본다는 것은 단순히 전장 회로의 흐름을 파악하기 위한 것뿐만 아니라 전장 회로의 측정 개소(점검 point)를 어느 곳에서 어떻게 점검하는 것이 효율적이냐 하는 과제이기도 하므로 회로 판독 능력은 정비사의 기술 능력과 직결된다고 해도 과언이 아니라고 필자는 생각한다.

★ 전장 회로를 판독하기 위한 조건

① 기초 전기의 지식 → ② 구성 부품의 기능 → ③ 구성 부품의 단자 기능 →
④ 시스템의 동작 조건 → ⑤ 회로 판독

2. 기호와 부호

자동차 전기 장치 들을 도면(전장 회로) 안에 표현하기 위해서는 한눈에 쉽게 인식 할 수 있도록 하지 않으면 자동차 전체의 전장 시스템(system)을 판독하기란 쉽지 않다. 따라서 자동차 전장 회로를 표현하기 위해서는 각종 기호 및 약어와 부호(symbol)를 사용하여

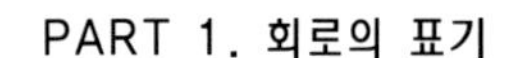

표현하게 되는데 이들 기호 및 약어와 부호(symbol)를 정확히 숙지하고 있어야 한다.

전장 회로에 사용되는 기호 및 부호를 쉽게 숙지하기 위해서는 회로 상에 표시된 기호 및 부호 중에 자주 나오는 것부터 숙지하는 것이 바람직하다. 회로 상에 표시된 기호 및 부호는 눈으로 만 읽게 되면 쉽게 머리 속에 기억되지 않으므로 자주 나오는 순서대로 기호 및 약어는 써보는 습관과 부호는 그려보는 습관을 갖는 것이 좋다.

표 (1-1)은 자동차 전장 회로에 사용되는 약어를 정리하여 놓은 것으로 회로 상에 자주 나오는 것(* 표시)부터 숙지하여 두면 좋다.

그림 (1-2)는 전기 회로의 기호 및 부호(symbol)를 나타낸 것으로 모두를 숙지하여 두면 가장 좋지만 그렇지 못한 경우에는 전장 회로상에 자주 등장하는 부호부터 숙지하도록 하여 두어야 회로와 친숙해 질 수 있다.

자동차 회로에는 전장 부품의 표시를 부호(symbol)로만 표시 할 수 없는 여러 가지 종류의 구성 부품(전장 부품)으로 이루어져 있어 전기 부호 및 전자 부호만으로는 표시할 수가 없어 이들 구성 부품을 전장 회로상에 표시하기 위해 자동차 제조사 마다 그림 (1-3) 및 그림 (1-4)와 같은 방법으로 표시하고 있다. 이들 구성 부품의 표시 방법은 실제 발생하는 자동차 전장계의 트러블(trouble) 원인 및 점검 방법을 유추하여 볼 수 있기 때문이다. 구성 부품이 표기 방법은 각 자동차 제조사 마다 다르더라도 그 내용에 있어서는 크게 차이가 없다. 따라서 여기서는 대표적인 구성 부품 표기 방법을 나타내었으므로 전장 회로를 처음 접근하는 분들이라도 실무에 도움이 되리라고 생각한다.

그림(1-3), 그림 (1-4)와 같이 구성 부품은 4각형으로 표시하고 부품의 명칭을 기입하고 있어 쉽게 무슨 부품인지를 알 수 있게 되어 있다. 구성 부품 표시에는 구성 부품의 몸체가 어스(earth)가 되어 있는 것과 전선을 통해 어스(earth)가 연결되는 것이 있으며 구성 부품의 몸체에 커넥터(connector)가 부착되어 있는 것과 구성 부품의 와이어 하니스(wire harness)를 통해 커넥터(connector)가 연결되어 있는 것이 있다.

★ 기호 및 부호의 숙지

① 회로와 친숙해 질 수 있도록 자주 기호와 부호를 익혀 두도록 한다.
② 자주 사용하는 기호 및 부호를 먼저 익혀 둔다.
③ 전장 회로에 표시되는 구성 부품의 표시 방법 의미를 알아 두도록 한다.

1. 회로의 약어

※ (*)표시는 자주 사용하는 약어임.

약 어	내 용	약 어	내 용
*ACC	액세서리(accessory)	*JC	정션 커넥터(junction connector)
*A/C	에어컨(air-con)	*L	램프 또는 코일을 의미
*A/D	A/D컨버터(convertor)	LED	발광 다이오드(light emitting diode)
Ah	암페어 아워(ampere hour)	*LH	좌측(left hand)
ALT	올터네이터(alternator)	*MAX	최대(maximum), mim(minimum)
AM	에이머(aimer)	*M/T	수동미션(manual mission)
AMP	증폭기(amplifier)	MUT	multi use tester(자기 진단 장비)
ANT	안테너(antenna)	*N	중립(neutral)
*A/T	오토미션(auto transmission)	*NC	상폐 접점(normal close)
AV	시청각(audio and vedio)	*NO	상개 접점(normal open)
*BATT	배터리(battery)	NVRAM	non-volatile RAM
*C	콘덴서(condenser)	P	주차(parking)
*CPU	중앙 처리 장치	*PG	pulse generator
*D	다이오드(diode)	PLL	phase lcoked loop
*DIF	성애 제거 장치(defroster)	*P/W	파워 윈도우(power window)
*DIG	자기 진단(diagnosis)	*R	저항(resistor) 또는 후진(reverse)
D/A	D/A 컨버터(convertor)	REG	레지스터(register)
*ECU	전자 제어 장치	*RH	우측(right hand)
ENG	엔진(engine)	*RL	뒤 좌측(rear left)
EEPROM	전기적 erasable & programmable ROM	*RR	뒤 우측(rear right)
*FR	앞 우측(front right)	RLY	릴레이(relay)
*FL	앞 좌측(front) left)	ST	스타트(start)
*GND	접지(ground)	*SOL	솔레노이드(solenoid)
*IC	IC칩(integrated circuit)	*SIG	시그널(signal)
IG	점화(ignition)	SP	스피커(speaker)
*IGN	점화(ignition)	SRS	supplemental restraint system
*ILL	조명(illumination)	*SW	스위치(switch)
INJ	인젝터(injector)	TCS	traction control system
*INT	간헐적(intermit)	TEMP	온도(temperature)
I/O	입·출력(input/output)	*TR	트랜지스터(transistor)
JB	정션 박스(junction box)	VSS	차속 센서(vihicle speed sensor)

2. 회로의 기호와 부호

명칭	기호	심볼	명칭	기호	심볼
배터리	BATT		모터	M	M
접지	GND		발전기	G	G
퓨즈	F		전압원	e	+ −
퓨즈블링크	F		전류원	i	
스위치	SW		교류	AC	
푸시 스위치	SW		직류	DC	+ −
저항	R		전압계	V	V
가변 저항	VR		전류계	A	A
콘덴서	C		안테나	ANT	
전해 콘덴서	C		다이오드	D	
바리캡	VC		서미스터	th	th
코일	L		커넥터		
공심 코일	L		교류 플러그		
트랜스	T		전구	L	
릴레이	RLY		스피커	SP	

3. 구성 부품의 표기(1)

구성부품	내 용	구성부품	내 용
	구성부품을 나타냄		전선이 접속된 것을 나타냄
	구성부품 케이스 자체가 접지가 됨을 나타냄		전자 제어 유닛 또는 ECU를 나타냄
	와이어를 통해 차체에 접지가 됨을 나타냄		한 개의 커넥터에 여러 개의 배선이 연결되어 있는 것을 나타냄(점선)
	구성부품에 달린 커넥터를 나타냄		한 개의 구성 부품에 서로 다른 커넥터가 연결되어 있는 것을 표시
	구성부품 리드 와이어에 달린 커넥터를 나타냄		릴레이를 표시
암커넥터 수커넥터	전선에 커넥터를 표시		
	접속 되지 않은 전선을 나타냄		조인트 커넥터를 표시 (점선 안)

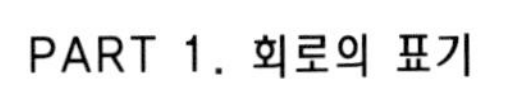

4. 구성 부품의 표기(2)

구성부품	내 용	와이어	내 용
	전장품의 구성 부품을 의미	0.5 Y/R	노랑색 바탕에 적색 줄무늬를 가진 전선
암커넥터 수커넥터 N08	암 커넥터 수 커넥터		전선이 조인트 된 전선 표시
	구성 부품에 커넥터가 리드선으로 연결		점섬은 각 전선이 동일 커넥터에 연결된 경우를 의미함
	구성부품에 커넥터가 부착된 경우	B B	다른 페이지에 B의 단자와 연결됨을 의미함
	구성 부품 자체의 체결 스크류 단자를 의미함		차체에 스크류로 접지되어 있음을 나타냄
	해당되는 필요부분만 표시된 것을 의미		실드선으로 실드 접지를 나타냄
	구성 부품 자체가 접지로 연결되는 경우		점선 내부에 전선이 조인 된 것을 의미함 (조인트 커넥터)

3. 부품의 기능

회로를 판독하기 위해 기본적으로 습득하여야 할 내용 중에 하나가 회로에 나타낸 소자 또는 부품의 기능이다. 회로의 소자 또는 부품의 기능을 알고 있지 않으면 회로의 전체적인 작동 흐름을 파악할 수 없을 뿐만 아니라 회로의 용도에 대한 정확한 동작 원리를 쉽게 이해할 수가 없어 최소한의 소자 또는 부품의 기능은 습득하고 있어야 한다.

[표1-2] 전기회로에 사용되는 부품의 기능

부품명	부품의 기능
퓨즈	• 전선에 흐르는 전류가 허용 전류 이상 흐르면 전선에 주울열 발생으로 퓨즈가 녹아 단선되어 회로를 보호하는 작용을 한다.
스위치	• 전선에 흐르는 전류를 단속(ON, OFF)하는 부품으로 접점의 수와 접점의 방법에 따라 여러 가지로 구분한다.
로터리 스위치	• 회전축에 따라 전선에 흐르는 전류를 단속하는 스위치로 자동차에 서는 대표적으로 A/T의 인히비터(inhibitor) 스위치 등이 있다.
저항	• 물체의 고유 저항율을 이용한 것으로 전류의 흐름을 제한하는 것을 저항이라 하며 그 물체를 저항체라 한다.
가변자항	• 회전축에 따라 저항값이 변화하는 소자를 말한다. 이러한 가변 저항에는 슬라이드(slid)형의 저항형도 있다.
콘덴서	• 절연체의 유전 분극 현상을 이용한 것으로 전하량을 축적하는 기능을 가지고 있는 소자이다.
코일	• 자속의 변화에 의한 자기 유도 현상을 이용한 것으로 자속 변화에 의한 전류의 흐름을 방해하는 소자이다.
트랜스	• 자속의 변화에 의한 상호 유도 현상을 이용한 것으로 코일에 권수에 따라 유기전압이 승압 또는 감압 할 수 있는 부품이다.
전구	• 텡스턴 및 크롬을 이용한 필라멘트에 전류를 흘리면 쥬울열에 의해 필라멘트가 가열되어 빛을 발하는 조명등이다.
릴레이	• 코일에 전류를 흘려 철심에 전자석이 되는 것을 이용한 일종의 스위치 부품이다.
모터	• 코일에 전류를 흘려 철심에 전자석을 만들고 전자석에 발생되는 자력선의 방향에 따라 회전 코일을 회전 시키는 부품이다

부품명	부품의 기능
발전기	• 자속의 변화에 의한 자기 유도 현상을 이용한 것으로 자속 변화에 의해 코일에 유도 기전력을 얻는 부품이다.
서미스터	• 온도에 따라 저항값이 변화하는 것을 이용한 소자로 온도가 증가하면 저항값이 감소하는 NTC형 서미스터가 많이 사용되고 있다.
커넥터	• 전선의 연결 기구로 자동차용 커넥터로는 진동의해 접점 불안정이 없어야 하며 습기에 강한 방수형(water proof type) 커넥터도 있다.
퓨즈블 링크	• 블레이드(blade)형 퓨즈와 튜브(tube)형 퓨즈와 달리 전선과 전선 사이에 연결되어 2차 퓨즈 역할을 하고 있는 소자이다.
정션 박스	• 배터리로부터 공급되는 각 전원은 퓨즈 박스를 거쳐 공급하도록 하는 전원선의 박스(box) 이다.
점화 스위치	• 자동차의 운행을 위한 시동 스위치 부품을 말한다.
다기능 스위치	• 하나의 스위치 부품에 스위치 조작 방식에 따라 미등, 전조등, 비상등 같이 여러 개의 기능을 조작할 수 있는 스위치를 말한다.
인히비터 스위치	• 로터리 스위치(rotory switch)의 일종으로 자동미션의 정지, 전진, 후진등을 조작하는 변속 스위치를 말한다.
NC 접점 릴레이	• 릴레이의 접점이 평시에는 ON상태로 되어 있다가 코일에 전류가 흘러 철심이 여자 되면 접점이 OFF상태로 되는 릴레이
NO 접점 릴레이	• 릴레이의 접점이 평시에는 OFF상태로 되어 있다 가 코일에 전류가 흘러 철심이 여자 되면 접점이 ON상태로 되는 릴레이
펄스 제너레이터	• 영구 자석의 폴(pole)에 코일을 감아 전자 유도 현상을 이용해 코일에 유도 기전력이 발생하도록 하는 교류 신호 발전기
점화 코일	• 트랜스(변압기)의 원리를 이용 연소실내에 불꽃 방전을 발생하기 하기 위해 2차 코일에 20㎸ 이상 고압을 발생하는 부품
인젝터	• 전자 개반을 통해 실린더 내에 연료를 공급하여 주는 노즐(nozzle)
스텝 모터	• 모터의 회전자(armature)가 펄스 신호에 따라 회전자의 회전각을 제어할 수 있는 모터
솔레노이드 밸브	• 전자반(전자석을 이용한 개폐 장치)을 이용해 밸브(valve)의 통로를 개폐 할 수 있는 밸브
액추에이터	• 전기 신호에 따라 모터, 스텝 모터같이 회전자가 회전 운동을 하여 레버(lever) 또는 밸브(valve)를 작동하는 부품
다이오드	• 정류 회로에 정류 작용 뿐만 아니라 전류의 역류를 방지하기 위해 사용되는 일방향성 특성을 가진 소자
수온센서	• 반도체의 부온도 계수를 이용한 서미스터 소자로 온도가 상승하면 저항값이 내려가는 NTC형 서미스터가 이용되고 있는 부품

4. 전선의 규격 및 칼라 코드

자동차 전장 회로에는 회로를 나타내는 각종 부호(symbol) 뿐만 아니라 부품의 장착 위치, 배선(wire harness)의 종류 및 전선의 규격을 나타내는 기호가 표시되어 있어서 회로를 판독한 후에 쉽게 점검 포인트를 찾을 수 있도록 구성되어 있다.

그림(1-5)의 (a)는 자동차 전장 회로의 전선 표기 예를 나타낸 것으로 전구 부하에 연결된 전선의 점선안에 1.25RG란 표기가 전선 규격을 나타내는 기호로서 앞의 숫자 1.25는 전선의 단면적(㎟)을 나타낸 것이다. 전선의 단면적이란 전류가 흐르는 동선의 단면적을 나타내며 연선의 경우에는 연선의 단면적에 연선수(심선의 단면적 × 심선수)를 곱한 면적을 나타낸다.

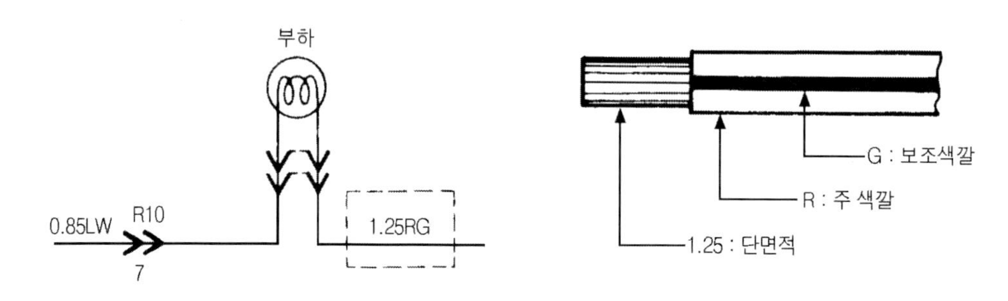

그림1-5 자동차 배선의 표기

이 숫자의 크기에 따라 전선에 흐르는 허용 전류의 용량이 결정되어 지는데 이것은 표(1-5)의 자동차용 저압 비닐 전선 규격과 같이 KS 규격에 의해 결정되고 있다.

표 (1-5)는 자동차용 저압 비닐 전선의 규격을 나타낸 것으로 자동차용 저압 비닐 전선의 최대 허용 온도 범위는 60℃를 넘지 못하게 되어 있다.

그림1-6 자동차 전선의 색상 표기(예)

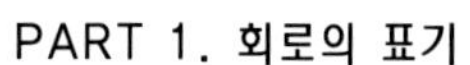

따라서 엔진 룸(engine room)과 같은 고열 부위에 사용하는 전선은 별도의 내열선을 사용 하여야 한다. 1.25RG의 표기에서 알파벳 RG는 배선에 사용되는 색상의 약어를 표기한 것으로 앞에 R은 적색(red)의 약어로서 그림 (1-5)의 (b)와 같이 전선 피복의 주색(바탕색)을 나타내며 뒤에 알파벳 G는 녹색(green)의 약어로서 전선 피복의 보조색(띠의 색)을 나타내고 있어 회로도와 함께 배선의 규격을 파악할 수 있도록 하고 있다.

표 (1-4)는 자동차 전선의 색상 표기의 약어를 나타낸 것이다.

[표1-4] 자동차 배선 색상의 약어

약어	색 상	약어	색 상
B	흑색(black)	Br	갈색(brown)
W	백색(white)	S	은색(silver)
R	적색(red)	V	보라색(violet)
G	녹색(green)	Gr	회색(gray)
L	청색(blue)	Lg	연두색(light green)
Y	황색(yellow)	T	황갈색(tawny)
O	주황색(orange)	Be	베이지색(brige)
P	분홍(pink)	Pp	자주색(purple)

[표1-5] 자동차 저압 비닐 전선의 규격

구분	단면적 (mm^2)	연선지름 (mm)	연선수	외경 (mm)	허용전류 (A)	도체저항 (Ω/m)	비 고
AV	0.3sq	0.26	7	1.78	-	0.0501	[참조] 자동차용 전선 AV : 저압 비닐전선 AVX : 저압 폴리에틸렌 sq : square
	0.5	0.32	7	2.2	9	0.0325	
	0.85	0.32	11	2.4	12	0.0205	
	1.25	0.32	16	2.7	15	0.0141	
	2	0.32	26	3.2	20	0.0086	
	3	0.32	41	3.9	27	0.0055	
	5	0.32	65	4.7	37	0.0034	
	8	0.45	50	5.9	47	0.0022	
	15	0.45	84	6.8	59	0.0013	
	20	0.8	41	8.2	84	0.0009	
	30	0.8	70	10.8	120	0.0005	
	40	0.8	85	11.3	135	-	

※ 참고 : 허용전류는 40℃일 때 기준치이며 도체저항은 20℃일 때 기준치임.

[표1-6] 블레드 퓨즈(blade fuse)의 색상별 정격 전류

색 상	퓨즈용량	색 상	퓨즈용량
적색	10A	황색	20A
청색	15A	분홍색	30A

또한 배선 색상에는 자동차 시스템을 계통별로 구분하여 색상으로 표현하고 있는데 바탕색(주색)이 적색(red)인 전선은 전원 회로 배선 및 조명 회로 배선에 사용되며 바탕색이 흑색(black)인 경우에는 어스(earth) 회로 배선 및 시동 회로 배선, 그리고 점화 회로배선에 사용이 되며 바탕색이 흰색(white)인 경우에는 충전 회로의 배선으로 사용된다.

바탕색이 녹색(green)인 경우에는 방향 지시등 배선 및 정지등 배선, 센서 신호 회로의 배선으로 사용하며 바탕색이 황색(yellow)인 경우에는 계기 회로의 배선으로 사용된다. 또한 바탕색이 청색(blue)인 경우에는 와이퍼(wiper)나 오디오(audio) 장치와 같은 자동차의 보조 장치회로 배선으로 사용된다.

[표1-7] 자동차 배선의 표준 색상(국내)

계 통	사용하는 부하장치	색 상	
		바탕색	보조색
전원, 조명장치	전원선, IG 전원, 시스템 전원, 헤드램프, 미등, 기타 조명	R, (W, V)	W, B, G, L
시동, 점화장치	시동 장치, 점화 장치	B, (W)	R, W, B, Y
충전장치	충전 장치	W (Y, O)	W, B, G, L,Y, Br
신호회로	전원 S/W류, 센서 신호, 제동등, 방향 지시등, 혼	G (Br, Lg)	W, G,Y, Br
계기장치	각종 게이지류 및 경고등 에어백, 센서 전원, ACC 전원	Y (R, O)	W, Y, Br, G
보조장치	와이퍼, 인 사이드 미러, 에어컨, 오디오, 히터 등	L (Br, Y)	R, W, B, Y, G
어스 회로	접지회로	B	-

표 (1-7)은 국내 자동사 메이커의 대표적인 배선의 계통별 표준 색상을 나타낸 것이며 표 (1-9)는 닛산 자동차 메이커의 자동차 배선 색상을 계통별로 구분하여 놓은 것이다. 계통별 전선의 피복 색상의 구분에도 불구하고 최근 자동차의 전장 시스템은 날로 발전하여 새로운 시스템(system)이 증가되어 가고 있는 추세로 배선의 피복 색상 또한 다양하게 사용되고 있어서 보조색(띠색)의 경우에는 각 자동차 제조 메이커 마다 또 차종에 따라 정확하게 맞지 않은 것이 현실이다.

따라서 실무에 있어서는 자동차 배선의 색상 중 표 (1-8)과 같이 적색은 전원선, 흑색은 어스선 및 점화 장치, 백색은 충전 계통, 황색은 계기 장치 계통 및 에어-백(air-bag)계통, 녹색은 신호 계통, 청색은 보조 장치 계통에 배선의 바탕색으로 사용하고 있다는 것은 기본적으로 기억하고 있는 것이 좋다.

[표1-8] 계통별 배선의 표준 색상

바탕색	계 통	바탕색	계 통
적색	전원선	황색	계기장치 계통
흑색	어스선	녹색	신호 계통
백색	충전장치 계통	청색	보조장치 계통

[표1-9] 자동차 배선의 표준 색상(일본)

계 통	사용하는 부하장치	색 상	
		바탕색	보조색
전원, 조명장치	전원선, IG 전원, 시스템 전원, 헤드램프, 미등, 안개등	R, (W, V)	W, B, G, L
시동, 점화장치	시동 장치, 점화 장치, 디젤 글로우 회로	B, (W)	R, W, B, Y
충전장치	충전 장치	W (Y, O)	W, B, G, L,Y, Br
신호회로	센서신호, 제동등, 주차, 혼, 방향 지시등	G (Br, Lg)	W, G,Y, Br
계기장치	온도미터, 연료미터, 스피드미터, rpm 미터, 경고등	Y (R, O)	W, Y, Br, G
보조장치	와이퍼, 라디오, TV, 에어컨, 히터 등	L (Br, Y)	R, W, B, Y, G
어스 회로	접지회로	B	-

※ 상기 장치별 배선의 보조색 표준 색상은 차종과 메이커마다 차이가 있음

또한 자동차 전장 회로에는 전선의 사용하는 부하의 용량에 따라 전선의 단면적이 3.0(㎟), 2.0(㎟), 1.25(㎟), 0.85(㎟), 0.5(㎟), 0.3(㎟) 등으로 구분하여 지므로 전장계 점검시 회로 판독과 연관하여 두는 것이 좋다. 표 (1-6)은 블레드 퓨즈(blade fuse)에 대해 색상 별 전류 용량을 나타낸 것이다.

5. 커넥터와 와이어 하니스

전장 회로에 표기하고 있는 와이어 하니스(wire harness)의 커넥터(connector)의 식별 기호는 그림 (1-7)과 같이 EM01, MO6 등으로 표기하고 있다. 이것은 그림 (1-8)과 같이 앞의 알파벳은 자동차 와이어 하니스(wire harness)의 종류를 표 (1-10)과 같이 구분하며 뒤의 아라비아 숫자는 와이어 하니스에 적용된 커넥터(connector)의 일련번호를 나타내고 있다.

예를 들면 EM01이라는 커넥터 식별 표기에 알파벳 E은 엔진(engine)의 첨두 문자와 알파벳 M은 메인 와이어 하니스(main wire harness)의 첨두 문자로서 엔진 와이어 하니스(engine wire harness)에 메인 와이어 하니스를 연결하는 커넥터의 의미를 가지고 있다. 이러한 표기 방법은 각 자동차 제조사 마다 다소 차이는 있으나 근본적으로 와이어 하니스의 종류 및 커넥터의 위치를 표시하고자 하는 것은 동일하다. 따라서 여기서는 국내 자동차 사의 대표적인 예를 들어 설명하고자 한다.

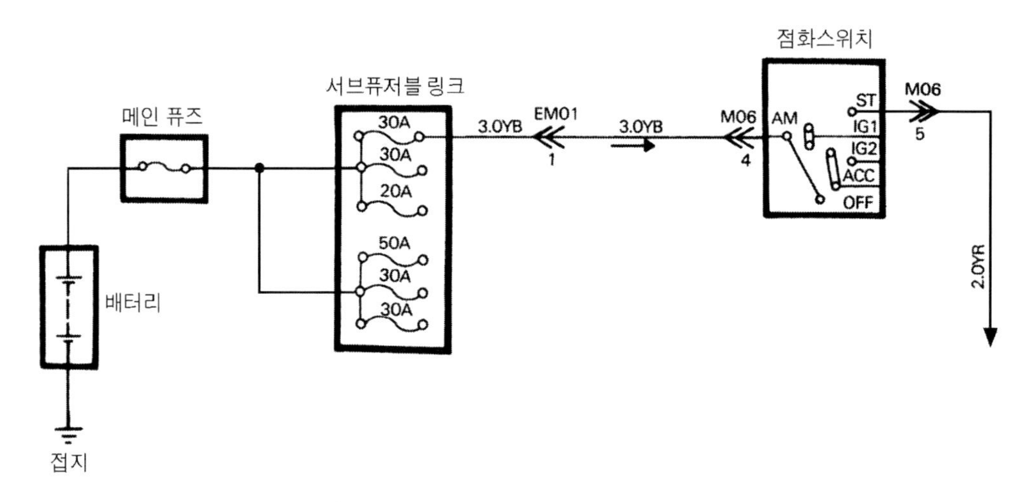

그림1-7 와이어 하니스의 커넥터 표기

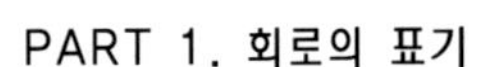

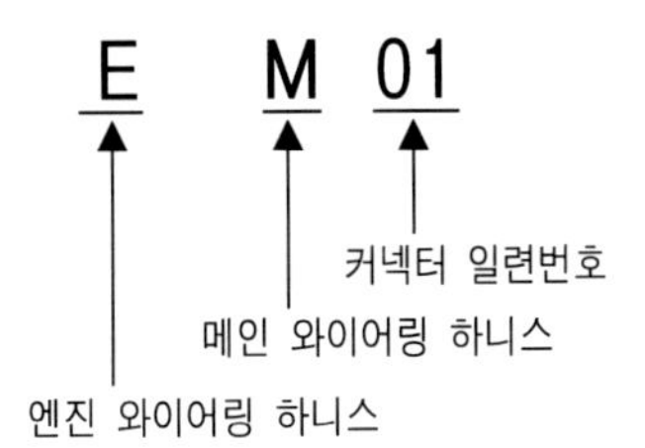

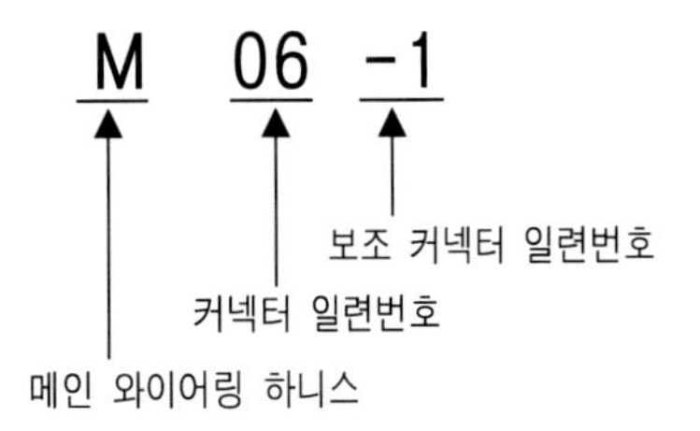

그림1-8 와이어 하니스의 커넥터 식별 표시(예)

또한 전장 회로상에는 커넥터의 식별 기호는 물론 커넥터(connector)의 핀(pin) 번호를 기록하여 두어 점검시 활용할 수 있도록 하고 있다. 커넥터(connector)의 핀(pin) 번호는 암-커넥터를 기준으로 하여 그림 (1-9)와 같이 핀 번호를 배열하고 있어서 전장 회로 점검시 커넥터(connector)의 위치 및 핀(pin) 번호를 통해 점검 포인트(point)를 쉽게 찾을 수가 있다.

[표1-10] 와이어하니스 식별 기호 표기

식별기호	와이어 하니스 명칭	위 치	비고
M	메인 와이어 하니스	실내 구성품 및 콘솔	
E	엔진 와이어 하니스	엔진룸	
I	인스트르먼트 와이어 하니스	크래쉬 패드	
C	컨트롤 와이어 하니스	엔진 룸	
D	도어 와이어 하니스	도어	
S	시트 와이어 하니스	시트	
R	리어 와이어 하니스	차량의 후미 부위	
A	에어백 와이어 하니스	실내	황색 와이어
J	정션 박스	엔진룸, 크래시 패드	

그림 (1-9)의 커넥터는 와이어 하니스(wire harness)측에 부착한 암-커넥터를 나타낸 것이다. 그림 (a)는 와이어 하니스가 연결된 측에서 본 커넥터의 핀 배열을 나타낸 것이며 그림(b)는 커넥터 핀(connector pin)이 삽입되는 삽입측에서 바라 본 배열로 좌에서

우로 순번을 카운트(count)하도록 되어 있다. 자동차의 전장 회로를 점검하기 위해서는 회로를 판독하는 능력도 무엇보다도 중요하지만 전문가 수준의 실무 능력을 갖추기 위해서는 자동차 전장 회로의 전체 흐름을 파악하고 회로에 사용되는 와이어 하니스(wire harness)의 종류와 와이어 하니스(wire harness)에 주요 연결 부품 들이 무엇인지를 파악하고 와이어 하니스와 와이어 하니스가 어떻게 연결되어 있는 지를 머리 속에 정리하여 두는 것이 보다 효과적으로 진단 정비를 수행 할 수 있다.

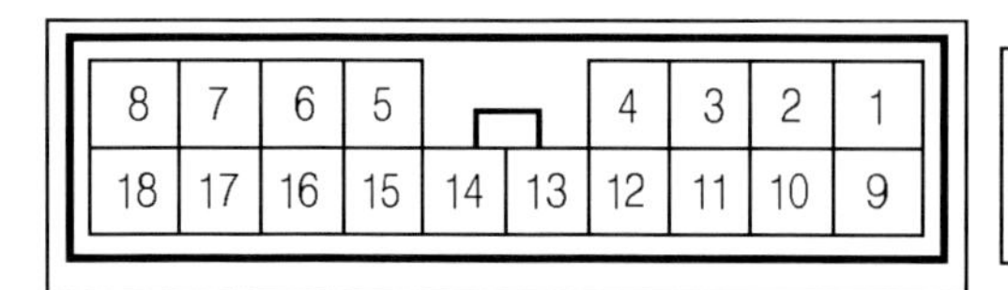

(a) 암 커넥터(와이어 하니스측)

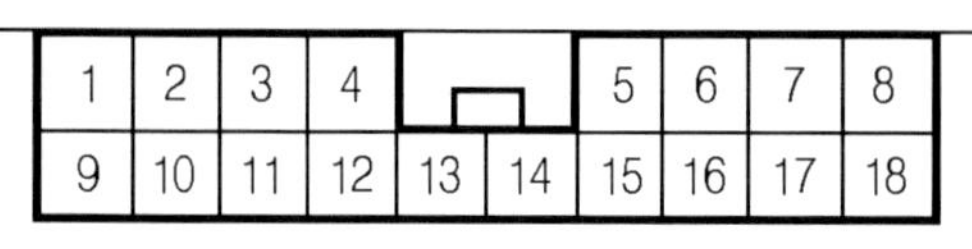

(b) 암 커넥터(receptacle측)

그림1-9 커넥터 핀(pin) 배열

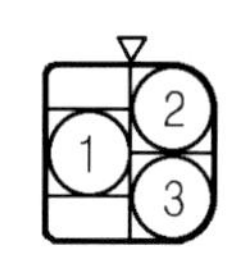

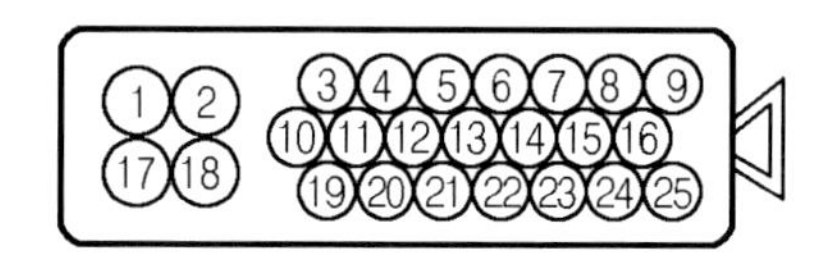

그림1-10 여러 가지 커넥터의 핀 배열

자동차(승용차 기준)의 버디(body)는 크게 엔진 룸과 실내 트렁크(trunk)로 구분되어 지는데 엔진 룸(engine room)에는 시동 장치 및 충전 장치, 헤드램프 및 냉각 팬 모터 같은 전장품을 연결하는 엔진 와이어 하니스(engine wire harness)가 있으며 엔진 컴퓨터 및 오토미션 컴퓨터를 연결하는 컨트롤 와이어 하니스가 있다. 엔진 와이어 하니스(engine wire harness)와 컨트롤 와이어 하니스(control wire harness)를 따로 분류하여 사용하는 것은 컨트롤 와이어 하니스에는 각종 ECU(전자 제어 장치)의 센서가 연결되어 있어서 전기적인 노이즈(noise)을 방지하기 위해 ECU(전자 제어 장치)에 적용되는 센서(sensor)의 기준 전위를 일정하게 하기 위함이다.

차량의 실내에 사용되는 와이어 하니스는 각 와이어 하니스(wire harness) 들에 전원을 연결하는데 주축이 되는 메인 와이어 하니스(main wire harness)와 자동차 운행에 필요한 조작 스위치(switch)류 및 계기판을 연결하는 인스트르먼트 와이어 하니스(instrument

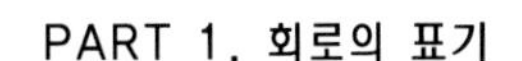

wire harness), 도어측에 연결된 도어 록 스위치(door lock switch)류를 연결하는 도어 와이어 하니스(door wire harness)가 있으며 시트(seat) 및 연료 펌프 구동, 섀시계의 전장 부품을 연결하는 플로어 와이어 하니스(floor wire harness)가 있다.

플로어 와이어 하니스는 자동차 종류에 따라 메인 와이어 하니스와 분류하지 않고 사용하는 것도 있다. 트렁크(trunk)에는 트렁크 언록 스위치(trunk unlock switch) 및 콤비네이션 램프(combination lamp)를 연결하는 리어 와이어 하니스가 있지만 소형 차량인 경우에는 메인 와이어 하니스와 별도로 구분하여 사용하지 않고 메인 와이어 하니스(main wire harness)로 리어 하니스를 대신하는 자동차도 있다.

이와 같이 자동차의 전장 회로를 연결하여 주는 와이어 하니스는 차체(body)의 각 방마다 표 (1-11)과 같이 나누어져 있어서 자동차 전체의 와이어 하니스가 어떻게 연결되어 있는지를 파악하여 두는 것이 좋다.

전장 회로의 전원은 배터리 및 충전 장치로부터 정션 박스(junction box)의 퓨즈(fuse)을 거쳐 부하에 공급하게 되는데 이 때 전원 공급의 주요 통로 역할을 하는 것이 메인 와이어 하니스(main wire harness)이기 때문에 각 와이어 하니스(wire harness)들의 상호 연결은 정션 박스(junction box)의 정션 커넥터와 와이어 하니스(wire harness)의 조인트 커넥터(joint connector)를 통해 연결하고 있어서 전장 회로 전체가 마치 하나의 회로처럼 작동 할 수 있게 되어 있다.

[표1-11] 와이어하니스별 주요 연결 부품들(예)

식별기호	와이어 하니스 명칭	주요 연결 부품	연결 커넥터
M	메인 와이어 하니스	• 엔진 룸 정션 박스 • 실내 정션 박스 • 점화 스위치 • 다기능 스위치 • 자기진단 점검 단자	MC00 MI00 MF00
I	인스트르먼트 와이어 하니스	• 실내 정션 박스 • 계기판 • 에어컨 스위치	MI00
E	엔진 와이어 하니스	• 엔진 룸 정션 박스 • 시동 모터 • 헤드램프 및 방향 지시등 • 라디에이터 팬 모터	ME00

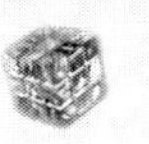

식별기호	와이어 하니스 명칭	주요 연결 부품	연결 커넥터
C	컨트롤 와이어 하니스	• 엔진 룸 정션 박스 • 점화 코일 • 엔진 ECU, TCU • ECU의 센서	MC00
F(M)	플로어 와이어 하니스	• 실내 정션 박스 • ABS 휠 센서 • ECS 액추에이터 • 연료 펌프 모터	MM00 MD00 MR00
	루프 와이어 하니스	• 실내 정션 박스 • 실내등	MM00
D	도어 와이어 하니스	• 미러 폴딩 스위치 • 파워 윈도우 스위치 • 도어 록 스위치	MD00
R	리어 와이어 하니스	• 리어 콤비 램프 • 번호판 등 • 트렁크 언록 스위치	MR00

※참조 : 상기의 표(1-11)은 제조사 및 차종에 따라 다소 차이가 있을 수 있습니다.

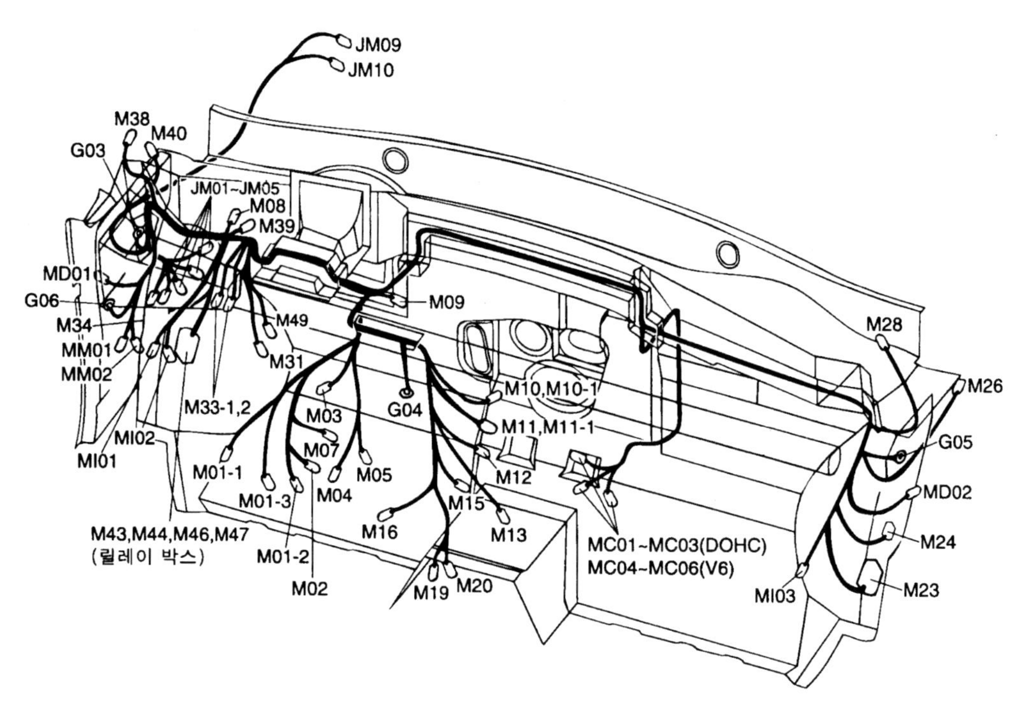

그림1-11 메인 와이어 하니스

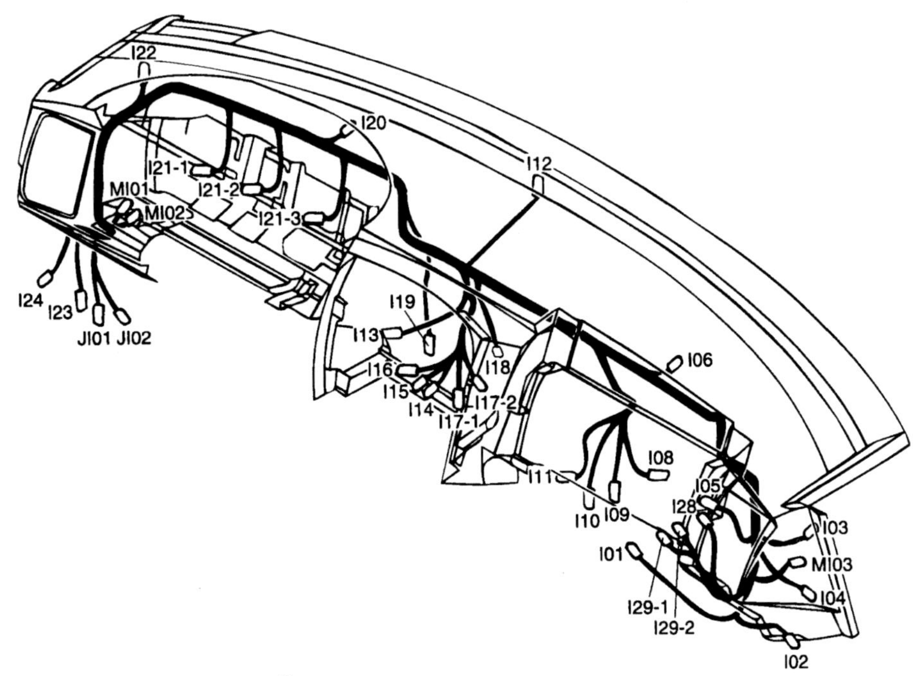

그림1-12 인스트루먼트 와이어 하니스

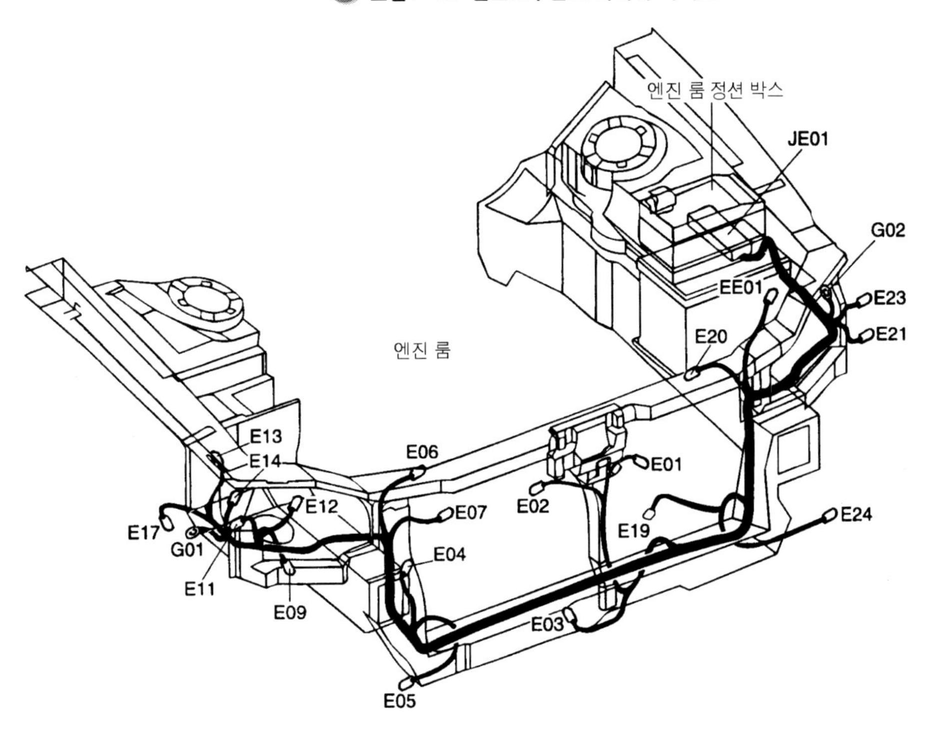

그림1-13 엔진 와이어 하니스

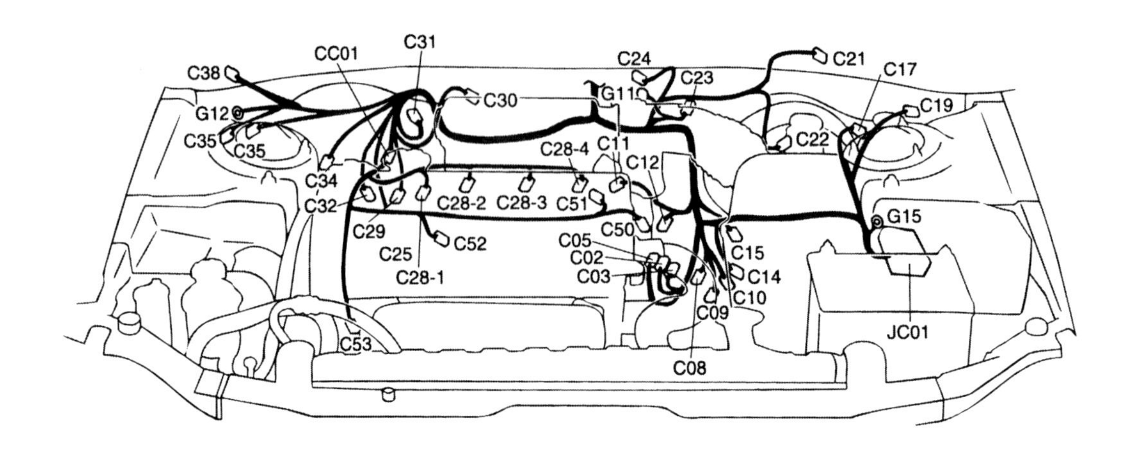

그림1-14 컨트롤 와이어 하니스

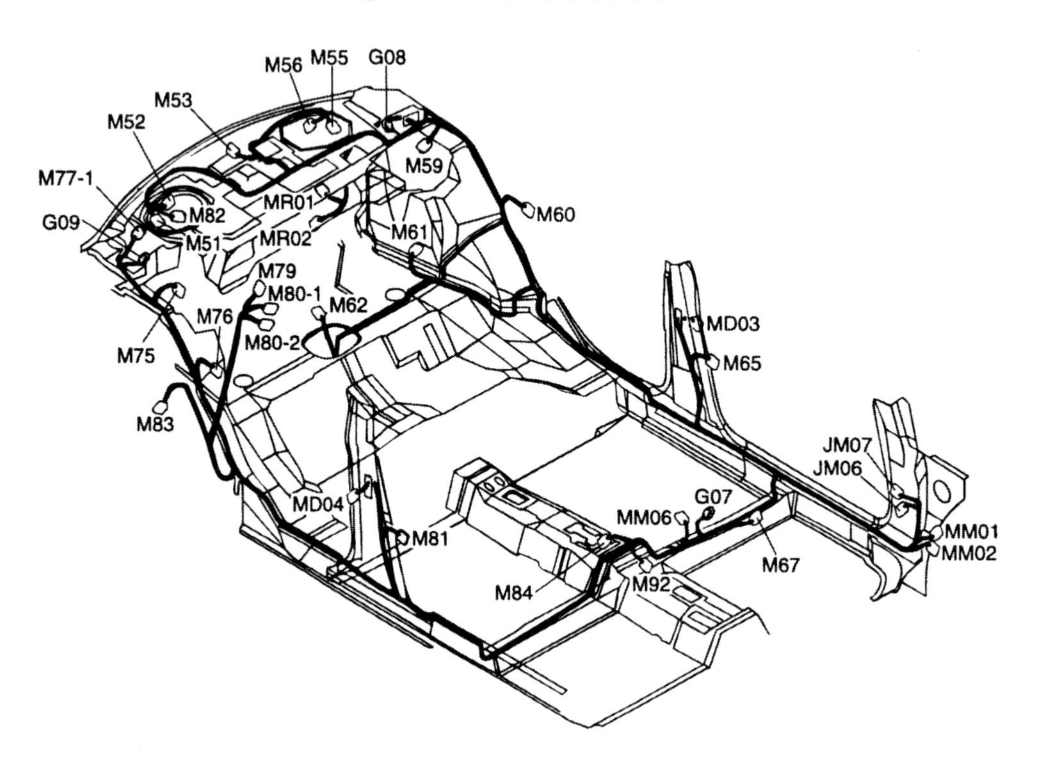

그림1-15 플로어 & 시트 와이어 하니스

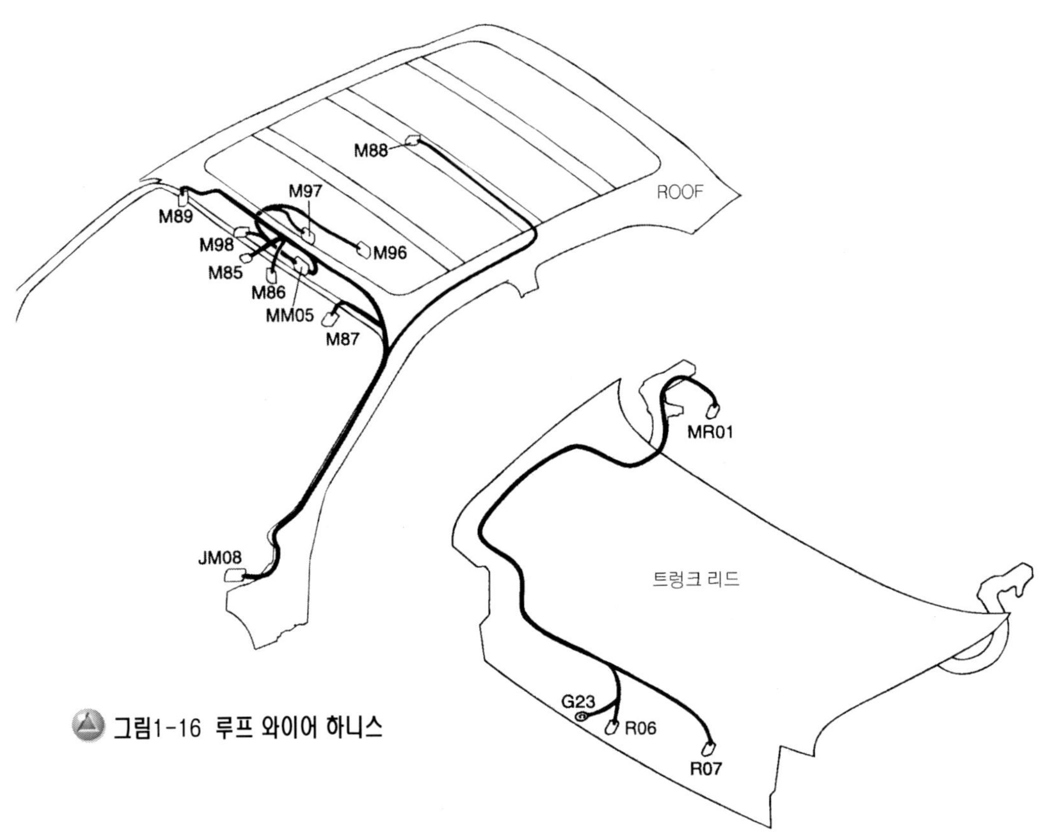

그림1-16 루프 와이어 하니스

그림1-17 트렁크 와이어 하니스

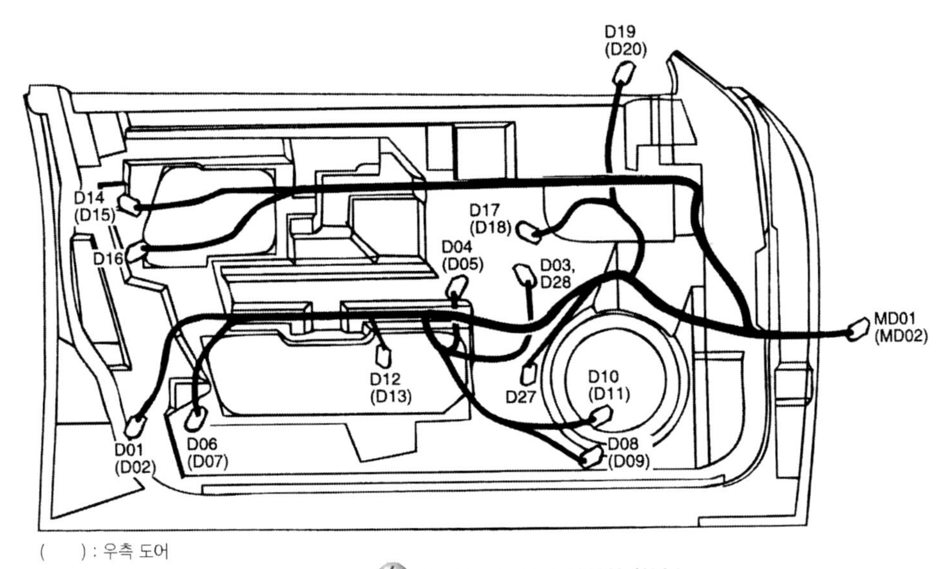

그림1-18 도어 와이어 하니스

point

커넥터와 와이어 하니스

1 커넥터의 표기

① MC01(예) : 앞의 알파벳은 와이어 하니스를 뒤의 아라비아 숫자는 커넥터의 일련 번호를 표시한다.

- MC01(예) : 앞의 알파벳은 메인 와이어 하니스(M)에 컨트롤 와이어 하니스(C)가 연결 되는 것을 의미한다.
- MI01(예) : 앞의 알파벳은 메인 와이어 하니스(M)에 인스트르먼트 와이어 하니스(I)가 연결 되는 것을 의미한다.

2 커넥터의 핀 배열

① 커넥터의 핀 번호는 와이어 하니스와 연결된 암-커넥터를 기준으로 하여 암-커넥터에 핀이 삽입되는 방향에서 보았을 때 좌에서 우로 순번을 카운트 한다.

※ 주) 커넥터의 핀 번호는 자동차 제조사 및 차종에 따라 다소 차이가 있으므로 점검 정비시 전선의 색상 표기와 핀 번호를 같이 확인하는 것이 좋다.

3 와이어 하니스의 종류와 주요 연결 부품을 기억하여 둔다.

① 와이어 하니스의 종류별 기호를 기억하여 둔다.

② 와이어 하니스별 주요 연결 부품을 기억하여 두는 것이 좋다.

※ 이것은 자동차 전장 회로의 흐름을 파악 할 수 있을 뿐만 아니라 실무시 효과적으로 진단 및 점검을 할 수 있기 때문이다

③ 메인 와이어 하니스는 정션 박스의 커넥터를 통해 각 와이어 하니스에 전원을 연결하여 주고 있으며

④ 와이어 하니스와 와이어 하니스 간에 전기적인 연결은 조인트 커넥터를 통해 연결하고 있다.

주) ※ 와이어 하니스는 자동차 제조사 마다 다소 달라지므로 하나의 기본 모델을 숙지하고 있으면 외국 차량이라도 쉽게 접근 할 수가 있다

02 회로판독요령

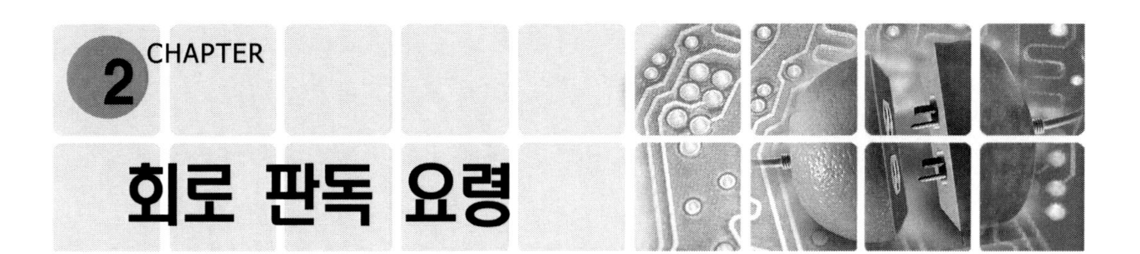

2 CHAPTER 회로 판독 요령

회로의 구성

1. 회로의 구성 요소

모든 회로는 회로를 구성하기 위해 기본적으로 그림 (2-1)의 (a)와 같이 회로의 구동에 필요한 전원부가 있으며 전원부의 공급을 받아 회로의 목적에 따라 동작하는 부하부로 구성되어 있다. 아무리 복잡한 제어 시스템(system) 회로라 할지라도 회로의 기본 구성은 그림 (b)와 같이 구동에 필요한 전원 공급 회로가 있으며 제어부에는 제어 조건에 따라 부하를 구동케 하는 입력 회로와 제어 회로가 있어서 시스템(system)의 동작 원리를 파악하는 데는 그다지 어렵지 않다.

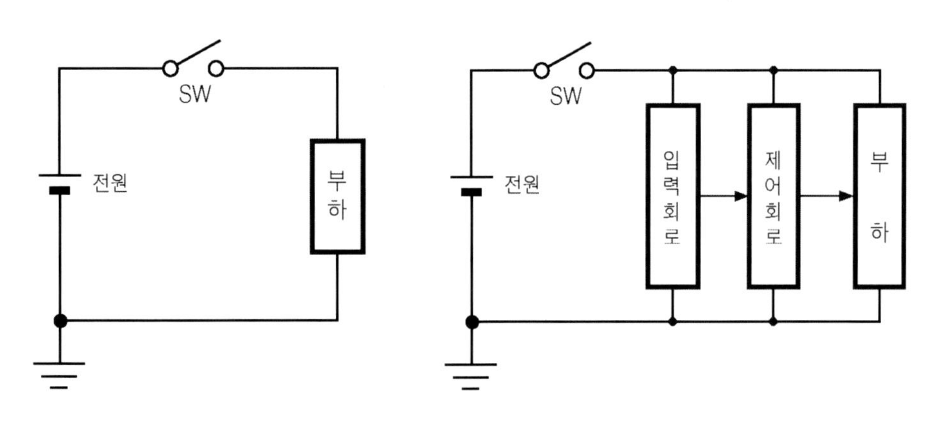

그림2-1 회로 구성(예)

그러나 그림 (2-1)과 같이 배터리로부터 공급되는 단순 전원 회로와 달리 배터리(battery)에 의해 공급된 전원이 정전압을 공급하기 위해 별도의 전원 공급 회로가 요구되어지는 정전압 공급 회로가 필요하다고 가정하면 정전압 회로를 판독하기 위한 전기적 지식이 요구되게 된다.

이와 마찬가지로 부하를 구동하기 위해 그림 (2-1)과 같은 단순 회로가 아닌 별도의 부하의 구동 회로가 필요하다면 별도의 전기적 지식이 없으면 실제 회로를 판독하는 데에는 어려움이 따르게 된다.

그러나 아무리 어려운 회로 일지라도 전원을 공급한다는 것과 부하를 구동한다는 것은 기본적으로는 그림 (2-1)과 같은 회로로 구성되어 있는 것으로 볼 수 있으므로 전장 회로를 판독하는 일은 그다지 어려움이 없으리라 필자는 생각한다.

★ 회로의 구성 조건

① 모든 회로에는 부하에 전원을 공급하기 위한 전원 회로와 부하를 구동하기 위한 부하 회로로 구성 되어 있다.
② 모든 제어 회로에는 제어 조건 과 부하를 구동하기 위한 입출력 회로와 제어 회로로 구성 되어 있다.
③ 모든 회로는 부하를 구동하기 위해서는 반드시 폐 회로(close loop)가 구성 되어야 한다.
④ 부하의 내부 저항이 전원 회로의 내부 저항보다 낮아서는 안된다.

전원 회로에는 배터리(battery)나 올터네이터(alternator)와 같이 실제 전원을 공급하는 공급원을 소스(source) 전원이라 하며 부하에 공급 전원을 단속하기 위한 스위치(switch)류 및 부하의 회로를 보호하기 위한 퓨즈(fuse)류와 교류(AC)를 직류(DC)로 변환하기 위한 정류 회로, 전압을 일정 전압으로 안정화하기 위한 정전압 회로 등은 전원을 공급하기 위한 회로의 구성품 들로 모두 전원 회로에 포함 된다. 또한 부하라는 것은 전기적으로 표현하면 저항 성분을 가지고 있는 물체에 전류가 흘러 줄(joule)열로 발생하는 모든 것을 말하지만 일반적으로 부하라는 것은 소스(source)전원으로부터 공급하는 전원에 대해 전류를 소모 하는 주된 구성 부품을 말한다.

예컨대 자동차의 헤드램프(head lamp) 회로에 부하라 하면 헤드램프(head lamp) 자체가 부하를 의미하지 헤드램프를 점등하기 위해 전원을 연결하여 주는 릴레이(relay)와 같

은 구성 부품을 부하라 표현하지는 않는다.

그러나 릴레이 코일에 의해 소모되는 것도 엄밀히 말하면 부하라 말 할 수 있다.

2. 회로의 연결 방식

회로에 사용되는 구성 부품의 연결 방식에는 그림 (2-2)와 같이 직렬연결 방식과 병열연결 방식이 있다. 직렬연결 방식은 그림 (2-2)와 같은 저항 성분을 갖는 전구의 경우에는 저항 성분이 증가하여 전압 강하분 만큼 전구의 밝기가 점등하게 되며 병렬연결 방식의 경우에는 저항 성분이 작아지며 전구의 하나의 밝기는 동일하여 병렬 전구 부하에 흐르는 전류량을 그 만큼 증가하는 회로가 된다.

또한 그림 (2-2)의 (a) 및 (b)와 같이 스위치가 OFF(차단) 되어 있어 전류가 흐르지 못하는 회로를 개회로(open loop circuit)라 하며 그림 (2-2)의 (c) 및 (d)와 같이 스위치(switch)가 ON상태가 되어 부하에 전류가 흐르는 회로를 폐회로(close loop circuit)라 한다. 따라서 전기 회로를 구성하기 위해서는 전류가 흐를 수 있도록 폐회로(close loop circuit)을 구성하지 않으면 안된다.

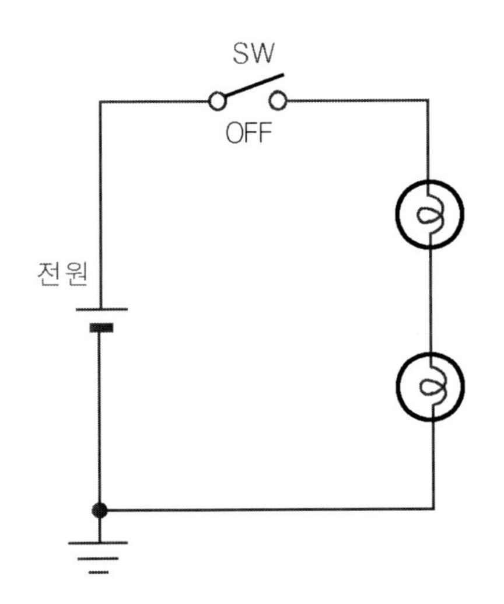

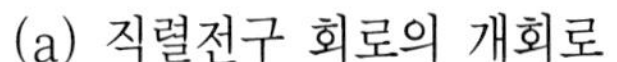
(a) 직렬전구 회로의 개회로

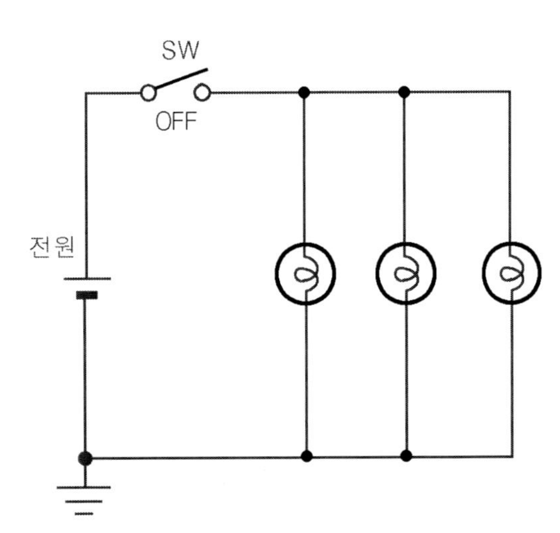

(b) 병렬전구 회로의 개회로

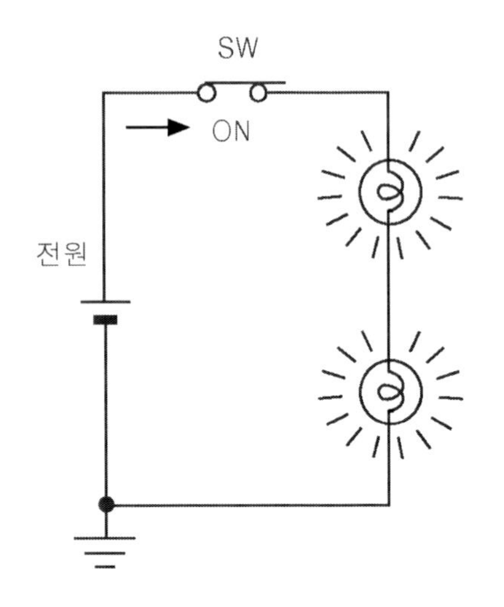

(c) 직렬전구 회로의 폐회로

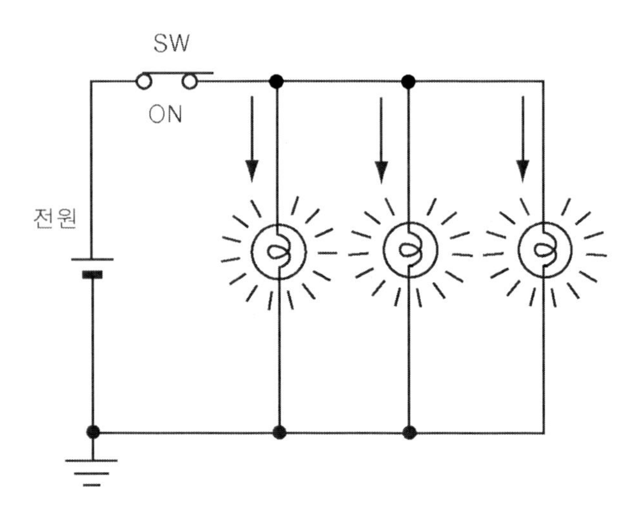

(d) 병렬전구 회로의 폐회로

그림2-2 회로의 연결 방식

★ 회로의 연결 방식

① 구성품의 연결 방식
- 직렬 회로 : 전원 또는 구성 부품이 일렬로 연결된 회로
- 병렬 회로 : 전원 또는 구성 부품이 똑 같이 병행하여 연결된 회로

② 구성품의 연결이
- 개 회로(open loop circuit) : 전류가 흐르지 못하는 차단된 회로
- 폐 회로(close loop circuit) : 전류가 흐를 수 있는 회로

3. 자동차 전장 회로의 구성

자동차 전장 회로는 각 시스템(system)이 배터리(battery) 및 올터네이터(altermator)와 연결하는 기본 틀 자체는 그림 (2-3)과 같이 병렬연결 되어 있어서 회로의 판독은 각 시스템 별로 독립된 회로로 판독할 수가 있어 회로 판독 및 고장 점검이 그다지 어렵지 않다.

자동차 전장 회로를 구성하고 있는 전장 장치는 기본적으로 시동 및 충전 장치, 냉각 장치, 점화 장치, 등화 장치, 계기 장치, 편이 장치 등은 그림 (2-3)과 같이 각 공급 전원이 각 퓨즈(fuse)를 거쳐 전원을 공급 받고 있어서 해당 장치 전체가 동작이 안되는 경우에는 해당 퓨즈(fuse)를 점검하고 여러 장치가 연관되어 작동이 안되는 경우에는 어스(earth)의

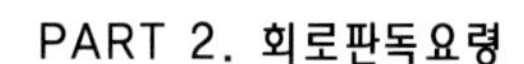

연결부위를 점검하는 것은 기본적으로 점검해야 할 기본 점검 항목인 이유가 여기에 있다. 이러한 시스템은 각 장치별로 전원을 공급 받는 조건과 해당 장치별로 부하가 작동하는 조건에 따라 전원 공급용 릴레이(relay)와 제어용 릴레이(relay)를 통해 전원이 공급 되고 있는 방식을 취하고 있어서 이들 릴레이에 공급되는 전원이 부하의 작동 조건에 따라 배터리(battery)에서 직접 공급하고 있는 상시 전원인지 점화 스위치(ignition switch)를 거쳐 공급하고 있는 IGN 전원인지를 구분하여 보아야 한다.

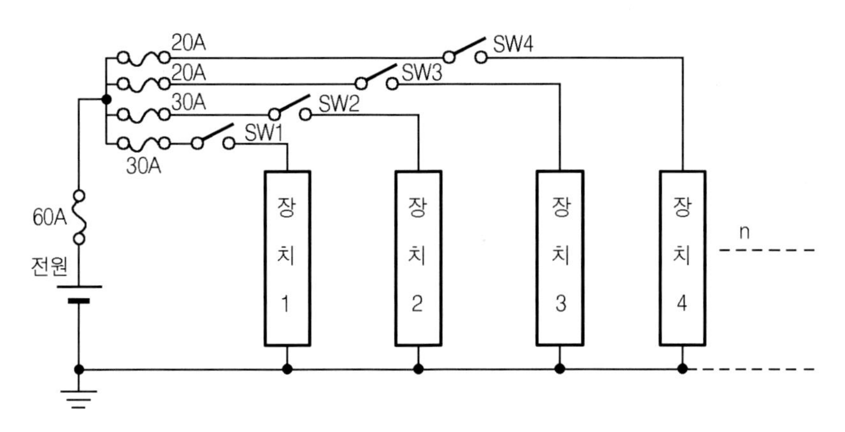

그림2-3 자동차 전장회로의 연결 구조

2. 회로의 트러블

1. 회로의 쇼트 및 단선

그림 (2-4)의 (a)와 같이 2개의 직렬 연결된 전구 사이가 쇼트(short)된 경우를 생각하면 2개의 전구를 통하여 전류가 흘러야 하지만 전류는 쇼트(short) 된 점퍼 선을 따라 모든 전류가 흐르게 된다. 이것은 전구가 갖고 있는 필라멘트(filament)의 저항이 쇼트(short)에 의해 단락된 부위의 저항값 보다 대단히 크기 때문에 전류는 필라멘트로 흐르지 못하고 쇼트(short)된 점퍼선을 따라 대단히 큰 전류가 흐르게 된다.

이론적으로는 옴에 법칙에 의해 I = E / 0 (Ω)이 되어 전류는 ∝(무한대)의 대전류 흐르게 되지만 실제로는 배터리(battery)의 내부 저항에 의해 ∝(무한대)로는 전류가 흐르지

않는다. 그러나 대단한 큰 전류로 인해 퓨즈(fuse)는 용해되어 순간적으로 단선되고 만다. 만일 그림 (2-4)의 회로가 자동차의 전조등 회로라 하고 회로에 퓨즈(fuse)가 없다고 가정하면 어떻게 될까? 쇼트(short)에는 대단한 고열로 인해 쇼트(short) 회로의 가장 취약한 전선이 용해되지 않고 전류가 일정 시간 지속 흐른다면 쇼트(short) 회로의 전선은 전열기의 필라멘트(filament) 역할을 하여 전선은 연소하기 시작 할 것이다.

따라서 자동차의 전장 회로에 퓨즈(fuse)의 기능은 회로를 보호 할 뿐만 아니라 쇼트시 퓨즈(fuse)의 용단으로 화재의 예방을 동시에 하는 중요한 부품 중에 하나인 것이다.

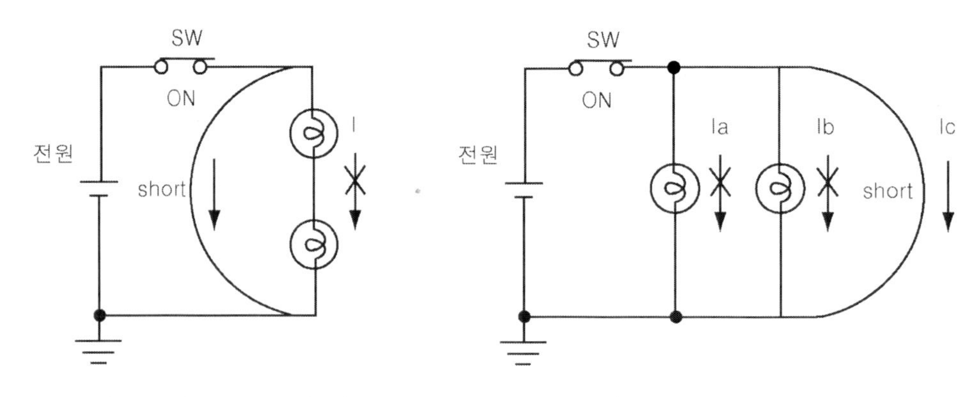

(a) 직렬전구 회로가 쇼트된 경우　　(b) 병렬전구 회로가 쇼트된 경우

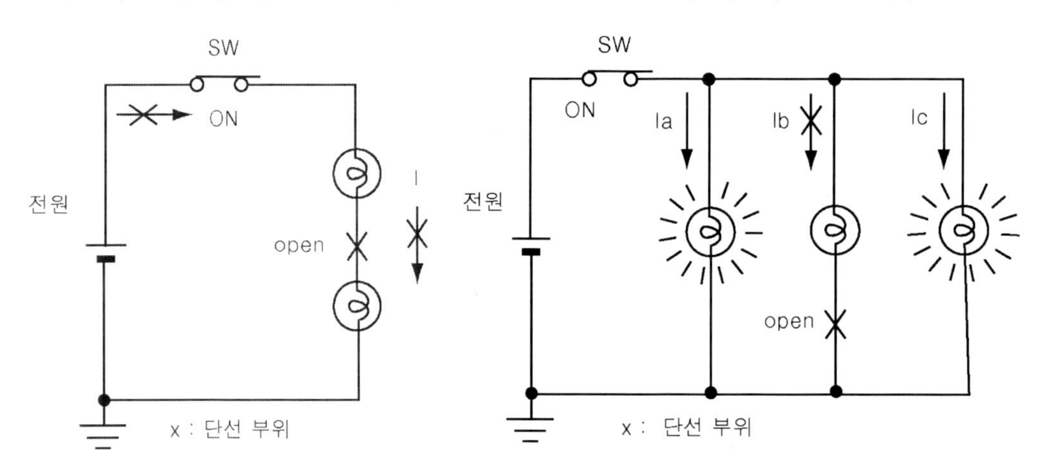

(c) 직렬전구 회로가 X부위가 단선된 경우　　(d) 병렬전구 회로가 X부위가 단선된 경우

그림2-4 전구회로의 단락과 단선

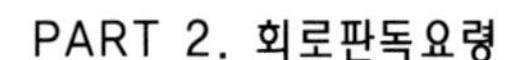

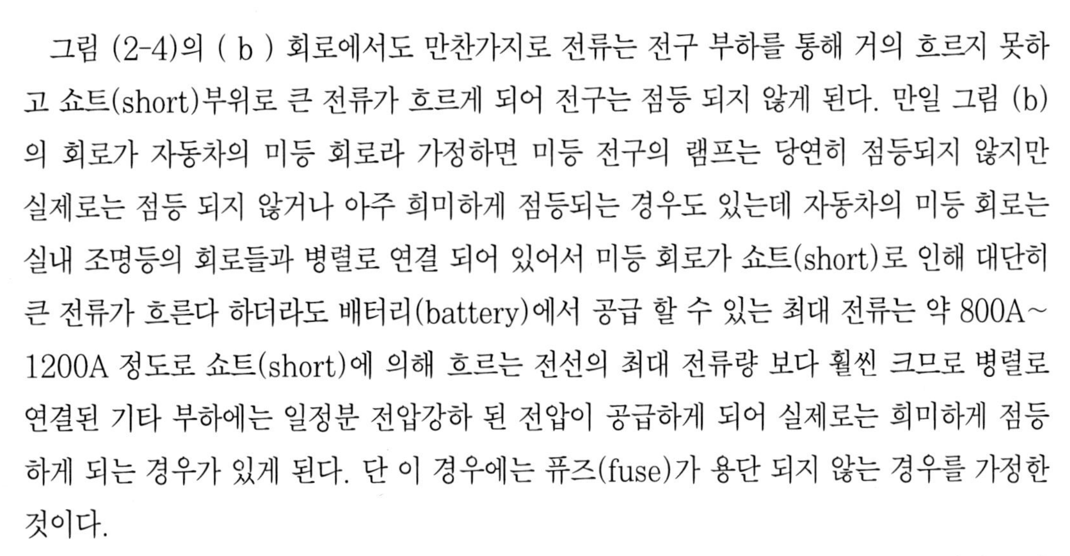

그림 (2-4)의 (b) 회로에서도 만찬가지로 전류는 전구 부하를 통해 거의 흐르지 못하고 쇼트(short)부위로 큰 전류가 흐르게 되어 전구는 점등 되지 않게 된다. 만일 그림 (b)의 회로가 자동차의 미등 회로라 가정하면 미등 전구의 램프는 당연히 점등되지 않지만 실제로는 점등 되지 않거나 아주 희미하게 점등되는 경우도 있는데 자동차의 미등 회로는 실내 조명등의 회로들과 병렬로 연결 되어 있어서 미등 회로가 쇼트(short)로 인해 대단히 큰 전류가 흐른다 하더라도 배터리(battery)에서 공급 할 수 있는 최대 전류는 약 800A~1200A 정도로 쇼트(short)에 의해 흐르는 전선의 최대 전류량 보다 훨씬 크므로 병렬로 연결된 기타 부하에는 일정분 전압강하 된 전압이 공급하게 되어 실제로는 희미하게 점등하게 되는 경우가 있게 된다. 단 이 경우에는 퓨즈(fuse)가 용단 되지 않는 경우를 가정한 것이다.

그림 (c)의 경우는 회로가 단선 경우를 나타낸 것으로 회로의 단선(open)은 마치 구성부품의 스위치(switch)가 OFF 상태에 있는 경우와 마찬가지로 개회로(open loop circuit)가 되어 전류는 흐르지 못하는 회로가 되는 경우이다.

그림 (d)의 경우에는 여러 개의 전구 부하중 X 부위가 단선 되어 스위치(switch)를 ON 시켜도 단선된 전구는 부하는 점등 되지 않는 경우를 나타낸 것으로 이 회로를 자동차의 미등 회로로 가정하면 미등 스위치(switch)를 ON하여도 단선된 해당 전구만 점등되지 않아 쉽게 발견 할 수 있는 경우이다.

실제 자동차 전장 회로에 있어서 회로가 단선 되는 경우는 커넥터(connector) 부의 체결 및 커넥터의 핀(pin)과 리셉터클(receptacle)이 밀리는 현상으로 커넥터의 도체의 접촉부가 접촉되지 않는 현상을 들 수 있으며 또한 어스(earth)의 체결 볼트(bolt)가 차량의 진동이나 체결 불량으로 차체와 폐회로(close loop circuit) 형성이 안되는 경우이다. 자동차 전장 회로의 단선(open)은 여러 가지 현상으로 나타나지만 보편적으로 출력 회로 부의 단선의 경우에는 해당 부하만 작동이 안되는 경우이며 입력 회로가 단선이 되는 경우는 단선된 입력회로에 따라 해당 부하가 작동하지 않게 되는 경우이다.

2. 접촉 불량

자동차 전장 회로 트러블(trouble) 중 가장 많이 나타나고 있는 고장 형태로 전기적 연결부의 접촉 불량을 예를 들 수가 있다. 회로의 접촉 불량으로 나타나는 고장 현상은 간헐

적으로 나타나는 현상 과 지속적으로 나타나는 현상을 예를 들 수가 있다.

그림 (2-5)의 (a)와 같은 회로에 M50 커넥터 부위가 접촉 불량이 발생하였다고 가정하면 M50 커넥터(connector)의 접촉 부위는 저항이 증가하게 되어 전구로 흐를 수 있는 전류는 그 만큼 감소하게 되어 전구의 밝기는 어두워지게 될 것이다.

또한 M50 커넥터(connector)의 접촉 부위의 저항이 전구의 필라멘트(filament) 저항 보다 크게 되면 $I^2 R$에 의해 접촉 불량이 발생한 접촉 부위 상에는 고열이 발생하게 돼 심한 경우에는 커넥터 변형이 발생 되거나 커넥터(connector)의 핀(pin) 과 연결된 비닐 피복 전선이 검게 연손되는 경우도 발생하게 된다.

또한 그림 (2-5)의 (b)와 같은 회로에 M60 커넥터 부위가 접촉 불량이 발생하는 경우를 생각하여 보자. M60 커넥터를 통해 흐르는 릴레이 코일의 전류가 감소하여 전구에 전원을 연결하는 릴레이(relay)의 접점이 불안정하게 되어 전구의 점등이 불규칙하게 되는 경우를 생각 할 수 있거나 또는 심한 경우에는 릴레이 코일(relay coil)이 여자되지 않아 전구에 전원을 연결하는 전원 공급 되지 않는 경우도 발생 할 수 있다. 실제 자동차 전장회로에는 전구를 점등하는 등화 회로 뿐만 아니라 시동 회로, 충전 회로, 점화 회로, 연료장치 회로 등 다양한 회로로 이루어져 있어서 실제 증상은 이 보다 훨씬 다양하게 나타나게 된다.

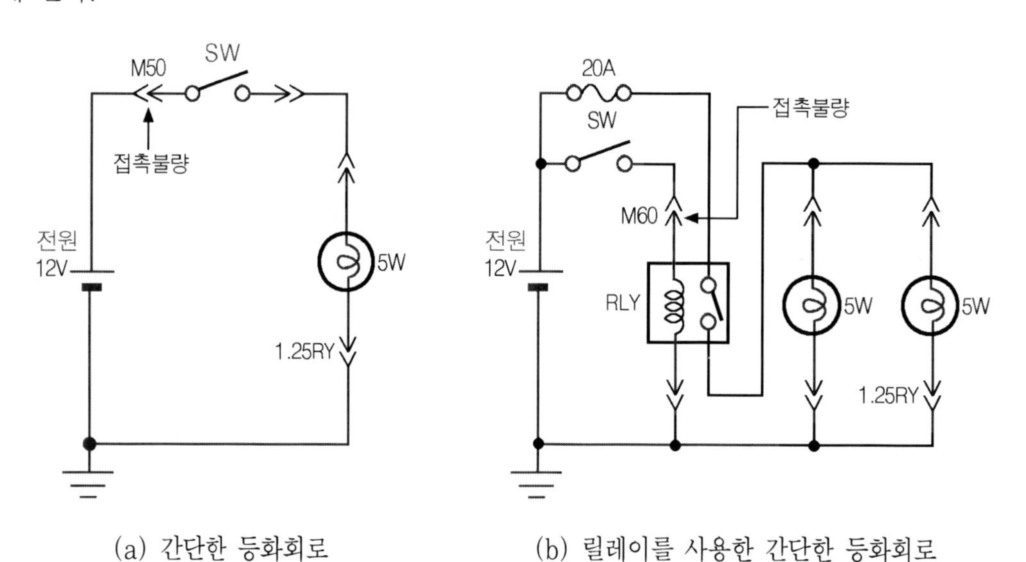

(a) 간단한 등화회로　　(b) 릴레이를 사용한 간단한 등화회로

그림2-5 등화회로의 접촉 불량(예)

3. 구성 부품의 트러블

전기 장치의 트러블(trouble)은 앞서 설명한 회로의 단선, 단락 및 접촉 불량과 구성 부품에 의한 불량으로 작동이 되지 않는 경우로 구분되어 진다. 구성 부품의 이상으로 회로가 작동이 되지 않는 경우에는 구성 부품과 연관된 부품 또는 부하 장치가 작동을 못하는 결과를 가져오므로 결국 회로의 판독 능력이 고장 진단의 핵심이 된다.

예컨대 그림 (2-5)와 같은 시동 회로에 구성 부품이 이상으로 시동 모터가 회전을 하지 않는 현상이 나타나는 경우를 가정하면 원인 부품이 될 수 있는 구성 부품은 여러 개가 될 수 있으므로 회로를 판독하는 능력에 따라 논리적으로 점검 할 수 있는 능력을 배양하지 않으면 안된다. 결국 자동차 전장 회로를 정확히 판독한다는 것은 진단 정비를 얼마나 정확하고 신속하게 할 수 있는지를 나타내는 바로 미터인 셈이다.

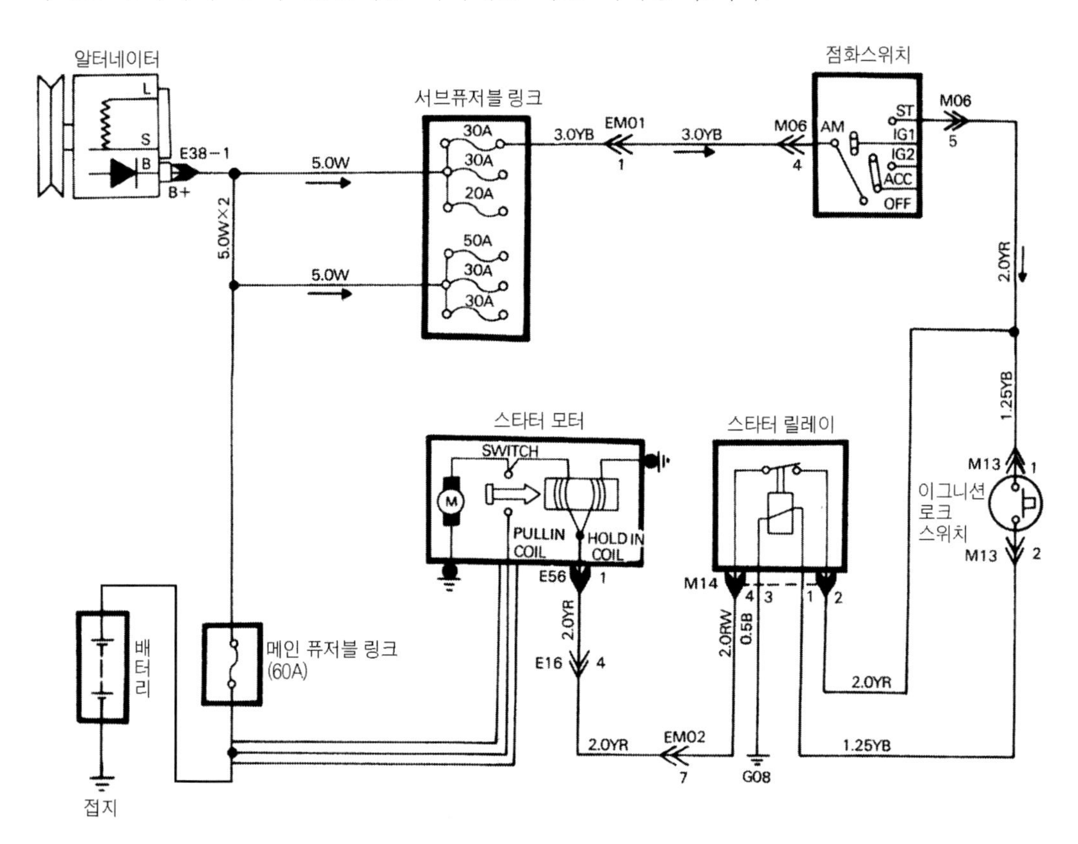

그림2-5 시동회로의 트러블(예)

회로의 판독 요령

1. 회로의 판독 요령(1)

★ 회로의 판독 요령 (I)

① 전류는 높은 전위에서 낮은 전위로 흐른다.
- 옴의 법칙은 필수
- 어스의 의미를 명확히 파악하고
- 전기적인 지식은 최소한 키르히호프 법칙의 의미를 이해하는 것이 좋다.

② 회로를 읽는 방법은 전류는 흐른다", 전원은 공급 된다", 전압은 공급된다" 또는 가해진다" 라고 표현한다.

③ 부하의 동작 원리를 이해하라
- 최소한 구성 부품의 기능을 이해하고 있어야 한다.
- 부하의 정격 용량을 파악하여 두는 것을 습관화 하라

④ 회로의 판독은 전류의 흐르는 방향과 반대 방향부터 회로를 판독하는 것이 효과적이다.

⑤ 시스템이 복잡한 회로의 경우에는 블록 다이어그램(block diagram)을 그려 단순화 시켜 이해한다.
- 제어 회로인 경우에는 입 · 출력 요소를 구분하여 판독하라

⑥ 자동차 전장 회로의 기본 틀(기본 회로)을 숙지하라

전장 회로를 판독한다는 것은 회로를 통해 시스템(system)의 동작 원리를 이해하고 시스템(system)의 동작 원리를 바탕으로 회로의 정상 유무를 유추할 수 있는 실무 기술 능력으로 전기의 기초 지식과 직결되는 문제이다. 이 기초 지식에는 우리가 반드시 이해하여야 할 몇 가지 법칙이 있는데 이 기초 지식은 회로 판독의 실무에 그대로 적용이 된다. 예컨대 부하에 전류가 흐른다는 것은 부하 양단간에 전위차가 있기 때문인데 회로에는 여러 가지 구성 부품이 연결되어 폐회로(close loop circuit)를 구성하게 되고 이 폐 회로에 구성된 부품간 전류의 흐름은 반드시 높은 전위에서 낮은 전위로 흐른다.

전장 회로 판독에 있어서 어스(earth)로 전류가 흐른다고 하는 표현을 자주 사용하게 되는데 전기적으로 어스(earth)라는 것은 전위가 0 (V)인 것을 말하는 것으로 어스(earth)는 0 (V)의 전위를 가지고 있기 때문에 높은 전위를 가지고 있는 전위는 어스(earth)로 전류가 흐르게 되는 것이다. 그러나 이와 반대로 −전위를 가지고 있는 경우에는 어스 (earth)

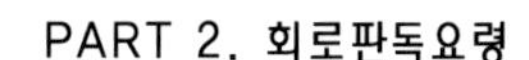

에서 −전위를 가지고 있는 방향으로 전류가 흐르게 되는 경우도 있지만 여러분의 머리 속에 혼란을 고려해 여기서는 다르지 않기로 하겠다. 회로에 흐르는 전류의 량은 부하 저항에 반비례하여 흐르게 되는 것은 옴의 법칙에서 그 의미를 표현하고 있다. 또한 전기적인 소모량의 관점에서 생각하면 부하 저항에 따라 흐르는 전류의 량이 결정 된다는 것은 부하 저항 자신의 입장에서는 전류의 소모량만큼 전압이 강하하여 나타나게 된다.

두번째 회로를 판독하기 위해서는 전류와 전압을 구분하여 표현하여라. 많은 사람들이 전기에 대해 개념 정립이 안되는 것은 전기 공학에서 사용하는 용어는 비슷한 용어 들이 많아 혼돈이 일어나는 일이 많기 때문인데 따라서 그 용어에 대한 개념을 명확히 하여 둘 필요가 있다. 특히 필자가 느낀 많은 현장 실무자 들이 전기에 대한 개념을 정립하지 못하는 것도 전기에 대한 표현 방법이 옳지 못한 표현을 그릇되게 사용하는 것도 한 원인이라 생각하여 여기서는 반드시 전류와 전압을 구분하여 "전류는 흐른다", "전압은 공급 된다"는 식으로 표현하기 바란다.

그러면 그림 (2-6)과 같은 실제 자동차의 시동 회로를 통해 회로의 판독 방법을 알아보기로 하겠다. 그림 (2-6)의 시동 회로는 시동 모터를 구동하기 위한 구성 부품의 연결 상태를 지면상에 나타낸 것으로 회로를 판독하기 위해 먼저 시동 모터의 동작 원리를 알고 있는 것이 무엇 보다 중요하다고 하겠다. 즉 시동 모터가 회전하기 위한 조건을 알고 있어야 시동 모터가 회전하기 위해 구성된 부품들이 무슨 기능을 하기 위해 쓰여지고 있는지를 알 수 있기 때문이다.

회로 판독은 어디서부터 하는 것이 좋을까? 물론 회로를 처음 접근하는 분들인 경우에는 배터리부터 회로를 판독하여 들어가는 것도 한 방법이라 할 수 있지만 이 방법은 회로의 판독하는 속도와 시인성이 떨어지기 때문에 시동 모터부터 회로를 판독하는 것이 좋다. 다시 말하면 회로의 판독은 작동 부하에 대해 전류의 흐르는 방향과 반대로 판독하여 가는 것이 좋다.

먼저 시동 모터가 회전을 하기 위해서는 그림 (2-7)과 같은 시동 모터의 동작 원리를 파악하고 있다는 것은 시동 모터의 각 단자(B-단자, S-단자, M-단자)의 기능을 이해하므로써 스타트 릴레이 및 이그니션 록 스위치(ignition lock switch) 등과 같이 주변 구성 부품의 적용 목적을 쉽게 이해 할 수 있기 때문이다.

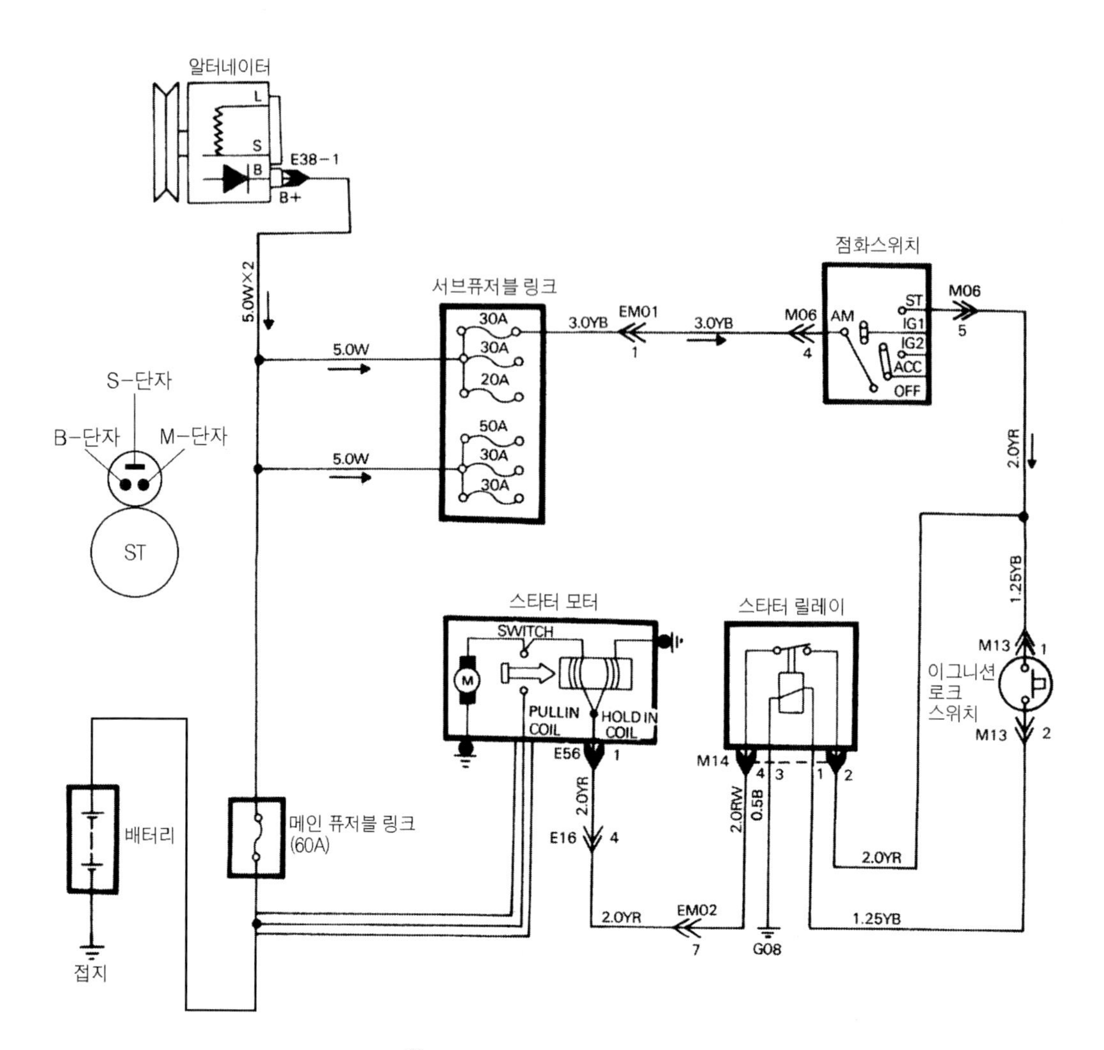

그림2-6 시동회로 판독(예)

시동 모터의 동작 원리는 그림 (2-7)의 회로에 나타낸 것과 같이 점화 스위치를 ON 시키면(스타트 스위치를 ON 시키면) 배터리로부터의 전원은 시동 모터의 S-단자를 거쳐 마그네틱 스위치(magnetic switch)의 HC(홀딩 코일) 통해 어스(earth)로 전류가 흐르게 되며 한편으로는 PC(풀링 코일)과 필드 코일(field coil)을 거쳐 시동 모터의 아마추어(armature)로 전류가 흐르게 되어 마그네틱 스위치의 철심은 자화가 되고 이 자화력은 스프링(spring)의 반발력을 이기고 마그네틱 스위치의 접점이 붙게 된다. 이렇게 마그네틱 스위치의 접점이 붙게 되면 시동 모터의 B-단자와 직접 연결된 배터리(battery)의 +전압

(12V)은 시동 모터의 필드 코일(field coil)을 거쳐 아마추어(armature)로 전류가 흐르게 되어 시동 모터는 회전을 하게 된다. 시동 모터의 회전은 엔진의 크랭크샤프트(crank shaft)를 회전시켜 시동을 걸 수 있게 된다.

결국 시동 모터에서 S-단자는 마그네틱 스위치의 코일에 전류를 흐르게 하는 창구인 셈이며 B-단자는 시동 모터의 전원을 공급하는 단자이고 M-단자는 B-단자에서 공급된 전원을 시동 모터에 연결하여 주는 창구 기능을 갖는 단자이다.

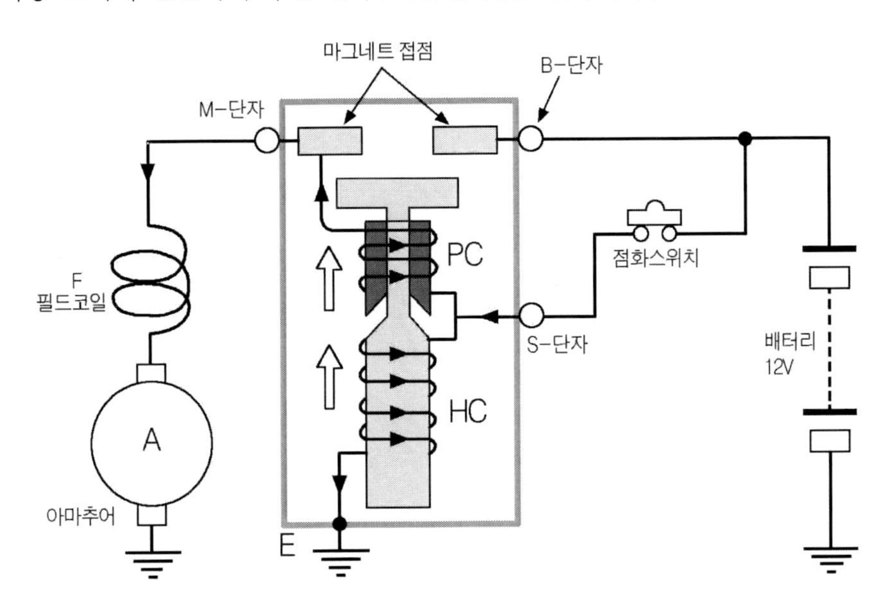

그림2-7 시동모터의 동작 원리

이렇게 시동 모터의 동작 원리를 파악하면 S-단자와 연결된 스타트 릴레이(start relay)의 적용된 기능을 쉽게 이해 할 수가 있다. 그림 (2-6)의 회로를 살펴보면 S-단자는 스타트 릴레이(start relay)의 접점과 연결 되어 있어서 스타트 릴레이(start relay)가 작동하지 않으면 시동 모터의 S-단자로 전원을 공급 받지 못하게 된다는 사실을 알 수 있다.

즉 시동 모터가 동작을 하기 위해서는 스타트 릴레이(start relay)가 작동하여야 시동 모터가 동작한다는 것을 회로의 판독을 통해 알았다. 스타트 릴레이(start relay)가 작동하려면 이그니션 록 스위치와 점화 스위치가 ON상태가 되어야 만이 시동 회로는 폐회로가 형성된다는 것을 알 수 있다. 여기서 이그니션 록 스위치(ignition lock switch)란 운전자가 크랭킹(cranking)시 차량이 움직이는 것을 방지하기 위한 일종의 안전 스위치로 클러치

페달(clutch pedal)을 밟는 경우에 시동이 걸리도록 클러치 페달 하측에 달린 스위치를 말하며 배터리(battery)로부터의 전원은 서브 퓨저블 링크의 퓨즈(fuse)를 거쳐 점화 스위치의 스타트(start) 접점을 통해 이그니션 록 스위치(ignition lock switch)를 거쳐 시동 모터의 S-단자에 공급되어 시동 모터는 회전을 할 수 있게 되는 것이다.

여기서 시동 모터가 회전 할 때 시동 모터로 흐르는 전류는 얼마나 될까? 보통 자동차의 경우 시동 모터에 흐르는 전류는 약 80A~160 A 정도의 전류가 흐른다. 여기서 왜 갑자기 시동 모터의 전류에 대해 거론 한 것은 부하에 흐르는 전류의 량이 어느 정도 되는 지를 파악하므로 회로의 흐름을 거시적으로 볼 수 있는 능력이 배양되기 때문이다.

따라서 전장 회로에 사용하는 부하의 정격을 파악하여 두는 것이 회로의 판독은 물론 회로의 분석에 있어서도 많은 도움을 주게 되므로 평상시 습관화하여 두는 것이 좋다.

만일 시동 회로가 아닌 제어 회로의 판독의 경우에는 입력 요소와 출력 요소를 구분하여 보도록 한다. 특히 제어 회로인 경우에는 제어 조건을 알지 못하면 회로를 판독하는 것만으로 시스템(system)을 이해하기 란 어려운 일이므로 제어 조건은 반드시 숙지 또는 알고 있어야 한다. 끝으로 전장 회로를 잘 판독하는 방법 중에 하나는 그림 (2-6)과 같이 전장 회로에 기본이 되는 시동 회로는 머리 속에 기억하여 놓는 것이 좋다.

2. 측정 개소 및 측정값 예측

회로를 판독하는 일은 회로를 보는 목적에 따라 다르겠으나 여기서는 회로의 트러블의 원인 개소를 찾기 위해 회로의 동작 원리를 통해 회로의 점검 기술을 목표로 하고 있어 측정 개소 및 측정값 예측은 반드시 알고 있어야 하는 전기의 기본 지식이다.

그림 (2-8)의 (a) 회로는 스위치(switch)가 부하 전단에 있는 회로로 스위치(switch)가 OFF시 부하 양단에 전압을 측정하여 봄으로서 회로의 개폐 상태를 확인 할 수 있는 측정 패턴(pattern)이다. 그림 (b)의 회로는 스위치(switch)가 ON 상태 일 때 부하 양단에 전압을 측정 하여 봄으로서 부하에 공급 되는 전압이 정상 전압인지를 확인 할 수 있을 뿐만 아니라 전압이 배터리(battery) 공급 전압인 12V 가 측정이 되면 이 회로는 스위치가 ON 상태인 폐회로(close loop circuit)가 구성 되어 있다는 것을 나타낸다.

그림 (2-8)의 (c) 회로는 스위치(switch)가 부하 후단에 있는 회로로 그림 (a)와 마찬가지로 스위치(switch)가 OFF시 부하 양단에 전압을 측정하여 봄으로서 회로의 개폐 상

태를 확인 할 수 있는 측정 패턴(pattern)이다. 그림 (d)의 회로의 경우에는 스위치가 ON 상태일 때 부하 양단간 정격 전압이 공급되고 있는지를 확인하는 시험과 동시에 회로의 개폐 상태를 파악할 수 있는 측정 패턴(pattern)이다. 자동차 전장 회로의 점검에서도 이 패턴(pattern)은 그대로 적용이 돼 회로의 측정값을 예측하여 봄으로서 회 로의 단선, 단락 상태를 파악 할 수 있다. 전장 회로의 트러블(trouble)은 전장 회로를 통해 측정 개소 판단하고 측정값을 예측하여 실제 측정값과 비교하여 봄으로서 회로의 단선, 단락, 접촉 불량 및 구성 부품의 이상 여부를 판단하는 일련의 과정인 것이다.

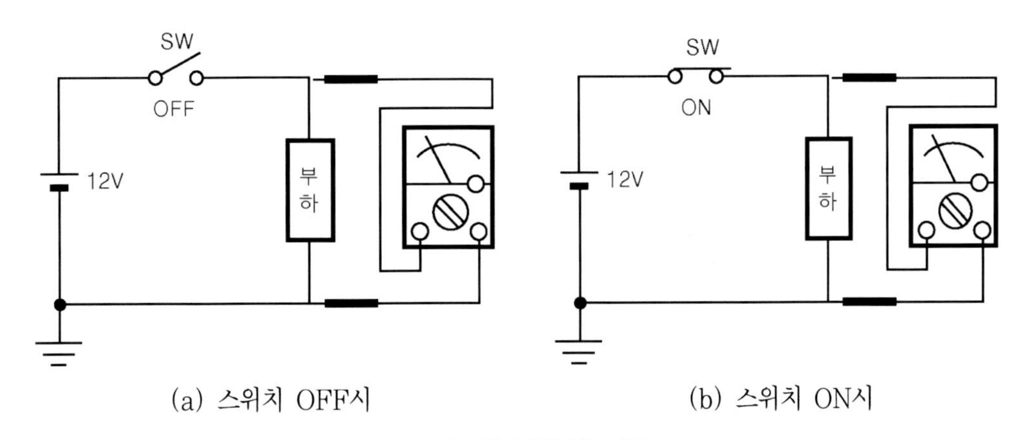

(a) 스위치 OFF시 (b) 스위치 ON시

<SW가 부하전단에 있는 경우>

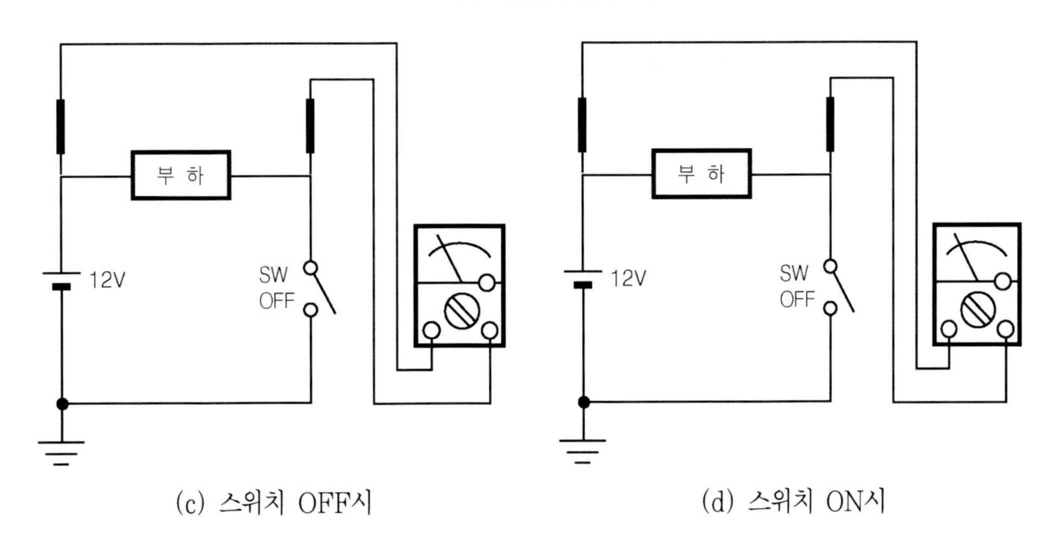

(c) 스위치 OFF시 (d) 스위치 ON시

<SW가 부하 후단에 있는 경우>

그림2-8 측정값 예측

이와 같은 자동차 전장 회로의 트러블(trouble)의 원인 개소를 진단하는 도구(tool)로는 멀티 테스터만을 이용하여 점검하는 것 보다 실무에 있어서는 체크 램프(check lamp)를 겸용하여 사용하는 것이 좋다. 체크 램프는 전구의 밝기를 통해 전원의 정상 공급을 확인 할 수 있는 일종의 간단한 간이 테스터로 사용이 편리하며 멀티 테스터(multi tester)로는 맛을 볼 수 없는 전원의 공급 상태를 전구의 밝기로서 점검하므로서 부하에 공급되는 회로의 접촉 상태를 예측 할 수 있는 편리한 간이 도구이다

★ 회로의 점검 flow

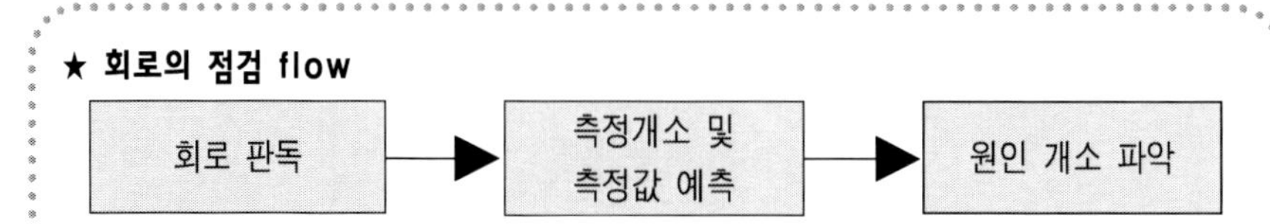

★ 멀티 테스터(multi tester)와 체크 램프(chcek lamp)

① 멀티 테스터를 사용할 때.
- 규정 전압치를 확인할 필요가 있을 때 .
- 그림 (2-8)과 같이 측정값을 예측하여 회로의 상태를 진단할 때
- 회로의 단선 단락을 확인할 때

② 체크 램프를 사용할 때
- 회로에 공급된 전원의 상태를 간이 확인할 때
- 부하에 흐르는 전류 상태를 간이 확인할 때

3. 회로의 해석

회로를 해석하는 데에는 우리가 잘 알고 있는 옴의 법칙(ohm′s law) 만으로 해석이 가능한 회로도 있지만 그림 (2-9)의 (b)와 같이 한 회로에 2개의 소스(source)전원을 가지고 있는 경우나 하나의 회로에 여러 개의 폐회로를 가지고 있는 경우에는 옴의 법칙 만으로는 회로 해석이 곤란한 경우가 있다 . 이 경우 전기 회로의 해석을 위해 일련의 규칙을 정의 하여 놓은 것이 있는데 이것이 바로 키르히호프의 법칙(kirchhoff′s law)이다.

키르히호프의 법칙(kirchhoff′s law)에는 제 1 법칙인 전류 법칙과 제 2 법칙인 전압 법칙이 있어서 그림 (2-9)의 (a)와 같이 한 분기점(node : 한점에 있어서 여러 개의 전류가 흘러 들어오고 나가는 회로의 분기점을 말함)에서 흘러들어 오는 전류(i1 전류)의 합과 흘러나가는 전류(i_2 및 i_3 전류)의 합은 같다는 것이 키르히호프의 제 1 법칙이며 키르히호프의 제 1 법칙(kirchhoff′s first law)은 그림(a)와 같이 한 분기점에 여러 개의 브랜치

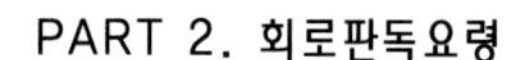

(branch)가 연결된 회로 해석에 편리하다.

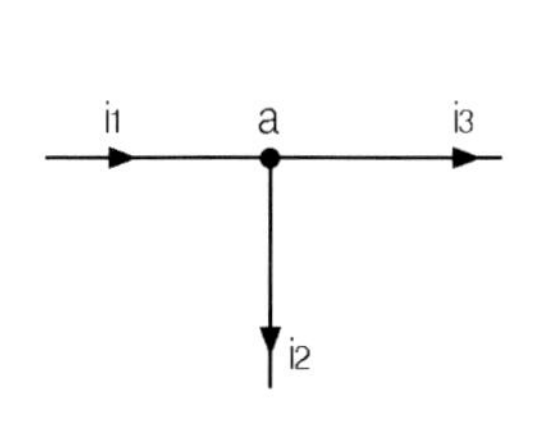

(a) 분기점을 기준으로 한 전류

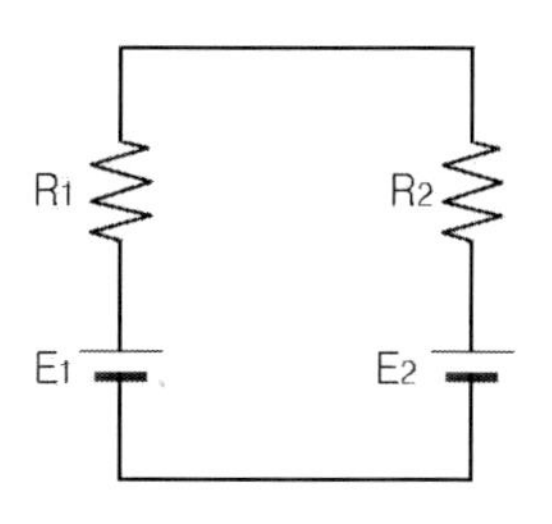

(b) 2개의 소스전원을 가진 회로

그림2-9 키르히호프의 법칙

★ **키르히호프의 법칙**(kirchhoff's law)

① 키르히호프의 제 1 법칙(전류 법칙) : 회로의 분기점을 통해 흘러 들어가는 전류의 합과 흘러나오는 전류의 합은 같다

② 키르히호프의 제 2 법칙(전압 법칙) : 소스 전압의 합은 폐회로의 전압 강하분의 전압의 합과 같다.

반면에 키르히호프의 제 2 법칙은 전압 법칙으로 회로의 소스(source) 전압의 합은 폐회로에서 발생하는 전압 강하분의 합과 같다고 정의하여 놓은 것을 말하며 키르히호프의 제 2법칙(kirchhoff's cecond law)은 소스(source) 전원이 여러 개인 경우이거나 다수의 폐회로를 구성하고 있는 회로를 해석하는 데에 편리하다. 즉 그림 (a)와 같은 분기점을 가지고 있는 전류의 합은 $i_1 - (i_2 + i_3) = 0$, $i_1 = i_2 + i_3$ 로 표현하며 그림 (2-9)의 (b)의 회로와 같이 소스 전원이 2개인 회로에 전류의 방향은 시계 방향으로 흐른다고 가정하여 키르히호프의 전압 법칙을 적용하면 $-E_1 + IR_1 + IR_2 + E_2 = 0$, $E_1 = IR_1 + IR_2 + E_2$ 로 표현할 수 있다.

이와 마찬 가지로 그림 (2-10)과 같이 소스 전원이 2개와 2개의 폐회로를 가진 회로를 해석하기 위해 옴의 법칙만으로는 어렵기 때문에 키르히호프의 법칙을 활용하여 폐회로에 흐르는 전류를 구하여 보면 먼저 좌측에 있는 폐회로에 시계 방향으로 흐르는 전류를 I_1, 우측 폐회로에 시계 방향으로 흐르는 전류를 I_2라 가정하고 키르히호프의 전압 법칙을 이용하여 폐회로에 흐르는 전류를 구하여 보면

좌측 폐회로에서 : $-12V + I_1 . 2\Omega + (I_1 - I_2) . 1\Omega + 5V = 0$ ……………… ①

우측 폐회로에서 : $-5V + (I_2 - I_1) . 1\Omega + I_2 . 2\Omega = 0$ ……………………… ②

로 식을 만들 수가 있다 . 이 2개의 연립 방정식에서 I_1, I_2의 해를 구하기 위해 ①식과 ②식을 정리하면

①식에서 : 7V = 3. I_1 − I_2가 되며 ②식에서는 5V = 3. I_2 − I_1이 된다.

따라서

①식 I_2 = 3. I_1 − 7V로 ②식에 대입하면 26 = I_1(9 −1) 로 I_1 = 26/8(A)가 되며

②식 I_1 = 3. I_2 − 5V로 ①식에 대입하면 23 = I_2(9 −1) 로 I_2 = 23/8(A)가 된다.

결과적으로 좌측 폐회로에 흐르는 전류 I_1은 26/8(A)가 흐르는 회로이며 우측 폐회로에 흐르는 전류 I_2는 23/8(A)가 흐르는 회로가 된다.

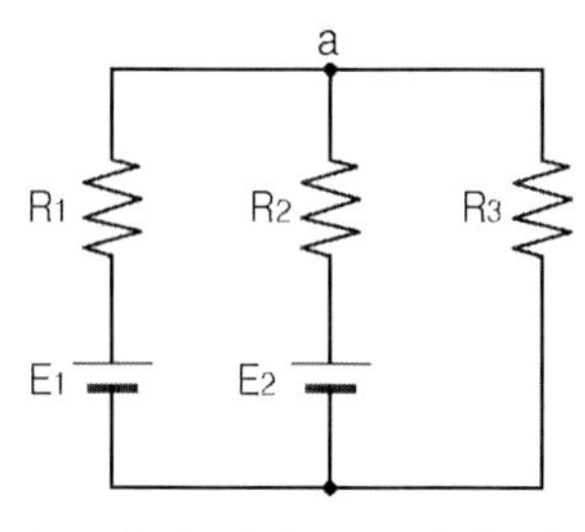

(a) 2개의 폐회로를 가진 회로

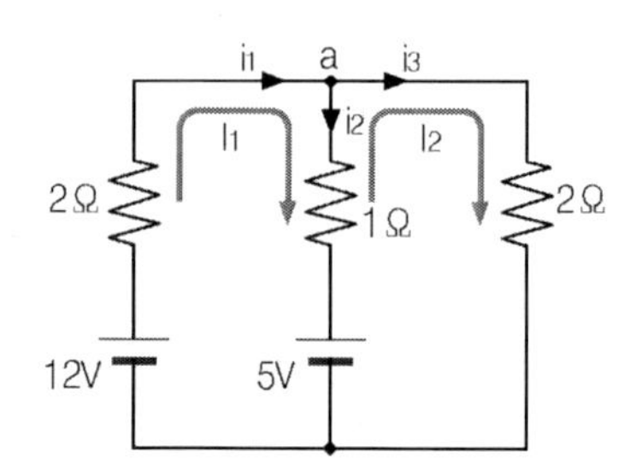

(b) 2개의 폐회로를 가진 회로의 해석

그림2-10 키르히호프의 법칙 활용(예)

그림 (2-11)의 (a)와 같이 2개의 전지가 직렬로 연결하면 합성 전압은 12V + 5V = 17V가 되는 것은 전기 기초를 습득한 사람이라면 누구나 알고 있다. 그러나 그림 (b)와 같이 5V의 전지가 극성이 반대인 경우에는 키르히호프의 법칙을 명확히 이해하지 못하면 혼돈되기 쉬운 것이다. 이것을 키르히호프의 법칙을 적용하여 보면 −12V + 5V = 0 인 것처럼 그림 (b)의 답은 확실히 명확해 진다. 즉 합성 전압은 7V가 된다.

여기서 − 7V가 되는 것은 전류의 흐르는 방향을 시계 방향으로 가정하였기 때문으로 회로의 해석을 하는 데는 문제가 되지 않는다. 그러나 그림 (c) 및 그림 (d)와 같은 회로는 전지에 의해 폐회로는 구성이 되어 있으나 전지의 양단간의 합성 전압을 나타낸 것으로 키르히호프의 전압 법칙을 적용하여 − 12V + 5V = 0 또는 −12V − 5V = 0 하여 합성 전압을 구 할 수 없다. 이러한 경우는 아주 단순히 생각하면 쉽게 해를 얻을 수 있는 문제로 5V의 전지를 소스 전원으로 생각하지 말고 하나의 부하로 생각하면 답은 아주 간단해진다.

이와 같이 키르히호프의 법칙(kirchhoff's law)은 회로의 전체적인 흐름을 해석하는 데에 편리한 도구로 사용 할 수 있을 뿐만 아니라 회로를 판독하는 해석 능력을 향상하게 되므로 이해하여 두면 좋다.

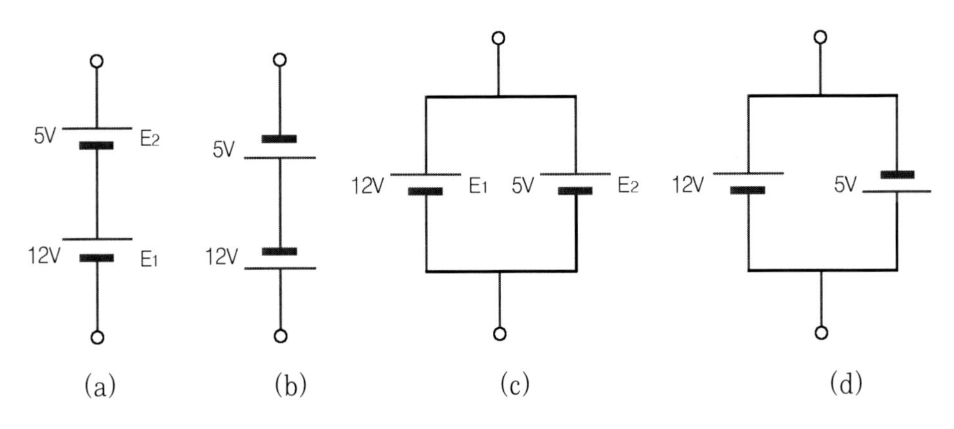

그림2-11 키르히호프의 전압 법칙 활용

4 자동차의 전원 회로

1. 상시 전원과 IGN 전원

자동차의 전원 회로는 그림 (2-12)와 같이 배터리(battery) 및 올터네이터(alternator)로부터 공급된 전원이 직접 부하로 공급하기 위해 서브 퓨저블 링크(sub fusible link)를 거쳐 공급하도록 하는 상시 전원과 점화 스위치를 거쳐 공급하도록 하는 ACC 전원 및 IGN 전원으로 구분 할 수 있다. 상시 전원인 경우에는 퓨저블 링크(fusible link)을 거쳐 공급하는 것이 일반적이지만 시동 모터와 같이 대전류(약 80A~160A)가 흐르는 곳에서는 퓨즈의 용량 과 삽입구의 문제로 직접 공급하고 있는 것도 있다.

서브 퓨저블 링크(sub fusible link)를 거쳐 점화 스위치(ignition switch)를 통해 공급하고 있는 전원은 보통 시거 라이터, AV 시스템, 사이드 미러(side mirror), 혼(hone) 등과 같이 자동차의 엔진(engine) 구동에 관계없는 보조 장치(accessory)류에 전원을 공급하는 ACC(accessory) 전원과 연료 펌프 릴레이, 엔진 ECU, 계기판, 인히비터 스위치, TCU (A/T) 등과 같이 엔진(engine) 구동과 주행에 관계있는 IGN(ignition) 전원으로 구분되어

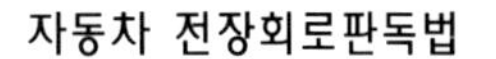

공급하고 있으므로 전원에 대한 흐름을 머리 속에 기억해 두는 것이 실무의 접근 방법이다. 상시 전원인 경우에는 점화 키 스위치를 사용하지 않더라도 항시 작동하여야 하는 부하나 시동 모터에 적용하는 경우, 서브 퓨저블 링크(sub fusible link)와 실내 퓨즈 박스의 퓨즈(fuse)를 거쳐 공급하는 비상등, 정지등, 시동 회로 등이 있다.

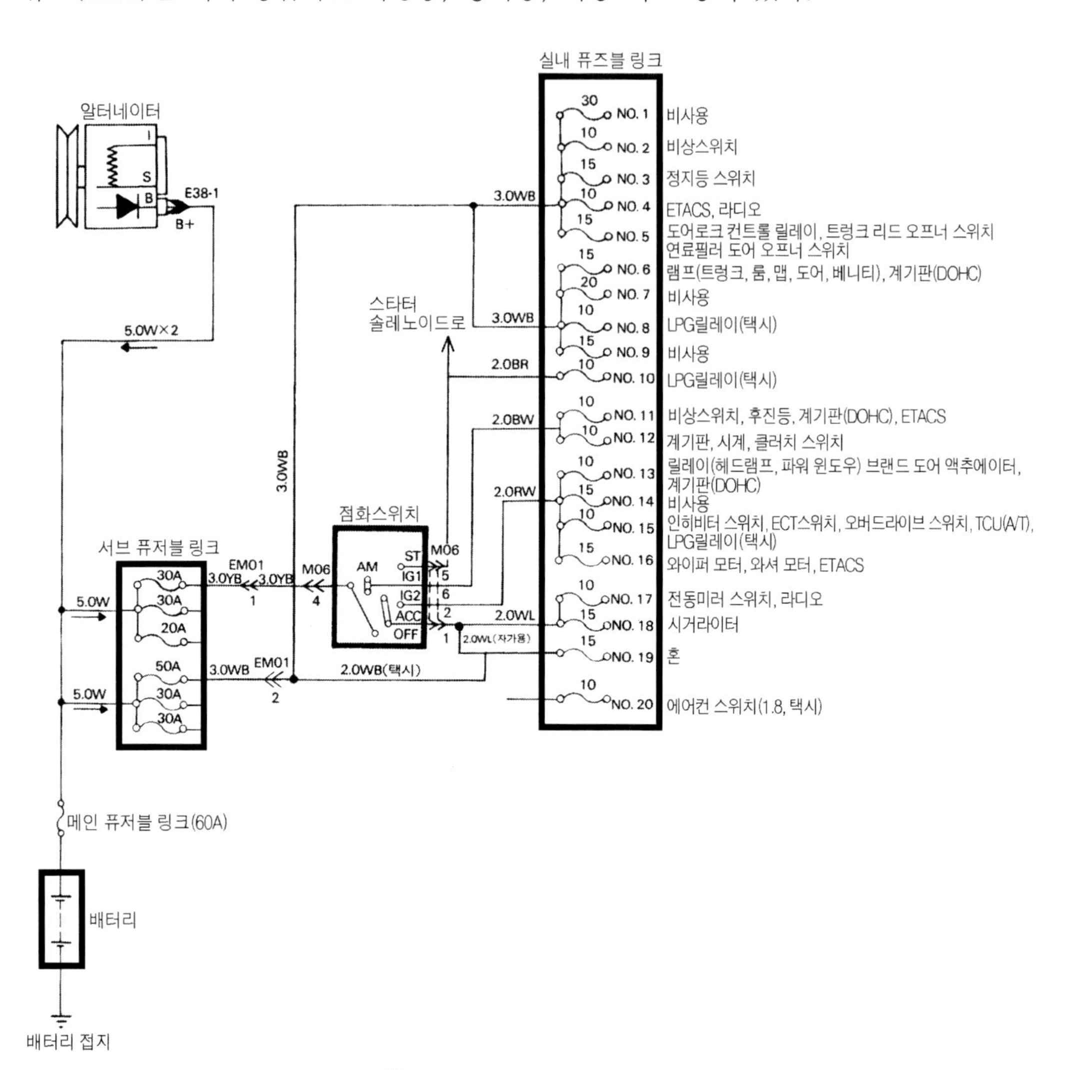

그림2-12 자동차의 전원 회로

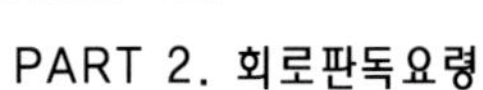

[표2-1] 자동차 전원 분류

구분	용 도	적용(예)
상시전원	점화 키 스위치가 없어도 상시 작동하여 할 부하의 전원 - 비상등, 정지등, 시동 모터	도어록 컨트롤 릴레이, 룸 램프
ACC전원	차량의 주행에 관계없는 보조 장치의 전원	AV 시스템, 혼, 시거 라이트 시계, 내비게이션
IGN 2 전원	주로 차량의 주행에 관계 되는 전원	계기판, 헤드램프, 와이퍼 TCU(A/T), ETACS
IGN 1 전원	주로 엔진의 구동에 관계되는 전원	엔진 ECU, 연료 펌프 릴레이, 점화 코일, 클러치 스위치
ST 전원	시동에 필요한 전원	스타트 릴레이, LPG 릴레이 시동 모터

ACC 전원인 경우에는 차량이 시동 및 주행에 관계 되지 않는 보조 장치류의 전원 공급용으로 사용되지만 실내 퓨즈를 공급하는 퓨즈(fuse)의 허용 용량이 부하를 작동 할 때 보다 작은 경우에는 별도의 상시 전원을 통해 보조 장치류의 부하에 전원을 공급하고 있다. 엔진룸(engine room) 내에 장착된 서브 퓨저블 링크(일명 릴레이 박스)는 엔진 와이어 하니스(engine wire harness) 또는 메인 와이어 하니스(main wire harness)에 연결되어 전원을 공급하고 있으며 점화 스위치(ignition switch) 및 실내 퓨즈 박스는 통상 메인 와이어 하니스(main wire harness)에 연결되어 전원을 공급하고 있다.

2. 점화 스위치

IGN 1 전원은 엔진을 구동하기 위한 전원으로 엔진 ECU 및 점화 코일과 같이 엔진이 구동에 직접 관계있는 전원이며 IGN 2의 전원은 TCU(A/T), 계기판과 같이 주로 차량의 주행에 관계되는 전원이다. 과거에는 IGN 1 & IGN 2의 전원을 별도로 나누지 않고 IGN 전원 하나 만을 가지고 IGN 전원을 공급하는 차량도 있으나 최근에는 자동차의 부하 증가로 IGN 1 & IGN 2의 전원을 나누어 공급하고 있다.

IGN 1 & IGN 2의 전원이 나누어 진 것을 설명하기 위해서는 먼저 점화 스위치의 접점 작동을 설명 할 필요가 있는데 점화 스위치(ignition switch)의 구조는 OFF 위치에서 시동

키를 삽입하면 시동 키의 삽입에 의해 푸시(push)되는 스위치가 있어서 시동 키의 삽입을 감지 할 수 있는 스위치(switch)와 시동 키를 회전하면 ACC위치에서 IGN 2 → ING 1→ ST 위치 순으로 접점이 접촉되는 로터리 스위치(rotary switch)이다.

시동 키를 OFF 위치에서 ACC로 위치하면 보조 장치의 전원을 연결하는 접점이 연결이 되고 다시 ACC 위치에서 IGN(IGN 1 & IGN 2)의 위치로 연결하면 ACC의 연결 접점과 IGN(IGN 2 & IGN 1)의 연결 접점이 연동해서 연결되어 ACC, IGN(IGN 2 & IGN 1) 전원이 차단 없이 연결되게 된다. 다시 시동 키의 위치가 IGN위치에서 ST 위치로 위치하면 IGN 2의 접점은 차단되고 ST와 IGN 1의 접점만 연결되어 엔진(engine)이 크랭킹(cranking)하게 된다. 이것은 엔진 크랭킹시 시동 모터에 의한 소모 전류로 배터리의 전압은 약 10~12V 정도로 전압이 강하하게 되기 때문으로 ST 위치에서는 IGN 2 전원을 차단하고 IGN 1 만의 전원이 연결하게 하고 있다

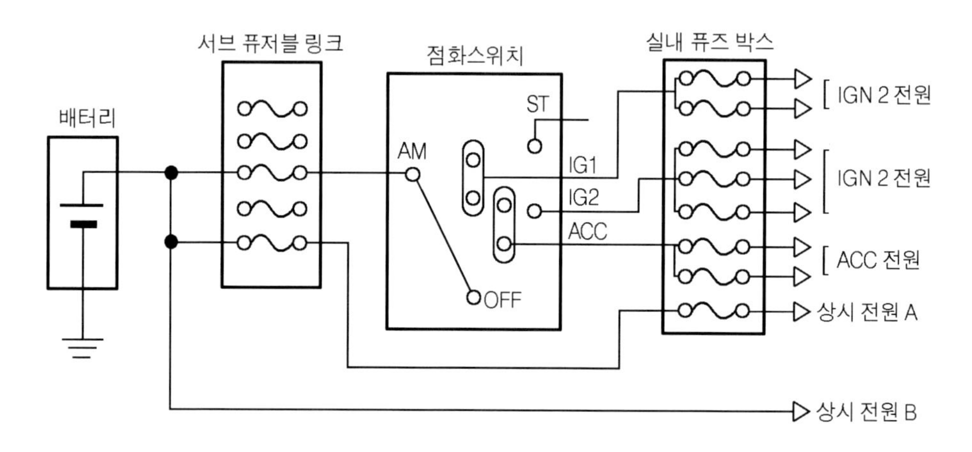

그림2-13 자동차 전원 배분도(예)

5. 릴레이 회로

1. 자동차용 릴레이

자동차의 릴레이(relay)는 전원을 단속하는 일종의 전자석 스위치(magnetic switch)로 전장 회로의 부하에 전원을 단속(ON, OFF)하도록 하는 구성 부품으로 접점의 접촉 상태

에 따라 릴레이(relay)의 전기적 종류를 구분하고 있다. 접점이 상시 열려 있는 접점을 상개 접점(normal open)형 릴레이 또는 A 접점 릴레이라 하며 접점이 상시 닫혀 있다.

코일에 전원이 공급되면 접점이 닫히는 상폐 접점(normal close)형 릴레이 또는 B 접점 릴레이가 있다. 또한 접점이 전원이 공급에 따라 상개 접점에서 상폐 접점으로 상폐접점에서 상개 접점으로 절환되는 T 접점 릴레이가 사용되고 있다.

사진2-1 여러 가지의 릴레이(1)

자동차에 사용되는 이들 릴레이(relay)의 단자 식별은 코일을 통해 흐르는 전류 보다 접점을 통해 흐르는 전류의 량이 10배 이상 크기 때문에 접점의 단자는 코일의 단자 보다 두꺼운 것이 특징이지만 만일 코일의 단자와 접점이 단자의 두께가 동일한 경우에는 코일측의 단자에는 아라비아 숫자로 85 및 86으로 기입되어 있어서 코일측의 단자라는 것을 쉽게 알 수가 있다. 접점측의 단자에는 공통 접점인 경우에 30(com)이라는 숫자가 기입되어 있고 87 번의 숫자는 상개 접점(M 접점 또는 A 접점), 87q 번의 숫자는 상폐 접점(B 접점) 임을 알 수 있다.

★ 릴레이의 단자 식별

- 30(com) : 기동 접점 또는 공통 접점을 나타냄
- 87 : M 접점(make 접점) 또는 상개 접점을 나타냄

A-접점 릴레이(4pin)

① socket에서 보았을 때

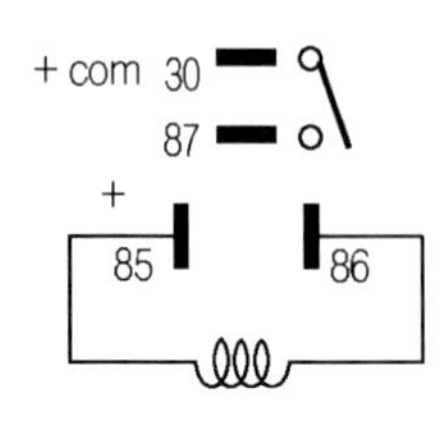

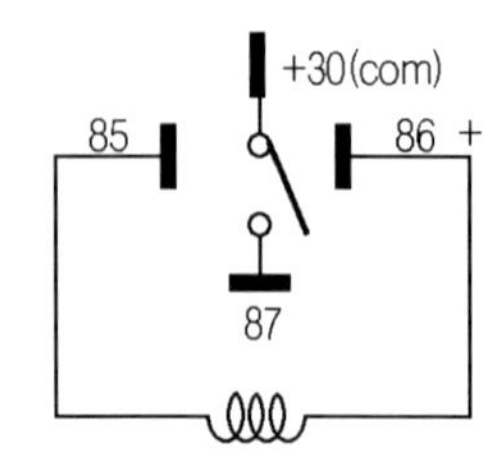

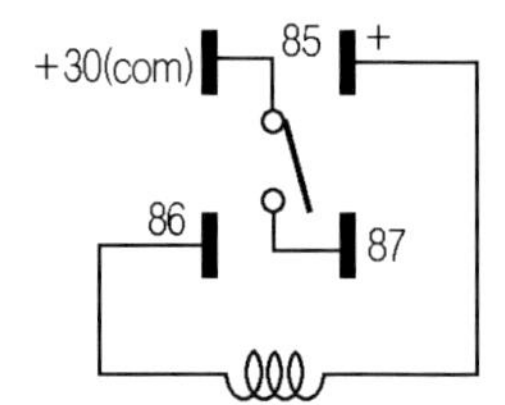

② relay에서 보았을 때

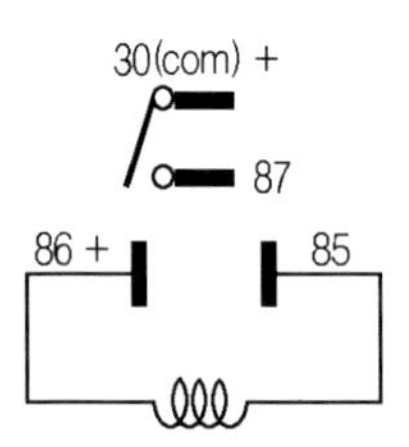

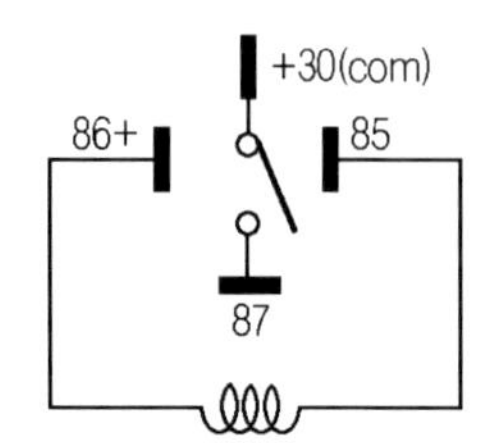

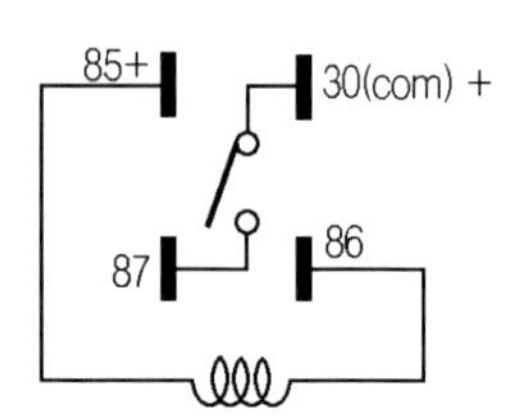

T-접점 릴레이(5pin)

① socket에서 보았을 때

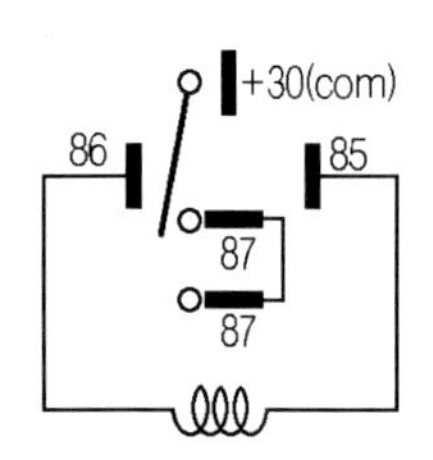

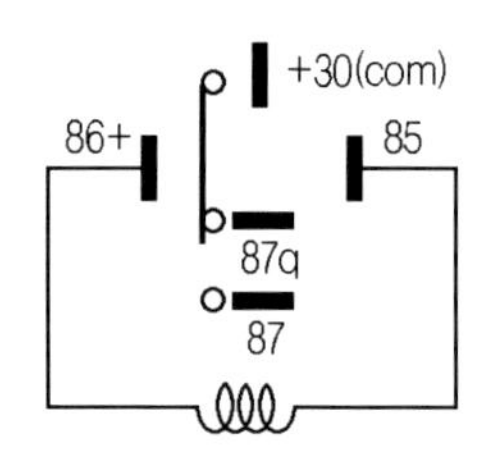

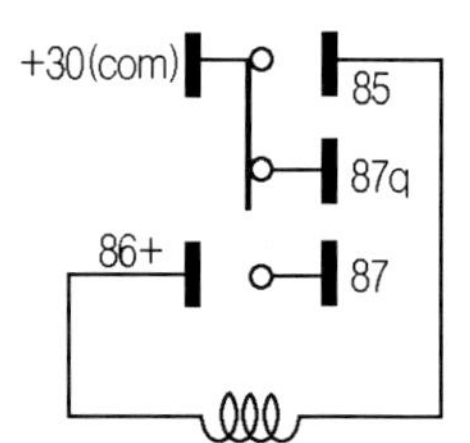

② relay에서 보았을 때

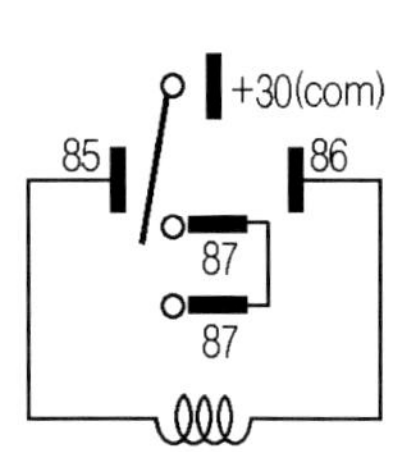

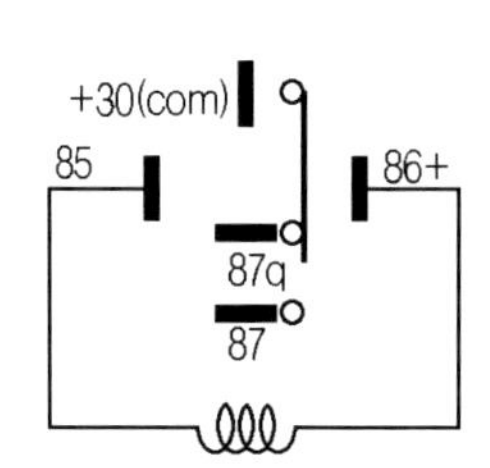

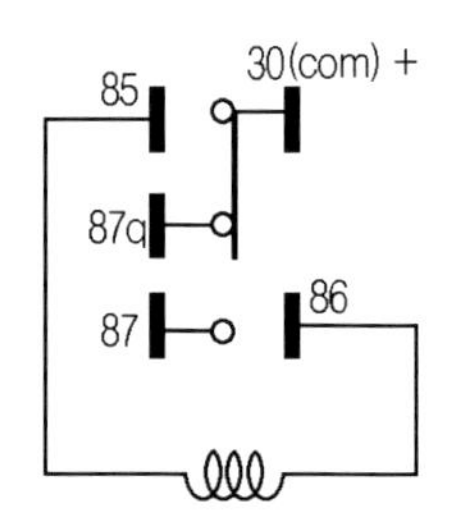

2. 릴레이의 사용 회로

전기 회로에 릴레이(relay)는 왜 사용하는 것일까? 라고 생각하여 보면 먼저 해를 얻기 위해 (switch)와 릴레이(relay)를 비교하여 보면 쉽게 답을 얻을 수 있다. 스위치는 사람의 조작에 의해 접점이 접촉하게 되어 전류의 흐름을 단속하지만 릴레이(relay)의 경우에는 사람의 조작이 없이도 회로의 조건에 의해 릴레이(relay)의 접점이 단속하게 되는 것을 알 수 있다. 즉 릴레이(relay)는 코일에 발생하는 자기력을 이용해 접점을 단속 할 수 있는 제어용 스위치 소자라는 것을 우리는 쉽게 알 수가 있다.

여기서 그림 (2-15)과 같은 실제 시동 회로를 통해 릴레이(relay)의 기능을 예를 들어 보자 스타트 릴레이(start relay)는 접점(2번, 4번 핀) 과 코일(1번, 3번 핀)로 된 NC(상개 접점)형 릴레이로서 접점을 통해 시동 모터의 S-단자의 전원을 공급하도록 되어 있어 전원 공급은 점화 스위치를 거쳐 ST 전원으로부터 공급 받고 있는 것을 알 수 있다.

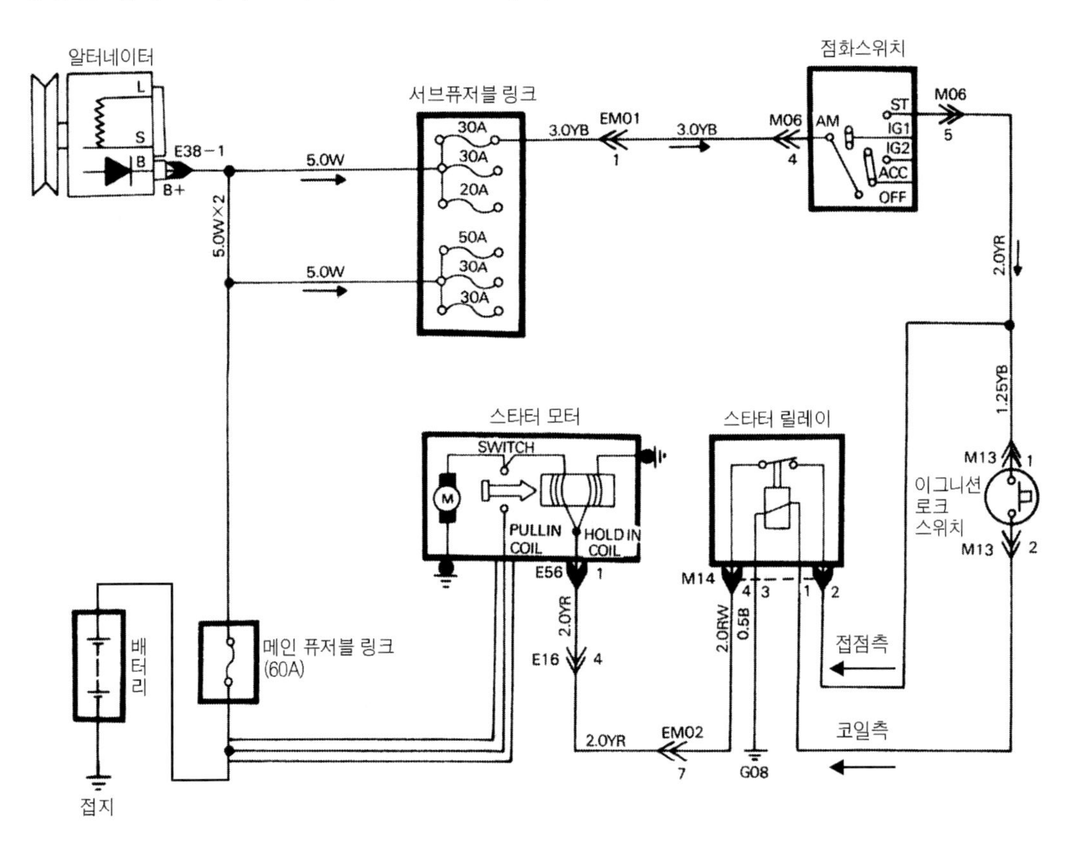

그림2-15 시동회로의 스타트릴레이 기능

반면 릴레이(relay)를 제어하기 위한 코일(coil)의 단자 중 하나는 3번 핀을 통해 어스되어 있고 다른 하나는 1번 핀의 단자를 통해 이그니션 록 스위치(ignition lock switch)와 연결되어 있어서 릴레이의 코일(coil)에 전류가 흐르기 위해서는 이그니션 록 스위치(ignition lock switch)가 ON 상태가 되지 않으면 점화 스위치를 통해 공급되는 ST 전원은 공급되지 않는 다는 것을 알 수 있다. 즉 그림 (2-15)의 시동 회로에 사용된 스타트 릴레이(start relay)는 이그니션 록 스위치(ignition lock switch)가 ON 상태가 되어야 ST 전원이 공급된다는 조건이 성립되지 않으면 릴레이의 코일에 전류는 흐르지 않는 다는 사실을 알 수 있게 된다.

또한 그림 (2-16)의 회로는 에어컨(air-con)의 블로워 모터(blower motor) 회로로 블로워 모터가 회전을 하기 위해서는 블로워 모터의 전원을 공급하는 블로워 릴레이(blower relay)의 접점이 ON상태가 되어야 한다.

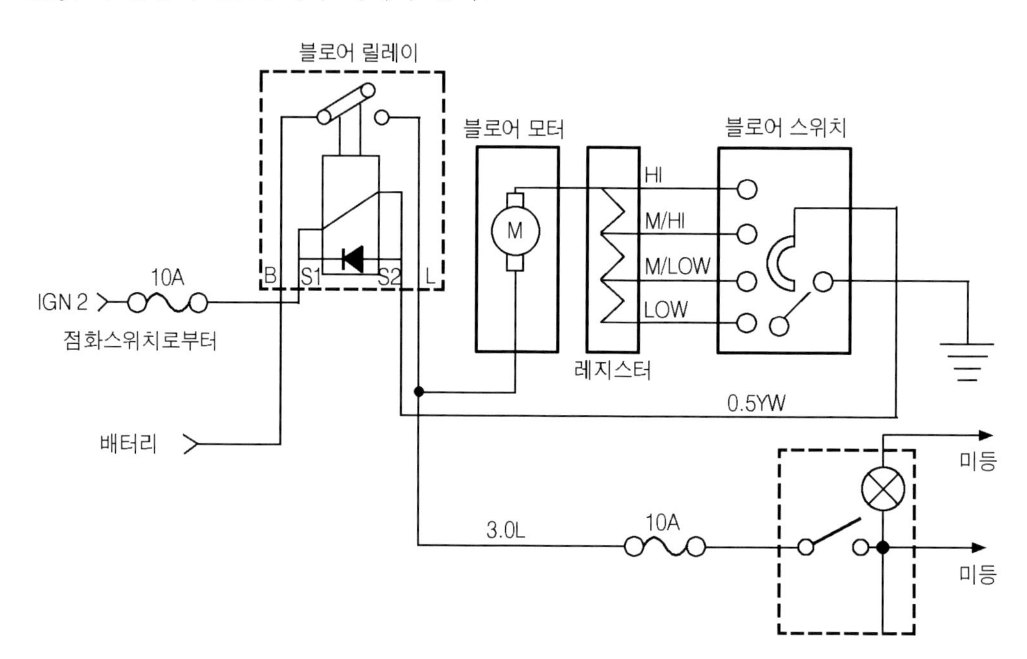

그림2-16 에어컨 블로어 모터 회로

블로워 릴레이의 접점이 ON 상태가 되기 위한 조건은 블로워 릴레이의 코일에 공급된 IGN 2의 전원이 전류가 흐를 수 있도록 폐회로가 구성 되어야 한다. 코일에 전류가 흐를 수 있도록 폐회로의 구성 조건은 블로워 스위치(blower switch)가 ON상태(LOW, M/LOW,

M/HIGH, HIGH)에 위치하여야 하는 조건이 성립하여야 한다는 것을 알 수 있다. 이와 같은 경우를 통해 알 수 있듯이 릴레이를 사용하는 목적은 릴레이의 코일에 전류가 흐를 수 있도록 주어진 조건이 성립되게 하는 장치에 사용되는 제어용 스위치 소자이다.

6. 스위치 회로

회로에 사용되는 스위치(switch) 들은 회로에 연결된 전선을 개, 폐를 통해 전선에 흐르는 신호 및 전류를 단속하기 위해 사용되는 구성 부품이지만 시스템(system) 입장에서 바라보면 시스템(system)을 작동하기 위해 사용되는 작동 조건을 갖는 구성 부품인 셈이다. 따라서 자동차 전장 회로에 사용되는 스위치(switch) 들은 그림 (2-17)과 같이 그 종류들이 아주 다양하며 표시하는 방법이 조금씩 다르다 .

스위치의 종류는 접점의 수에 따라 단극 1접점 스위치(SPST 스위치)에서 단극 다 접점 스위치로 분류하며 그림 (2-17)의 (a)와 같이 극이 하나이고 접점이 하나인 스위치를 SPST(Single Pole Single Through) 스위치라 부르며 그림 (2-17)의 (b)와 같이 극이 하나에 접점이 2개인 스위치를 SPDT(Single Pole Double Through) 스위치라 부른다.

그림 (e)와 같이 극이 1나에 5개의 접점을 가지고 있는 스위치를 SP5T(Single Pole 5 Through) 스위치라 부르며 만일 극이 2개이고 4개의 접점을 가지고 있는 스위치는 DP4T(Double Pole 4 Through) 스위치라 부르면 된다. 또한 스위치는 조작 형태에 따라 구분하고 있는데 스위치의 버튼(button)를 누르면 단속되는 푸시 스위치(push switch), 누름 버튼이 기울어져 오르내리는 시소(seesaw) 스위치, 조작 레버를 좌우 또는 상하로 이동하는 슬라이드(slid) 스위치, 조작 레버를 회전 시키는 로터리(rotary) 스위치 등이 사용되고 있다.

그림 (2-17)의 (c)와 같이 DPDT(Double Pole Double Through) 스위치인 경우에는 스위치 조작시 2개의 가동 접점(pole)이 동시에 움직이는 스위치로 가동 접점(pole)이 동시에 움직이는 스위치로 가동 접점이 동시에 움직이는 T형 접점 스위치가 2개 있는 것과 같다. 가동 접점(pole)에 점선을 나타낸 것은 가동 접점(pole)이 동시에 움직이는 것을 나타낸 것으로 회로를 판독할 때 스위치의 접점 조건을 알고 있지 않으면 정확한 회로 판독이 되지 않는다.

그림 (c) 및 그림 (d)와 같은 스위치(switch) 류는 주로 도어 스위치(door switch) 나 시트 스위치(seat switch), 선 루프(sun roof) 스위치 등에 많이 사용하고 있으며 그림 (e)와 같은 로터리(rotary) 스위치는 블로워(blower) 스위치 및 인히비터(inhibitor) 스위치, 점화 스위치에 많이 사용되는 스위치이다.

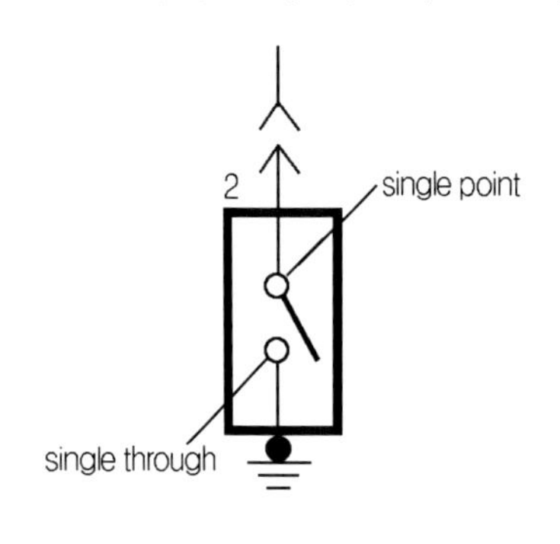

(a) SPST 접점스위치

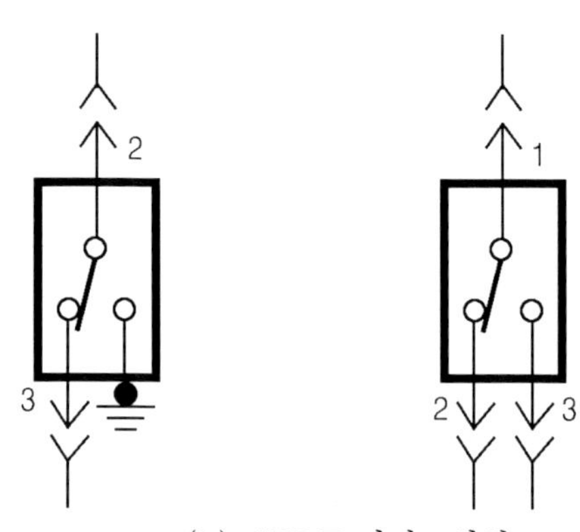

(b) SPDT 접점스위치

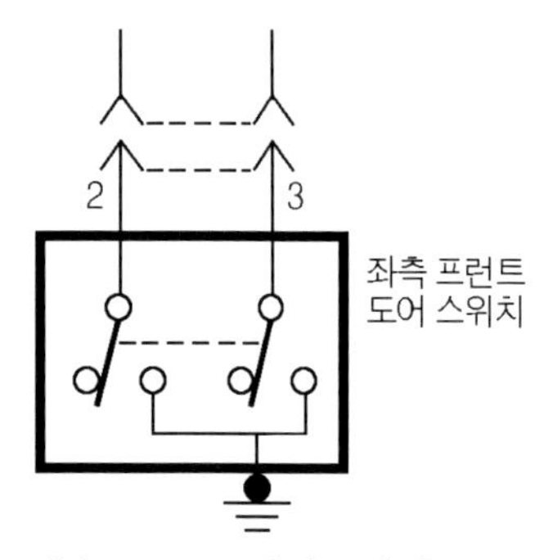

(c) DPDT 접점스위치

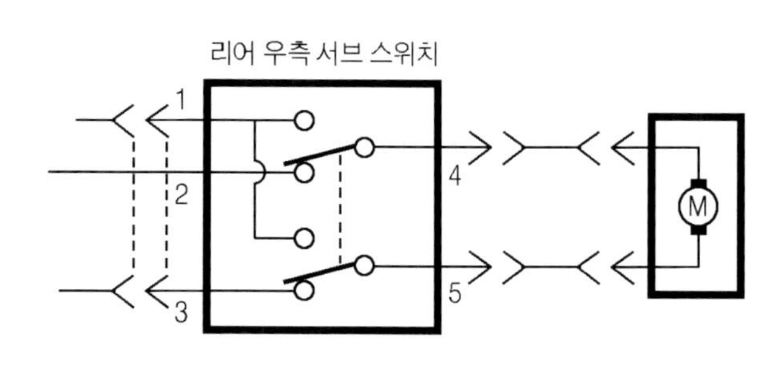

(d) DP3T 접점스위치

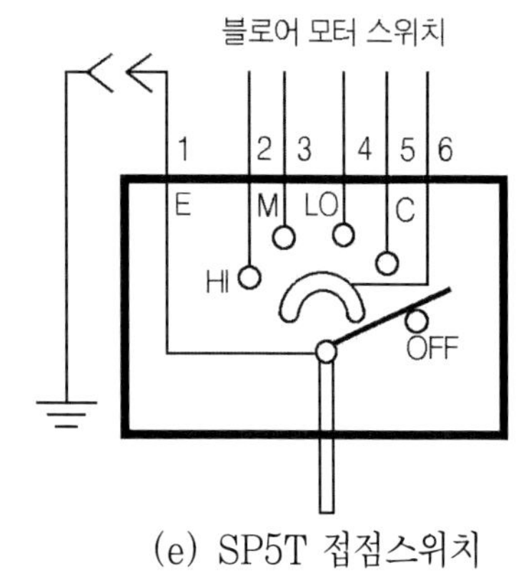

(e) SP5T 접점스위치

9 3 8 10

	HU	HL	HS2	Eb
HU	○			○
HL		○		○
P	○		○	○

디머 & 패싱 스위치

(f) 멀티 펑션 스위치

그림2-17 여러 가지의 스위치

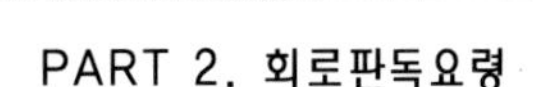

★ **스위치의 전극에 의한 분류**

① 단극 1 접점 스위치(SPST 접점 스위치) 중에는 :
- 상개 접점 스위치(NO 접점 스위치) 또는 M 접점(make 접점) 스위치가 있으며
- 상폐 접점 스위치(NC 접점 스위치) 또는 B 접점(break 접점) 스위치가 있다

② 단극 2 접점 스위치(SPDT 접점 스위치)는 : T 접점 스위치라 부르기도 한다.

③ 다극 다접점 스위치(MPMD 접점 스위치)의 경우는 정확히 몇 개의 폴(pole)과 몇 개의 접점(through)이 접촉 되는지를 확인하여 그 숫자를 붙이면 된다.

그림 (2-17)의 (f)와 같은 스위치는 자동차 전장 회로에서 많이 볼 수 있는 스위치의 심볼(symbol)로서 여러 개의 기능이 하나의 스위치의 조작에 의해 이루어지므로 일명 멀티 펑션 스위치(multi function switch)라 표현하는 것으로 주로 와이퍼 스위치 및 전조등 스위치로 많이 사용하는 스위치(switch) 표시이다.

이와 같은 스위치의 표시를 판독하는 방법은 좌측에 기입된 문자는 스위치의 조작에 따라 각 기능이 동작하도록 하는 기능의 이름을 표기한 것으로 HU(High Up beam)는 상향등을 나타낸 약어이며 HL(High Low beam)은 하향등을 나타낸 약어이고, P(Passing)의 약어로 스위치의 조작 레버에 의해 미등 스위치를 ON시키지 않아도 작동할 수 있는 기능을 가진 스위치이다.

스위치의 표시 상측에 기입된 문자는 각 스위치가 조작될 때 연결 된 바(bar)의 부분이 접촉 되는 것을 나타낸 것이다. 따라서 디머 & 패싱 스위치의 조작을 HU(상향등)에 위치하면 9번 핀(HU)와 10번 핀(Eb)가 단자가 접촉하는 것을 나타내며 HL(하향등)에 위치하면 3번 핀(HL)과 10번 핀(Eb)가 단자가 접촉한다는 것을 나타낸 것이다. 디머 & 패싱 스위치(dimmer & passing switch)를 조작하여 P(패싱)에 위치하면 9번 핀(HU) 과 8번 핀(HS2) 그리고 10번 핀(Eb)이 접점이 접촉 된다는 것을 나타낸다.

따라서 이와 같은 스위치의 표시가 나오는 경우에 한번에 회로를 판독하는 것은 쉽지 않으므로 스위치(switch)의 한 기능 한 기능씩 회로를 판독하여 나가면 회로를 쉽게 판독해 나갈 수가 있다.

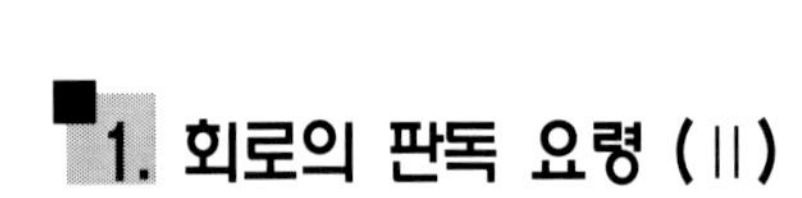

1. 회로의 판독 요령 (Ⅱ)

★ 회로의 판독 요령 (Ⅱ)

① 전원 공급은 상시 전원 과 ACC 전원 및 IGN 1, IGN2 전원으로 구분하여 보아라.

② 릴레이(RELAY)는 접점 회로부터 판독하고 다음 코일에 연결된 회로를 판독하는 것이 회로 판독에 좋다.

※ 차량의 전장 시스템에 대한 동작 조건을 기억하여 두어라

③ 스위치류는 가동 접점과 고정 접점을 분류하고 상개 접점(NO 접점)과 상폐 접점(NC 접점)을 구분하여 보아라.

- 접점이 연동하는 경우에도 접점을 하나씩 판독하여 나가라

④ 멀티 펑션 스위치의 경우는 스위치의 조작 기능을 하나하나씩 판독하여 나가라

03 전장회로 판독

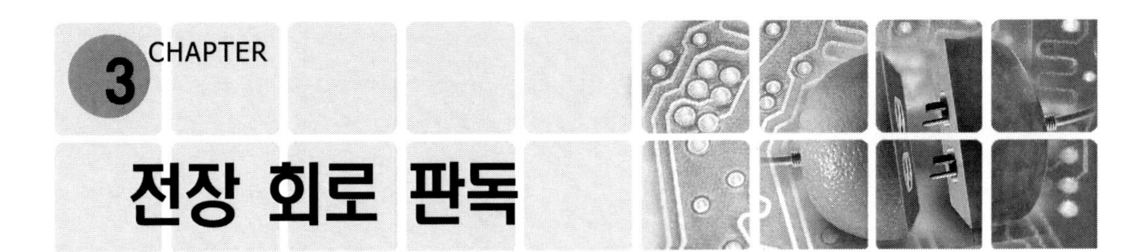

3 CHAPTER 전장 회로 판독

1. 전원 회로 판독

자동차의 전원 회로는 배터리(battery) 및 올터네이터(alternator)로부터 공급되는 소스(source) 전원은 서브 퓨저블 링크(sub fusible link)를 통해 공급하는 상시 전원 B와 소스 전원(배터리 및 올터네이터)으로부터 직접 공급 되는 상시 전원 A로 구분되어 있다. 서브 퓨저블 링크의 퓨즈(fuse)의 용량보다 큰 부하인 시동 모터는 상시 전원 A를 통해 직접 공급을 받고 있으며 서브 퓨저블 링크의 퓨즈(fuse)를 거친 상시 전원 B는 ACC 전원 및 IGN 전원으로 부하를 구동하는 전원이나 점화 스위치를 사용하지 않고도 동작하여야 할 부하의 전원 공급용으로 사용하고 있다.

ACC 전원 및 IGN 전원을 사용하지 않고 상시 전원 B를 사용하는 원인은 점화 스위치의 접점의 허용 용량 때문으로 전원 회로를 판독하는 것이란 어느 전원이 어느 부분에서 분기되어 공급되는 것인지를 파악하는 것이 전원 회로를 파악하는 핵심 포인트이다.

서브 퓨저블 링크를 거쳐 점화 스위치를 통해 공급되는 ACC 전원, IGN 전원, ST 전원은 실내 퓨즈 박스의 퓨즈(fuse)를 거쳐 공급하도록 하고 있다. 결국 점화 스위치를 거쳐 공급하는 ACC전원 IGN 1 및 IGN 2의 전원은 전장 시스템(system)의 전원 및 제어용 전원으로 사용하며 실제 ACC 및 IGN의 위치에서 동작하는 동력 부하는 상시 전원 B를 통해 공급 받고 있다.

그림 (3-1)의 회로의 예를 통해 실제 전원 회로를 판독하여 보면 배터리(battery)로부터 공급된 소스(source) 전원은 서브 퓨저블 링크의 50A의 퓨즈(fuse) 2번 단자를 통해 상시 전원 B의 전원을 실내 정션 박스의 퓨즈(fuse) 부분으로 공급 하고 있는 것을 확인 할 수가 있다.

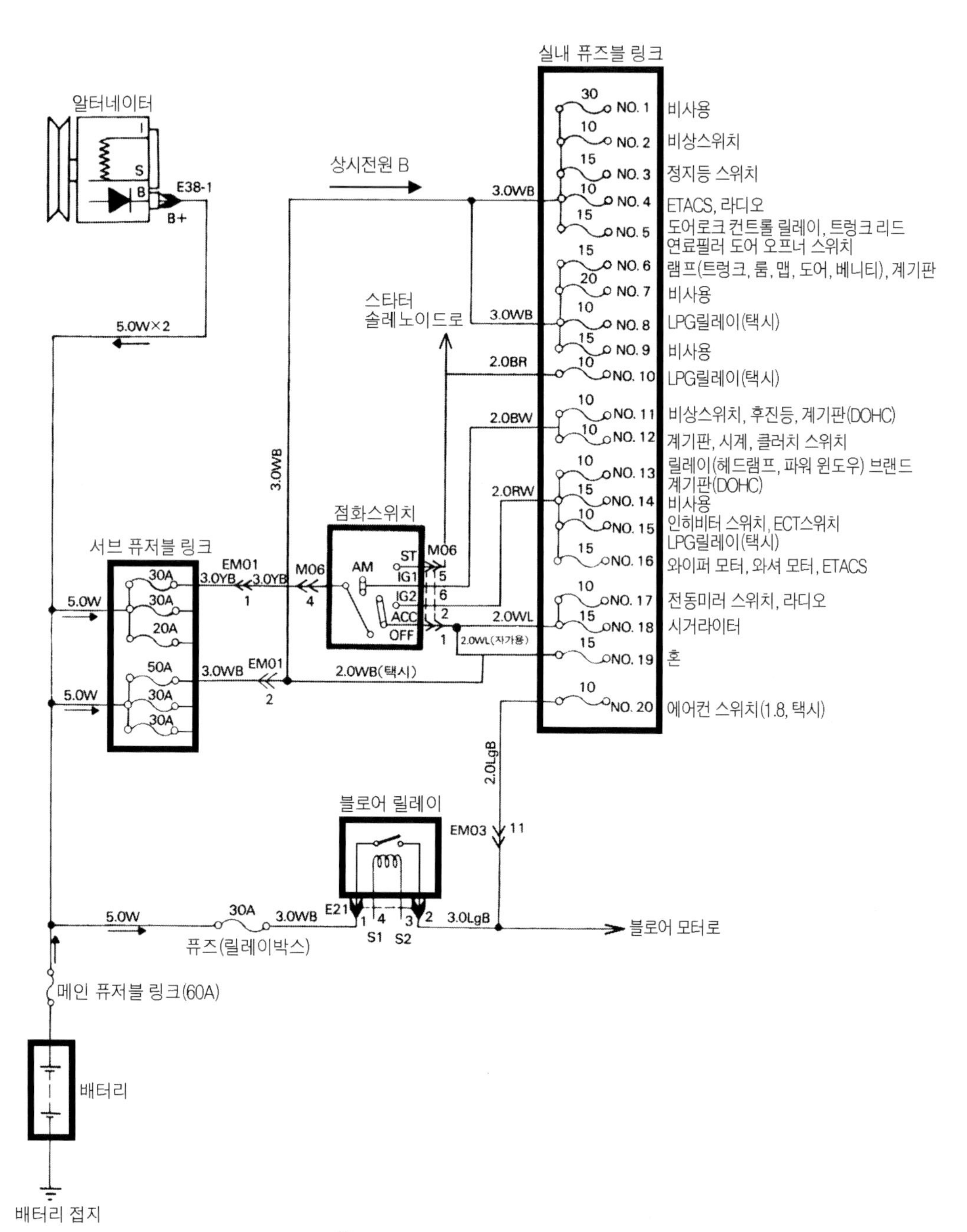

그림3-1 자동차 전원 회로

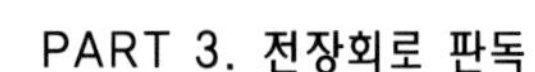

서브 퓨저블 링크(sub fusible link)의 30A 1번 단자를 통해 점화 스위치의 가동 접점(AM : aimer)으로 공급되어 점화 키의 접점에 의해 ACC전원, IGN 전원, ST 전원으로 공급하도록 되어 있다. 만일 ACC 전원 및 IGN 전원 및 ST 전원이 모두 공급 되지 않는 다면 점화 스위치의 가동 접점(AM : aimer) 및 서브 퓨저블 링크의 이그니션 퓨즈(ignition fuse) 30A가 핵심 체크 포인트가 되는 것이다.

반면 ACC 전원이 모두 공급 되지 않는 다면 점화 스위치의 ACC 단자가 핵심 체크 포인트가 된다. 이렇게 점화 스위치를 통해 공급되는 전원은 실내 퓨즈 박스를 통해 전원이 분기 되므로 실내 퓨즈 박스는 모든 전원(상시 전원 B, ACC전원, IGN 전원)을 공급하는 정거장과 같은 역할을 한다고 할 수 있다.

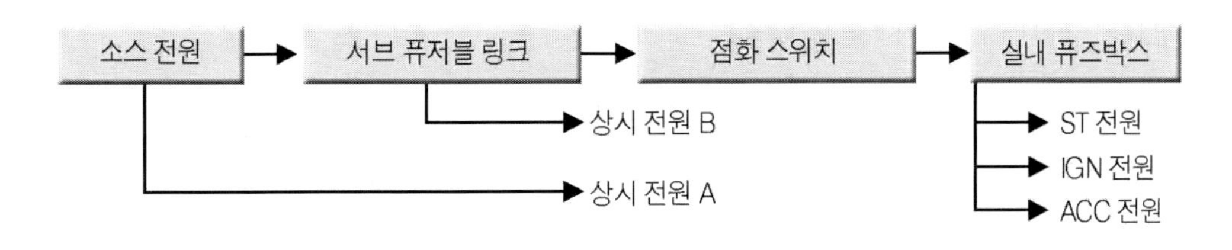

그림3-2 전원 공급의 흐름도

point

전원회로 판독

① 전원 공급은 실내 퓨즈 박스가 전원 공급의 정거장이다.
- 실내 퓨즈 박스를 통해 상시 전원 B, ACC 전원, IGN 전원을 모두 확인 할 수 있기 때문이다.

② 점화 스위치의 가동 접점(AM : aimer)은 실내 퓨즈 박스로 공급하는 전원의 길목이므로 서브 퓨저블 링크의 이그니션 퓨즈(30 A)를 핵심 체크 포인트로 선정하여 둔다.

③ 상시 전원 B는 주로 점화 스위치의 ACC 및 IGN 위치에서 구동하는 부하의 동력 전원으로 사용되는 전원이다.

2. 미등 회로 판독

앞서 회로를 판독하기 위한 요령을 설명할 때 소스(source) 전원으로부터 흐르는 전류 방향의 반대측부터 회로를 판독하는 것이 효과적이라고 설명하였다. 즉 동작하는 부하부터 판독하는 것이 전원부터 판독하여 나가는 것보다 효과적이라는 것을 언급하였다

그러나 그림 (3-3)과 같이 전원 공급 회로와 미등 릴레이(테일 램프 릴레이) 그리고 부하인 전구로 이루어져 있는 단순한 회로의 경우에는 전원회로부터 판독하여도 관계는 없다. 그림 (3-3)의 대표적인 미등 회로를 살펴보면 동작 조건은 미등 스위치를 ON시켰을 때 미등 램프(tail lamp)들이 점등되는 회로로 부하인 램프(lamp)로부터 판독하여 보면 미등/정지등과 번호판등이 서로 병렬로 연결된 것을 확인할 수가 있다.

한편 병렬로 연결된 미등/정지등 과 번호판등의 분기점은 어디서부터 공급 되고 있는지를 확인하여 보면 10A의 좌, 우측 퓨즈(fuse)를 통해 병렬로 연결된 각 램프(lamp) 들로 공급되고 있는 것을 확인 할 수 있다. 분기점을 통해 공급하고 있는 10 A의 좌, 우측 퓨즈(fuse)의 전원이 상시 전원인지, ACC 전원인지, IGN 전원인지를 확인하기 위해 공급 전원선을 따라가 보면 테일 램프 릴레이(tail lamp relay)를 만나게 된다. 릴레이의 판독은 접점에 연결된 회로부터 판독하는 것이 회로 판독에 효과적으로 릴레이의 접점으로 공급되고 있는 전원선을 따라가면 테일 램프 릴레이(tail lamp relay)의 접점을 만나게 되고 릴레이의 접점 넘어 전원 공급은 서브 퓨저블 링크(sub fusible link)의 30 A 퓨즈를 거친 상시 전원 B인 것을 확인할 수가 있다.

즉 이 회로는 상시 전원 B가 테일 램프 릴레이(tail lamp relay) 접점을 거쳐 미등 퓨즈인 좌, 우측 10 A의 퓨즈를 통해 각 미등으로 공급되고 있기 때문에 만일 이 공급 전원에 문제가 생기면 미등 전체가 점등되지 않는다는 것을 알 수 있다. 미등 램프가 점등되기 위한 동작 조건은 미등 스위치(switch)를 ON 상태로 위치하면(다기능 스위치를 미등으로 위치하면) 다기능 스위치의 10번 핀(pin)을 통해 G04로 어스(earth) 되어 미등 릴레이(테일 램프 릴레이)의 코일을 통해 공급되고 있던 상시 전원 B는 릴레이 코일(relay coil)을 통해 어스(earth)로 전류가 흐르게 되어 미등 릴레이(tail lamp relay)의 접점은 접촉 상태(ON 상태)가 되고 상시 전원 B는 미등 퓨즈 좌, 우측 10 A의 퓨즈(fuse)를 통해 병렬로 연결된 각 미등, 정지등, 번호판등으로 전류가 흐르게 돼 미등은 점등 된다.

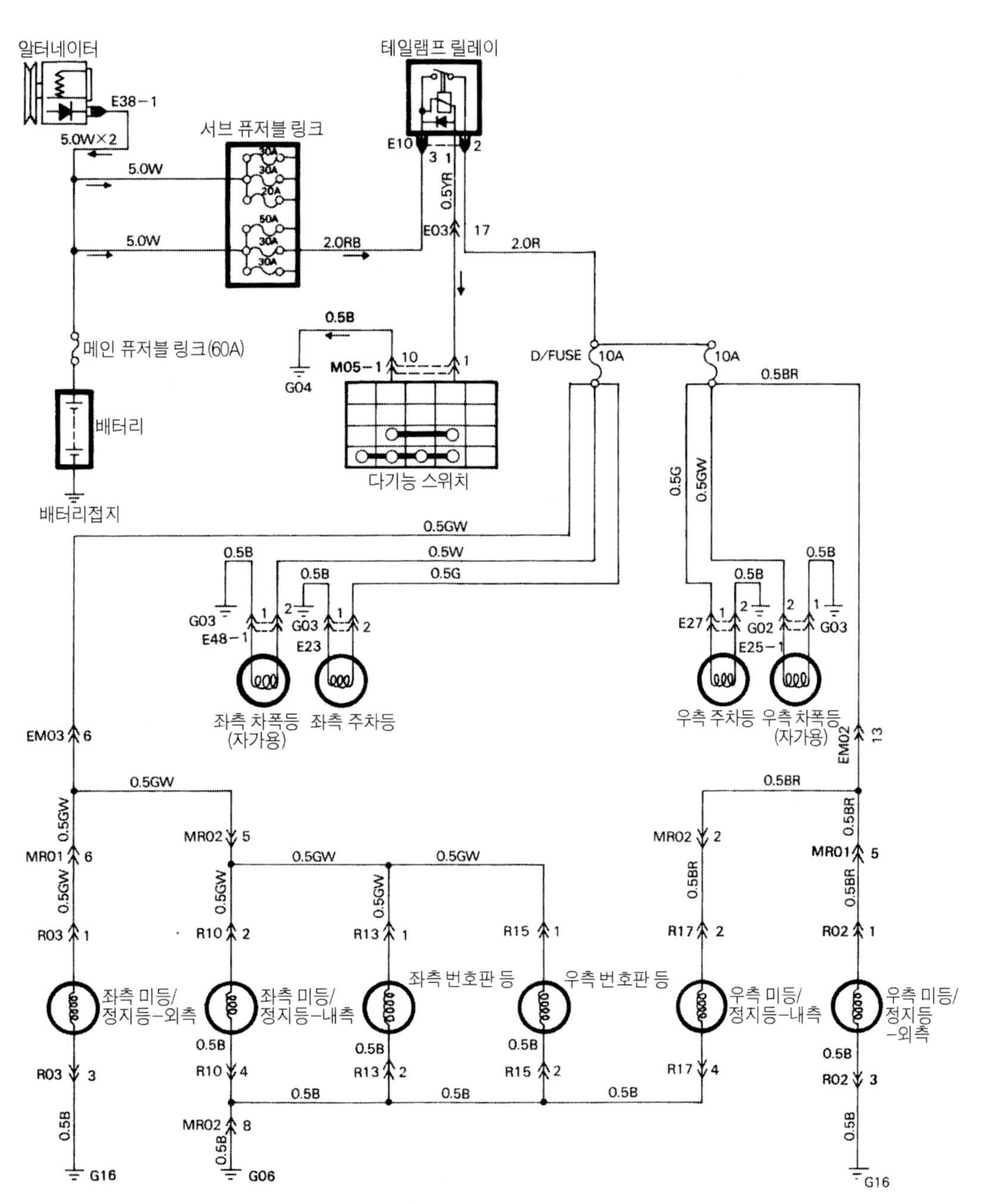

그림3-3 미등 회로

지금까지 회로 판독을 토대로 하나의 고장 예를 들어 보자. 만일 이와 같은 회로에서 우측 차폭등은 점등되는데 우측 미등/정지등이 점등 되지 않는 다고 가정 하면 무엇이 원인이라고 생각하는가?

자동차의 전장 회로에 있어서 전원과 같이 중요한 것이 어스(earth) 부분으로 어스(earth)의 연결 상태가 불안정하거나 접촉 불량을 일으키면 해당되는 장치 또한 불안정하게 동작하게 되거나 전원 회로 및 제어 회로에 노이즈(noise)를 유발하여 ECU(전자 제어 장치)와 같은 부품에 악영향을 미칠 수 있는 것이 어스(earth)의 접촉 불량이다

이 회로에 있어서 차폭등이 점등된다는 것은 미등 퓨즈까지는 전원이 정상적으로 공급되고 있는 것을 의미하는 것으로 다음으로 생각할 수 있는 부분이 EM02의 분기점 커넥터와 어스의 연결부분이다. 우측의 미등/ 정지등의 어스는 G16 및 G06를 통해 어스(earth)가 되어 있으므로 좌측의 미등과 공통으로 사용하는 어스(earth)가 G06이므로 좌측 미등/정지등이 정상으로 점등 된다면 어스(earth)의 연결 상태는 정상으로 간주할 수가 있다. 그러나 우측 미등/정지등 모두가 점등되지 않는 것으로 나머지 한 가지 생각할 수 있는 것이 EM02 분기점 커넥터 부분이다. 이와 같이 회로를 판독 한다는 것은 실무에 논리적인 접근력을 키워나가는 일이기도 하며 시스템(system)의 동작 원리를 이해하여 실무의 논리적 진단을 유발하는 일이기도 하다.

point

미등회로 판독의 핵심 포인트

① 미등 릴레이(테일 램프 릴레이)의 접점 전원은 미등 회로의 전원 공급의 길목이다.
② 좌, 우측 같은 미등 퓨즈(fuse)는 미등 램프의 전원을 공급하는 분기점으로 1차 점검 포인트가 된다.
※ 미등과 같이 병렬 부하가 많은 회로에는 분기점이 체크 포인트이다.
③ 미등과 같이 병렬 부하가 많은 회로의 경우 공통 접지와 연관 접지를 나누어 본다.

 3. 전조등 회로 판독

미등 회로와 마찬가지로 전조등(head lamp) 회로의 경우에도 그림 (3-4)와 같이 다기능 스위치 및 릴레이(relay)를 이용하여 전조등을 점등하도록 구성되어 있는 등화 장치 회로이다. 그림 (3-4)와 같이 전조등 회로의 구성 목적은 전조등(헤드램프)을 등화하기 위한 회로로 부하인 전조등(헤드램프)부터 살펴보면 전조등(head lamp)은 2개의 필라멘트(filament)를 내장한 전조등(헤드램프)이 좌·우측 병렬로 연결 되어 있는 것을 확인할 수가 있다.

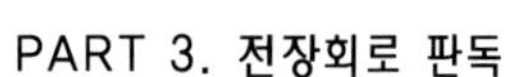

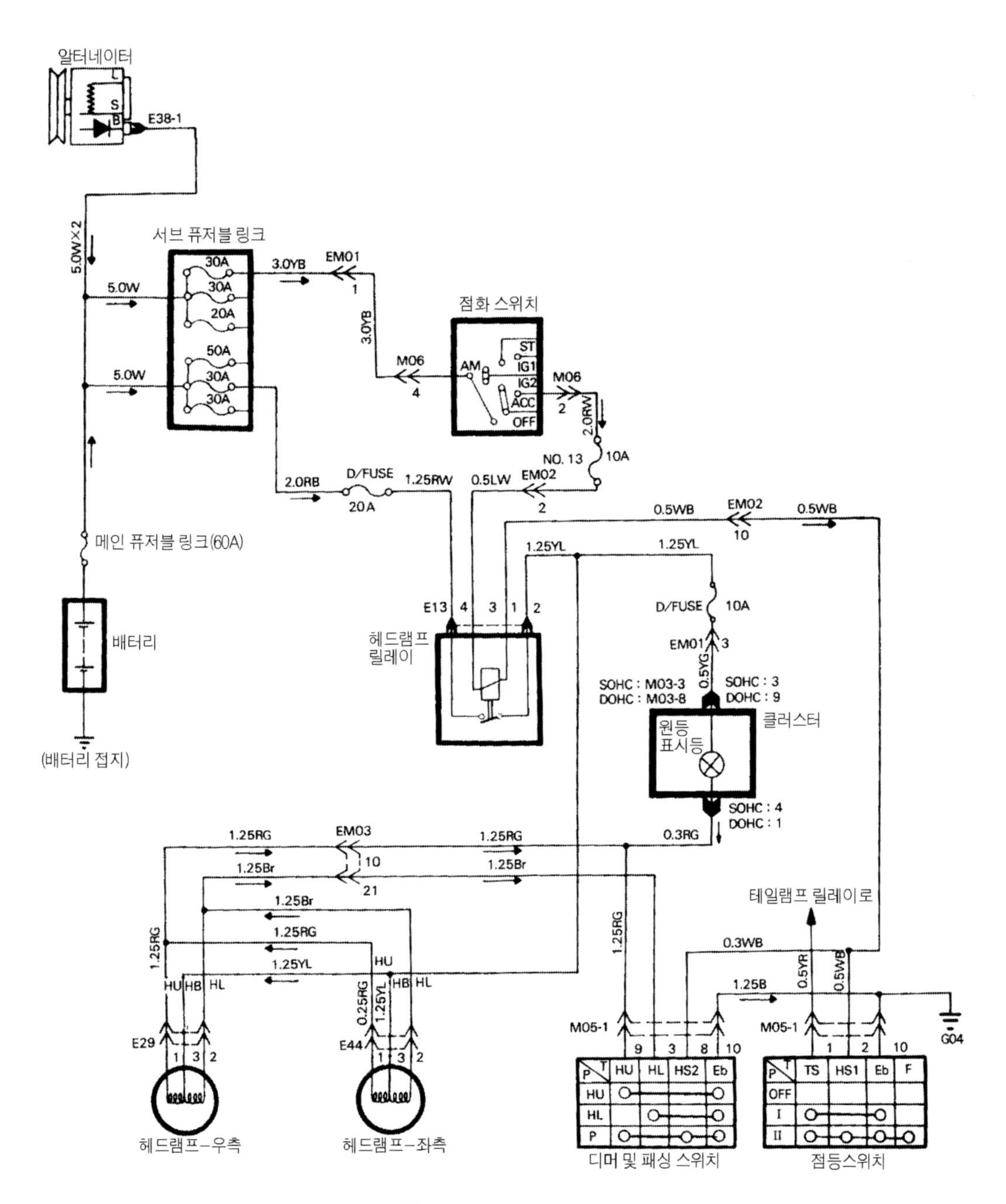

그림3-4 전조등 회로

이 전조등(헤드램프)이 점등하기 위하서는 2개의 직렬 연결된 필라멘트(filament)중 중앙에 연결된 단자에 전원을 공급하여야 하는 것을 알 수가 있다. 즉 전조등(헤드램프)의

필라멘트(filament)중 중앙에 연결된 단자에 전원을 공급하여 전조등이 점등되기 위한 조건은 나머지 좌·우측의 필라멘트(filament) 단자가 어스(earth)가 되어야 폐회로가 구성된다는 것을 의미 한다.

먼저 전원 공급 라인(line) 만을 확인하기 위해 전조등의 필라멘트(filament) 중에 중앙단자에 공급되는 전원 공급선을 따라가 보면 전조등 릴레이(head lamp relay)의 접점과 만나는 것을 확인 할 수가 있다.

전조등 릴레이(헤드램프 릴레이)의 접점을 건너 전원 공급선은 엔진 룸(engine room) 내의 릴레이 박스(relay box)에 있는 20A 퓨즈(fuse)를 거쳐 서브 퓨저블 링크 30A의 퓨즈로부터 공급되는 상시 전원 B임을 확인할 수가 있다.

따라서 전조등(헤드램프)의 전원 공급선은 상시 전원 B가 릴레이 박스(relay box)에 내장된 20A의 퓨즈를 거쳐 헤드램프 릴레이(head lamp relay)의 접점에 전원을 공급하는 길목임을 확인할 수가 있다.

또한 전조등(head lamp)에 전원을 공급하는 헤드램프 릴레이(head lamp relay)의 접점에는 실내 퓨즈 박스에 있는 경고등 램프용 10A의 퓨즈(fuse)를 통해 계기판(클러스터)의 원등 표시등의 전구로 전원을 공급하고 있음을 주목하여야 한다.

계기판의 원등 표시등이 점등하기 위해서는 디머 & 패싱 스위치(dimmer & passing switch)가 패싱 상태가 되어 원등 표시등이 점등 되도록 디머 & 패싱 스위치가 어스(earth) 상태가 되어 폐회로를 구성하여야 원등 경고등이 점등하게 된다.

이와 같은 회로에서 원등 경고등이 점등 된다는 것은 전조등 (head lamp) 회로는 정상적으로 작동을 하고 있다는 것을 의미하므로 전조등(헤드램프) 회로를 점검하기 위해 원등 경고등을 디머 & 패싱 스위치를 통해 확인하는 것은 전조등 회로의 핵심 점검 포인트인 셈이다.

전조등(헤드램프)의 점등하기 위한 조건으로는 전조등 점등 스위치가 ON상태가 되어야 하기 때문에 전조등 점등 스위치가 ON상태가 된다는 것은 점등 스위치의 HS1 단자(2번 핀)가 어스(earth)가 되어야 하는 것으로 HS1 단자(2번 핀)를 따라가 보면 헤드램프 릴레이(head lamp relay)의 코일측과 연결되어 있는 것을 확인 할 수가 있으며 헤드램프 릴레이의 코일측을 건너 공급되는 전원 선은 실내 퓨즈 박스의 10 A 퓨즈(fuse)를 통해 들어오는 ACC 전원임을 확인할 수가 있다.

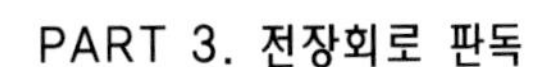

즉 헤드램프 릴레이의 접점을 연결하기 위해 공급되는 코일의 전원 선은 ACC 전원을 통해 공급하고 있다. 전조등(헤드램프)이 점등되기 위한 조건은 첫째 점화 키 스위치의 위치가 ACC 위치에 있어야 하는 것을 회로 판독을 통해 알 수가 있다.

둘째 전조등 점등 스위치의 위치가 ON 상태에 위치하여야 함을 알 수가 있다. 또한 디머 & 패싱 스위치(dimmer & passing switch)가 패싱(passing)위치에 놓여야 한다는 것도 알 수가 있다. 결국 이 회로의 판독의 핵심은 전조등(head lamp)의 필라멘트 전원 공급 단자(HB)에 전원이 공급되기 위한 조건 과 필라멘트(filament)의 상향등(HU) 단자와 하향등(HL) 단자가 어스(earth)가 되어 폐회로를 구성하는 것이 핵심 포인트라 하겠다.

헤드램프 릴레이(head lamp relay)의 코일에 ACC 전원을 공급하여 폐회를 구성한다는 것은 헤드램프 릴레이의 접점을 통해 필라멘트(filament) 단자 중앙(HB)에 전원을 공급하기 위한 것이며 전조등(헤드램프)이 점등되기 위해서는 전조등의 필라멘트(filament) 의 중앙 단자(HB)에 전원 공급과 함께 필라멘트(filament) 단자(HU) 및 (HL)이 어스가 되어 폐회로가 구성되어야 한다.

따라서 헤드램프 릴레이(head lamp relay)의 코일 단자는 이 회로의 핵심 점검 포인트로 헤드램프 릴레이의 2번 핀과 2번 핀과 연결된 EM02 커넥터는 핵심 점검 포인트라 하겠다.

헤드램프를 동작하기 위해 공급하는 상시 전원 B와 ACC 전원은 퓨즈 박스(fuse box)를 통해 간단히 점검을 할 수 있지만 핵심 점검 포인트인 헤드램프 릴레이의 2번 핀과 2번 핀과 연결된 EM02의 커넥터(connector)의 연결 상태의 점검 방법은 헤드램프 릴레이(head relay)를 뽑아 릴레이 코일과 어스(차체 버디) 사이에 점등 스위치를 ON 시킨 상태에서 도통 점검만으로 간단히 점검할 수 있기 때문에 연결 상태를 확인하기 위한 것은 간단히 수행 할 수가 있다.

반대로 체크 램프를 활용하는 방법은 체크 램프의 클립(clip)을 전원선에 연결하고 체크 램프의 팁(tip)을 헤드램프 릴레이의 코일 2번 단자에 접촉하여 체크 램프의 연결 상태만으로도 간단히 확인할 수 있는 방법도 있다.

point

전조등 회로 판독

① 원등 표시등의 점등 상태 확인은 전조등 회로 점검시 확인해야 할 핵심 포인트이다.

※ 디머 & 패싱 스위치를 통해 원등 표시등을 확인하는 것은 전조등 회로의 이상 유무를 간단히 확인 할 수 있기 때문이다.

② 헤드램프 릴레이의 코일 전원 측은 릴레이의 접점을 통해 헤드램프에 전원을 공급하기 위한 것으로 헤드램프 회로의 핵심 점검 포인트가 된다.

– 헤드램프 릴레이의 코일이 접지(어스) 연결 상태 확인은 헤드램프 릴레이를 뽑아 릴레이의 코일 단자에 도통 체크 또는 체크 램프를 통해 간단히 확인 할 수가 있다.

4 방향지시등 회로 판독

그림 (3-6)의 방향지시등 회로는 방향 지시등이 점멸하기 위한 회로이므로 먼저 부하인 방향 지시등의 연결 회로부터 살펴보면 앞·뒤 좌측 방향 지시등과 앞·뒤 우측 방향 지시등이 병렬로 연결되어 있는 것을 확인할 수 있다.

앞·뒤의 방향 지시등이 점멸하기 위해서는 방향 지시등에 연결된 전원 공급선이 전원이 일정 시간에 따라 공급 및 차단(ON & OFF)이 반복되어야 방향 지시등이 점멸을 하게 된다.

방향 지시등의 전원 공급선을 따라가 보면 계기판(클러스터)의 방향 지시 표시등과 병렬 연결되어 있고 비상등 스위치와 방향 지시등 스위치와 서로 연결되어 있음을 확인할 수가 있다.

여기서 방향 지시등이 점멸하기 위한 조건은 방향 지시등 스위치가 우측(TR : Turn Right) 또는 좌측(TL : Turn Left)에 위치하여야 하며 비상등이 점멸하기 위해서는 비상등 스위치를 ON 상태에 위치하여야 하므로 먼저 비상등 스위치를 ON 시키면 비상등 스위치의 2번, 6번, 7번, 8번이 접점이 연결되어 플래셔 유닛(flasher unit)의 1번 단자와 연결

됨을 확인 할 수 있다.

플래셔 유닛(flasher unit)의 1번 단자는 비상등 스위치를 거쳐 비상등(방향 지시등)의 전원 공급선과 연결되어 있으므로 결국 플래셔 유닛의 1번 단자가 일정 시간에 따라 전원을 연결 및 차단(ON & OFF)을 반복 하여야 한다는 결론을 얻을 수 있다.

앞장에서도 언급한 것과 전장 회로를 판독하기 위해서는 전장품(구성 부품)의 기능을 알아야 한다는 것은 만일 그림 (3-6)의 방향 지시등 회로에서 방향 지시등이 점멸 한다는 사실을 알지 못하면 이 회로는 그림 (3-6)에 나타낸 회로만으로 회로를 판독하기란 거의 불가능한 일이기 때문이다.

따라서 그림 (3-6)의 회로를 이해하기 위해서는 방향 지시등의 전원을 연결 및 차단을 반복하는 플래셔 유닛(flasher unit)의 기능을 알지 못하면 자동차 전장 회로만으로 회로를 판독한다는 것은 어려운 문제가 되기 때문이다.

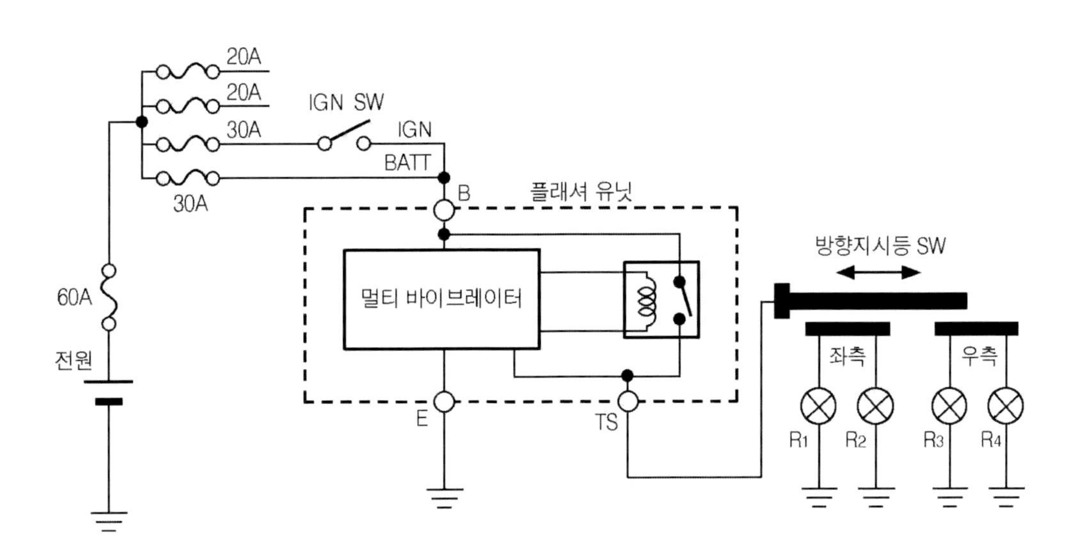

그림3-5 방향지시등의 동작 원리

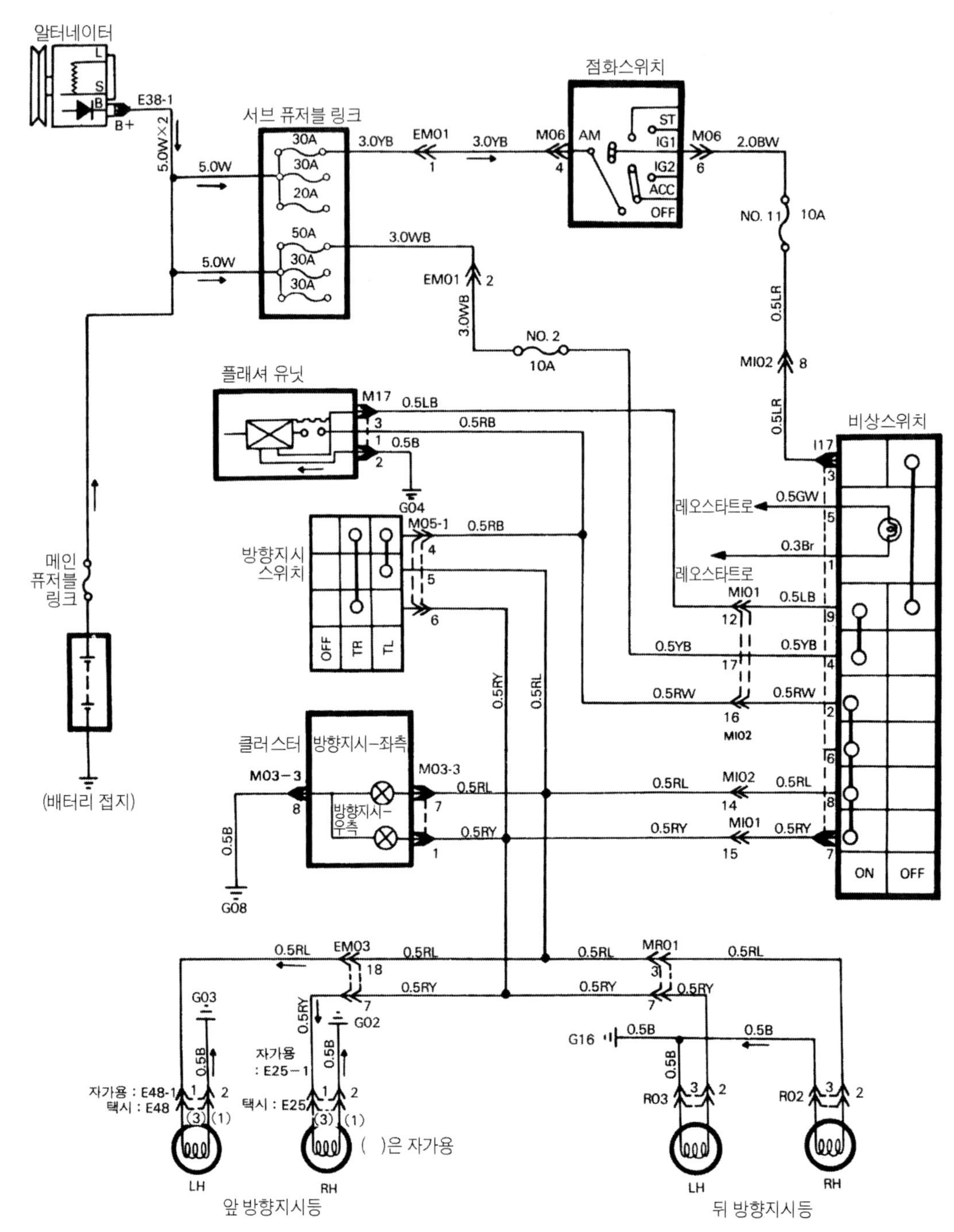

그림3-6 방향지시등 회로

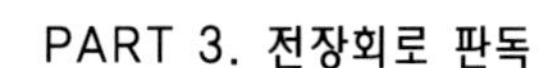

플래셔 유닛(flasher nnit)의 동작 원리는 그림 (3-6)과 같이 멀티 바이브레이터(multi vibrator)이용한 것으로 RC(저항과 콘덴서)의 시정수(저항과 콘덴서 회로에 충방전 시간이 약 63%까지 도달하는데 걸리는 시간)로서 ON, OFF 주기를 결정하도록 되어 있는 회로이다. 이 회로의 시정수 값을 결정하는 저항값을 방향 지시등의 전구 저항으로 사용하고 있어서 방향 지시등이 단선이 되는 경우 전구의 저항값이 작아져 시정수 값은 감소하게 되므로 방향 지시등의 점멸 속도는 빨라지게 된다.

플래셔 유닛(flasher unit) 내에 있는 방향 지시등 릴레이의 접점 공급 전원은 비상등 스위치가 ON 시에는 상시 전원 B를 공급하게 되고 방향 지시등 스위치를 우향 또는 좌향으로 턴-온(turn on) 시에는 IGN 전원을 공급하게 되어 있어 방향 지시등은 점화 스위치가 IGN 위치에 있을 때에만 동작 한다.

즉 플래셔 유닛의 B 단자는 플래셔 유닛의 전원(상시 전원 B 일 때는 비상등의 전원 공급을 하게 되고 IGN 스위치를 ON시켰을 때에는 방향 지시등의 전원을 공급하도록 하는 전원 공급 단자이며 TS(turn signal) 단자는 방향 시시등 또는 비상등의 점멸 전원(ON & OFF 전원)을 출력하는 전원 공급 단자이다.

다시 그림 (3-6)의 회로에서 비상등 스위치를 ON 시키면 비상등 스위치의 9번 단자와 16번 단자가 연결된다. 이때 배터리(battery)로 공급되는 상시 전원 B는 서브 퓨저블 링크의 50A 퓨즈 (fuse)를 거쳐 실내 퓨즈 박스의 퓨즈(fuse) 10A를 통해 플래셔 유닛 3번 단자에 전원을 공급하게 돼 플래셔 유닛(flasher unit) 1번 단자를 통해 비상등(방향 지시등)의 전원을 ON, OFF 하게 되어 비상등은 점멸하는 것이다. 방향등 스위치를 TL(Turn Left)로 위치하였을 때 전원 공급에 의한 전류의 흐름을 파악하기 위해 방향 지시등에 공급하고 있는 전원선을 따라가 보자.

전원선은 방향 지시등 스위치의 4번 단자와 5번 단자가 연결되고 플래셔 유닛(flasher unit)의 1번 단자와 연결되게 돼 플래셔 유닛의 전원 단자의 3번 단자에 전원만 공급하면 플래셔 유닛(flasher unit)은 동작하게 됨을 알 수 있다. 플래셔 유닛(flasher unit) 3번 단자는 비상등 스위치가 OFF 시에는 비상등 스위치의 3번 단자와 9번 단자가 연결되어 있어서 점화 스위치를 통해 공급되는 IGN 전원은 실내 퓨즈 박스의 10A(NO 11)를 통해 공급되고 있음을 확인 할 수 있다. 결국 이 회로의 동작의 핵심은 플래셔 유닛(flasher unit)의 전원 공급을 통해 방향 지시등의 전원을 점멸(ON, OFF) 하는 것을 알 수 있다. 비상등

스위치를 ON 시키는 경우에는 상시 전원 B가 비상등 스위치 4번 과 9번 단자를 통해 플래셔 유닛에 전원을 공급하게 되고 방향 지시등 스위치를 TL(turn left)로 위치하였을 때는 비상 스위치의 3번 과 9번 단자를 통해 스위치를 통해 공급하는 IGN 전원이 플래셔 유닛(flasher unit) 3번 단자에 전원을 공급하게 되어 플래셔 유닛(flasher unit)을 동작하게 하는 회로이다.

point

방향지시등 회로판독의 핵심 포인트

① 플래셔 유닛(frasher unit) 핀 단자
- B : 플래셔 유닛의 전원 공급 단자
- TS : 방향 지시등의 전원을 공급 및 차단(ON 및 OFF)하는 단자
- E : 어스 단자

② 비상등 스위치와 방향 지시등 스위치를 통해 공급되는 플래셔 유닛의 전원 단자는 플래셔 유닛 회로 점검시 핵심 포인트이다.
- 비상등 회로 점검은 비상등 스위치를 통해 공급 되는 상시 전원 B는 비상등 스위치의 9번 단자 또는 플래셔 유닛 3번 단자가 핵심 점검 포인트가 된다.
- 방향 지시등 회로 점검은 비상등 스위치를 통해 공급 되는 IGN 전원은 비상등 스위치의 9번 단자 또는 플래셔 유닛 3번 단자가 핵심 점검 포인트가 된다.

③ 계기판의 방향 지시 표시등의 점멸 상태 확인은 방향 지시등 회로 점검시 확인해야 할 핵심 포인트이다.

※ 비상등 스위치 및 방향 지시등 스위치를 통해 원등 표시등을 확인하는 것은 방향 지시등(비상등) 회로의 이상 유무를 간단히 확인 할 수 있기 때문이다

④ 방향 지시등의 분당 점멸 횟수는 방향 지시등의 전구 저항에 의해 결정된다.

 시동 회로 판독

시동 회로는 시동 모터(start motor)와 모터를 구동하기 위한 구성 부품 들을 전기적으로 연결하여 놓은 전장 회로이다. 먼저 이 시동 회로를 판독하기 위해서는 시동 모터가 어떤 구조로 되어 있으며 작동은 어떻게 되는지를 파악하고 있는 것이 순서이다. 그럼 그림(3-7)와 같은 시동 회로에 시동 모터가 어떻게 작동하는지를 살펴보자.

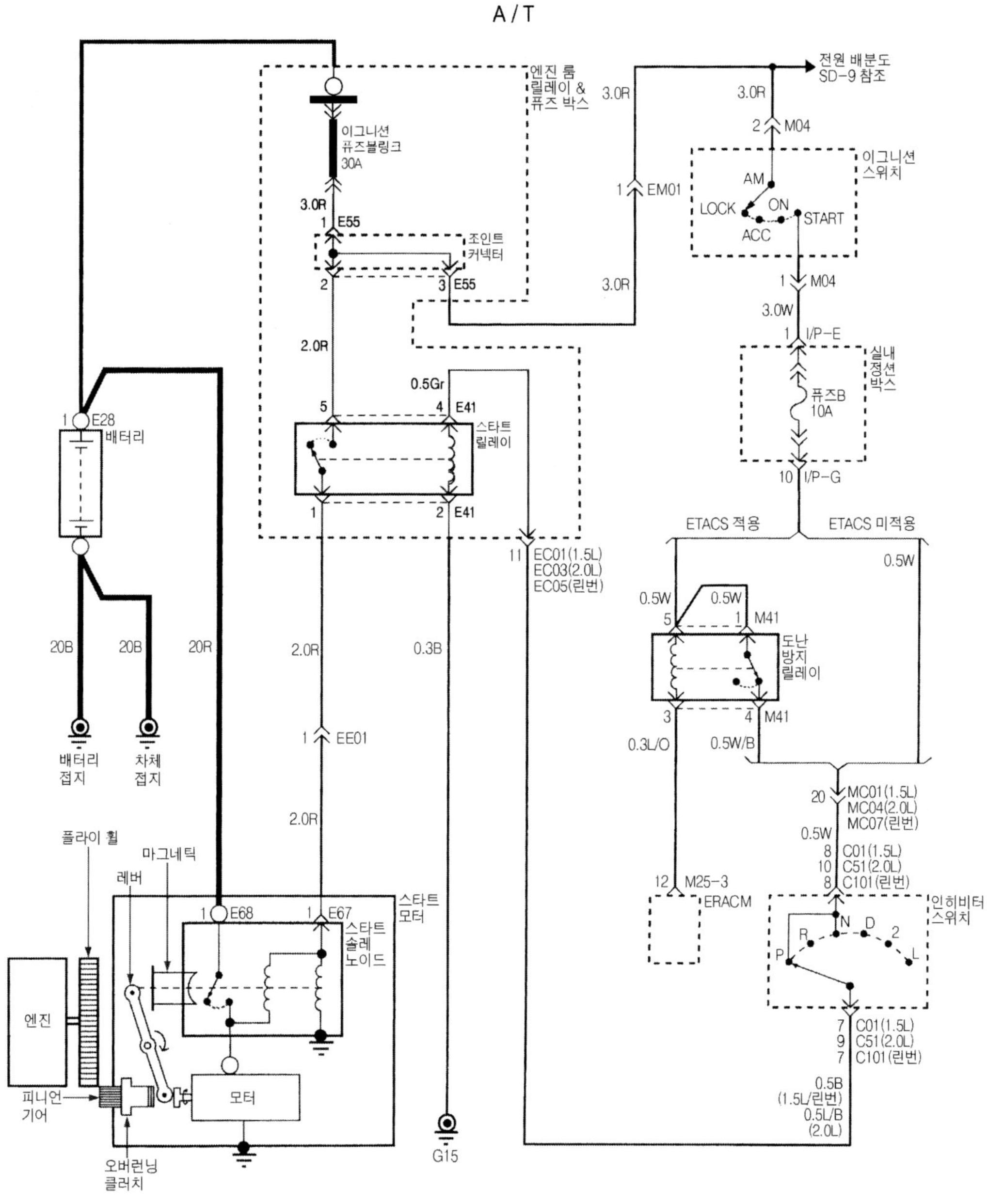

A/T

그림3-7 시동 회로(A/T)

시동 모터의 사각 상자에 두꺼운 선으로 배터리(battery)와 연결된 단자를 B-단자라 부르며 이 단자를 통해 시동 모터에 공급하는 전원 선으로 시동 모터가 기동할 때 B-단자를 통해 대전류가 흐르는 단자이다. 시동 모터(start motor)의 1번 단자는 전자석을 만들기 위

한 코일(스타트 솔레노이드)의 단자로 배터리(battery)로부터 공급되는 B-단자의 공급 전원을 기동 모터(M-단자)와 연결하기 위한 단자로 일명 S-단자라고 부른다. 시동모터가 회전하기 위해서는 B-단자에 배터리(battery)의 전원이 연결된 상태에서 S-단자(1번 단자)에 전압을 공급하여 스타트 솔레노이드 코일에 전자석을 만들어 마그네틱 스위치(magnetic switch)의 접점이 붙어야 비로소 시동 모터가 회전을 하게 된다.

★ 시동 모터의 단자 기능

① B-단자 : 시동 모터의 전원 단자로 시동 모터가 기동시 대전류가 흐르는 단자
② S-단자 : 전자석을 이용하여 B-단자의 전원이 시동 모터 전원 단자와 연결되도록 하는 전자석 코일(스타트 솔레노이드) 단자
③ M-단자 : S-단자에 전원이 공급되면 B-단자의 접점이 M-단자의 접점과 접촉 되어 B-단자의 전원이 시동 모터에 공급하게 하는 단자

그림 (3-7)의 회로에서 시동 모터의 S-단자와 연결된 선을 따라가면 스타트 릴레이(start relay)의 접점과 연결되고 이 접점을 넘어 이그니션 퓨저블 링크(30A) 의 퓨즈와 연결되어 상시 전원 B가 공급되고 있는 것을 확인할 수가 있다.

따라서 시동 모터의 S-단자에 전원을 공급하기 위해서는 스타트 릴레이(start relay)가 작동하여야 하는 것을 알 수가 있다. 즉 스타트 릴레이(start relay)가 작동하기 위해서는 스타트 릴레이의 코일(coil)에 전원이 공급되어야 하므로 스타트 릴레이의 코일 단자(B6번 핀)와 연결된 배선을 따라가 보면 E/TCU(엔진/오토미션의 전자제어 장치)의 26번 핀과 인히비터 스위치(inhibitor switch)의 8번과 연결되어 있는 것을 확인할 수 있다. 여기서 E/TCU와 연결된 26번의 단자는 스타트 릴레이의 코일(coil)에 가해지는 전압을 통해 현재 시동 모터가 회전(cranking)을 하고 있는지를 파악하는 E/TCU(엔진/ 오토미션 전자제어 장치)의 입력 신호 단자로 사용하고 있다.

인히비터 스위치(inhibitor switch)의 가동 접점(AM)은 인히비터 스위치가 P와 N 위치의 고정 접점과 연결되어 있는 것을 확인 할 수 있어 이 배선을 통해 S-단자의 전원이 공급되고 있음을 알 수가 있다. 인히비터 스위치(inhibitor switch)의 7번 핀과 연결된 배선을 따라가 보면 도난 방지 릴레이 접점과 다른 한선은 직접 실내 정션 박스의 10A 퓨즈(fuse)와 연결된 것을 확인할 수 있는데 도난 방지 릴레이가 삽입된 것은 차량의 선택 사양을 부착한 차량에 해당하는 것을 의미하는 것으로 도난 경보 장치의 선택 사양이 장착

되지 않은 차량은 이 릴레이는 필요 없다.

실내 정션 박스의 퓨즈 10A 로 공급되는 전원은 이그니션 스위치(ignition switch)의 스타트(START)위치에 있어야 상시 전원 B가 스타트 모터의 S-단자에 상시 전원 B가 공급되는 것을 알 수가 있다. 결국 스타트 모터가 회전을 하기 위해서는 S-단자에 전원을 공급되어야 하므로 시동 모터의 S-단자에 전원을 공급하기 위해서는 인히비터 스위치(inhibitor switch)가 N위치 또는 P위치 놓여야 하며 이때 점화 스위치를 ST 위치로 하면 상시 전원 B는 점화 스위치의 ST 접점과 연결된 배선을 통해 인히비터 스위치의 가동 접점을 거쳐 스타트 모터의 S-단자와 연결되게 되어 시동 모터는 회전을 하게 된다. 즉 시동 모터가 회전을 하기 위한 조건은 인히비터 스위치(inhibitor switch)가 P 또는 N위치로 하고 점화 스위치를 ST(start) 위치로 하였을 때 시동 모터가 회전(cranking)을 하게 되는 것이다.

선택 사양으로 도난 방지 기능을 장착한 차량의 경우에는 도난 방지 릴레이(relay)의 접점이 이그니션 스위치(ignition switch)를 통해 공급되는 ST 전원이 실내 정션 박스의 10 A 퓨즈(fuse)를 거쳐 릴레이의 접점을 통해 인히비터 스위치로 가게 되어 있어서 도난 방지 기능이 작동이 되는 경우에는 시동 모터를 회전 시키지 못하게 된다. 도난 방지 릴레이의 접점이 개폐(ON, OFF)는 릴레이 코일에 전류의 흐름으로 결정되므로 결국 ETACS (Electronic Time & Alarm Control System)라는 전자 제어 장치에 의해 제어되는 것을 알 수 있다. 즉 ETACS는 도난 방지 릴레이의 코일에 전류를 흘려 릴레이의 접점을 차단하게 되어 시동 모터의 S-단자로 공급하는 전원을 차단하게 되면 현재 ETACS의 도난 경보 장치는 경계 상태 있는 것을 의미하는 것이다.

point

시동회로 판독의 핵심 포인트

① 시동 모터의 기동(cranking) 순서 : 인히비터 스위치의 P 또는 N 위치 → 점화 스위치 ST 위치 → 스타트 릴레이의 코일 여자 → 스타트 릴레이의 접점 접촉(ON 상태) → 시동 모터의 스타트 솔레노이드 여자 → 시동 모터의 마그네트 스위치 ON → B-단자 전원이 시동 모터에 연결되어 시동 모터 회전

② 시동 회로의 핵심 포인트는 시동 모터의 S-단자이다.

- 시동 모터의 기동은 S-단자에 ST 전원이 공급에 의해 이루어지기 때문이다 .

③ 시동 회로의 점검의 핵심 점검 포인트는 스타트 릴레이의 단자이다.

※ 스타트 릴레이의 접점측 : 시동 모터의 S-단자에 상시 전원 B을 공급 스타트 릴레이의 코일측 : 점화 스위치 및 인히비터 스위치를 통해 ST 전원 공급

④ E/TCU(엔진/오토미션의 전자 제어 장치)로 연결된 스타트 릴레이의 코일 전원은 E/TCU의 스타트 신호로 이용

⑤ 선택 사양으로 도난 방지 릴레이가 적용된 차량의 경우에는 경계 및 해제 조건을 정확히 알고 있어야 한다.

6. 충전 회로 판독

충전 회로는 올터네이터(alternator)에서 발전하는 발전 전력을 자동차 전기 장치에 공급하고 방전된 배터리(battery)에 전기량을 보충하기 위한 회로이므로 충전 회로를 판독하기 위해서는 올터네이터(alternator)의 기본적인 동작 원리 및 회로를 이해하고 있어야 충전회로를 쉽게 이해 할 수 있다. 먼저 그림 (3-8)의 (b) 충전회로에 올터네이터(alternator)의 내부를 살펴보면 스테이터 코일(stater coil) 및 로터 코일(rotor coil), 정류 다이오드(diode)로 구성된 3상 교류 발전기와 점선 안에 나타낸 회로는 발전 전압을 일정하게 제어하는 전압 레귤레이터(voltage regulator)로 구성되어 있다.

올터네이터(alternator) 벨트에 의해 회전하는 로터 코일(rotor coil)은 자력선의 변화에 의해 스테이터 코일(stater coil)에 유도 기전력을 유도하고 스테이터 코일에서 발생한 3상 유도 기전력은 3개의 +측 정류 다이오드와 3개의 −측 다이오드에 의해 정류(AC 기전력을 DC 기전력으로 변환하는 것)하여 방전된 배터리(battery) 및 자동차 전기 장치에 전력을 공급하게 된다. 그러나 발전기는 로터 코일(rotor coil)의 회전에 따라 스테이터 코일에 유도 되는 유도 기전력이 세기가 비례하므로 엔진의 회전수에 따라 스테이터 코일에 유도되는 기전력의 세기는 커지게 되므로 만일 전압 레귤레이터(regulator)가 없다고 가정하여 엔진 회전수가 증가하면 허용 전압을 초과하여 공급하게 돼 자동차에 사용하는 전장품은 모두 파손되고 만다. 따라서 엔진 회전이 상승하여도 올터네이터(alternator)의 출력 전압이 일정하게 유지하기 위해서는 전압 레귤레이터가 필요하게 된다. 올터네이터(alternator) 내에 내장된 이 전압 레귤레이터(regulator)는 IC화(집적화) 되어 있어서 일명 IC 레귤레이터라고 부르기도 한다.

즉 S-단자는 충전 전압의 크기가 약 14.5V를 초과하면 로터 코일(필드 코일)과 연결된 다링톤 트랜지스터(darlington transistor)를 턴-오프(turn off)시켜 로터 코일(필드 코일)

로 흐르는 전류를 차단하게 하여 올터네이터의 B-단자를 통해 출력하는 충전 전압을 낮추고 충전 전압의 크기가 약 13.5V 이하로 내려가면 S-단자를 통해 13.5V 이하를 감지하여 로터 코일(필드 코일)과 연결된 다링톤 트랜지스터(darlington transistor)를 턴-온(turn on)시켜 로터 코일에 전류를 흘려 스테이터 코일에서 발생하는 발전 전압을 상승시켜 B-단자를 통해 공급하는 충전 전압이 엔진 회전수에 관계없이 항상 약 14V ± 0.5V가 되도록 조정하게 한다. 여기서 올터네이터(alternator)의 1번 핀 단자를 L-단자라 하는 데 L-단자는 계기판의 충전 경고등과 연결되어 있어서 L-단자는 충전 경고등과 관계가 있는 것을 알 수 있다.

L-단자를 통해 연결된 충전 경고등은 점화 스위치가 IGN ON위치에 있을 때에는 전압 레귤레이터의 내의 로터 코일(필드 코일)과 연결된 다링톤 트랜지스터가 턴-온(turn on) 되어 충전 경고등은 L-단자를 통해 로터 코일(필드 코일)로 전류가 흐르게 돼 충전 경고등은 점등하게 된다. 한편 엔진이 회전하여 로터 코일(필드 코일)이 회전을 하게 되면 스테이터 코일(stater coil)에서 발생하는 충전 전류는 정류 다이오드와 트리오 다이오드(trio diode)을 통해 정류 전압이 공급되게 된다. 이때 충전 경고등에서 올터네이터의 L-단자를 통해 흐르던 전류는 차단되고 충전 경고등은 소등하게 된다. 결국 엔진이 정지 상태에서는 충전 경고등이 점등되었다는 것은 로터 코일에 전류가 흐르고 있는 것을 의미하며 엔진이 회전을 하여 충전 경고등이 소등 되었다는 것은 트리오 다이오드(trio diode)를 통해 정류 전압이 정상적으로 공급되고 있는 것을 의미한다.

올터네이터의 전압 레귤레이터의 회로를 간단히 정리하면 그림 (3-8)의 (a) 회로에서 B-단자는 태코미터 코일에서 발생된 발전 전압이 정류 되어 배터리(battery) 및 자동차 전장품의 전력을 공급하는 단자이며, S-단자는 충전 전압이 약 14±0.5V를 벗어나는지를 검지하는 단자로 전압 레귤레이터의 조정 전압이 항상 14V ± 0.5V 내를 유지하도록 하는 단자이다. L-단자는 충전 경고등과 연결된 단자로 로터 코일(휠드 코일)에 전압을 공급하도록 하는 단자이다. 이와 같은 내용을 미리 알고 그림 (3-8)의 (a)회로를 살펴보자.

점화 스위치 ON시(IGN 위치시) 배터리의 전압은 10A의 퓨즈를 거쳐 충전 경고등을 통해 올터네이터의 L-단자에 가해지며 엔진이 회전을 시작하면 올터네이터의 충전 전압(14V ± 0.5V)은 B-단자를 통해 배터리(battery) 및 자동차 전장품으로 전력을 공급하고 충전 전압이 약(14V ± 0.5V) 이내에 있는 지를 서브 퓨저블 링크 30A 통해 올터네이터의

S-단자가 검지하도록 하는 회로이다.

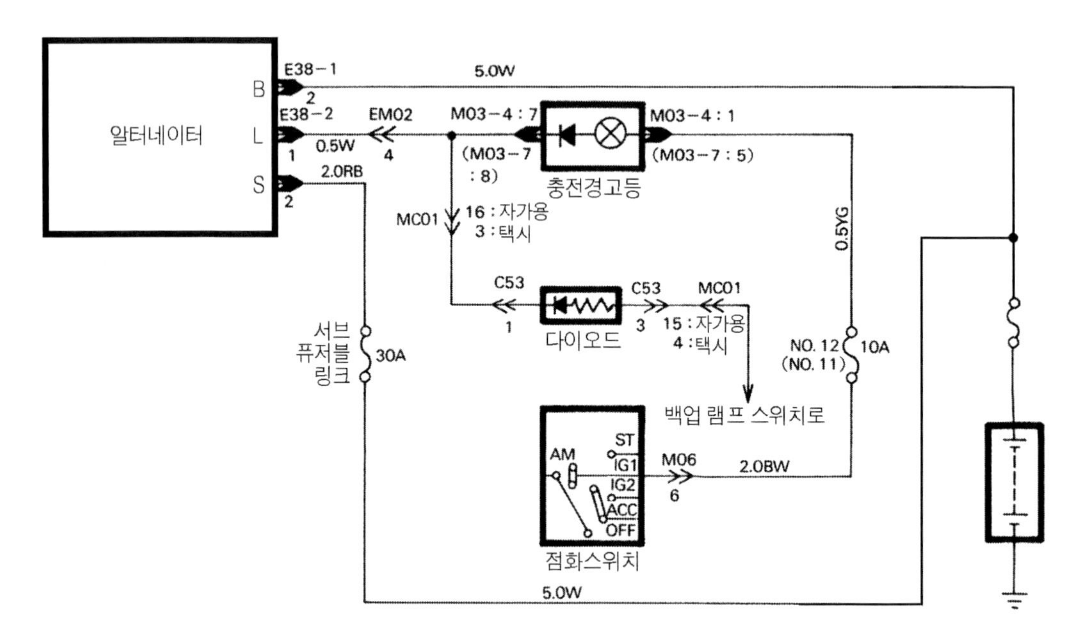

(a) 충전 회로 1

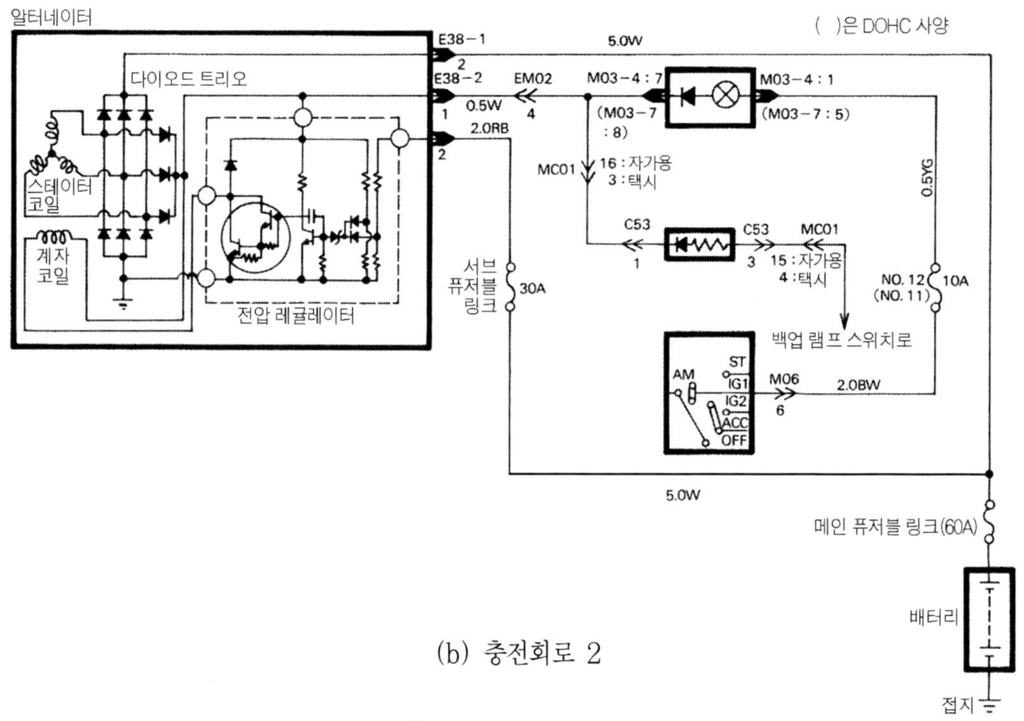

(b) 충전회로 2

그림3-8 충전 회로

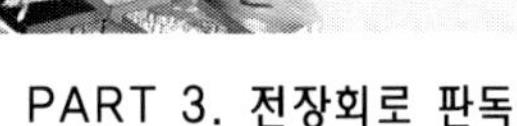

이 회로에서 저항이 직렬 연결된 다이오드(diode)는 충전 경고등과 병렬로 연결 되어 있어서 만일 충전 경고등이 단선되는 경우일지라도 로터 코일(필드 코일)에 전압을 공급하도록 하는 일종의 안전용 구성품이다.

점화 스위치 ON시 L-단자가 단선 되는 경우에는 충전 경고등이 점등되지 않는 것은 당연하지만 엔진이 회전중에는 트리오 다이오드(trio diode)를 통해 로터 코일(rotor coil)로 전류가 흐르게 되어 L-단자의 단선 여부를 알지 못한다.

반면 S-단자가 엔진 회전중에 단선이 되는 경우는 조정 전압(14V ± 0.5V)을 감지하지 못하게 되어 충전 전압은 조정 전압(14V ± 0.5V)이상 상승하게 되어 배터리(battery)의 과충전으로 이어지게 되므로 회로를 판독하는 것은 동작 원리를 이해하는 것뿐만 아니라 현장 실무에 있어 대단히 중요하다 하겠다. 이와 같이 충전 회로 판독은 올터네이터의 내부 회로의 동작 원리를 이해함으로서 충전 회로를 쉽게 이해 할 수 있기 때문에 전장 회로를 판독하기 위해서는 최소한 구성 부품의 기능 및 구성 부품의 단자 기능을 파악하고 있지 못하면 아무리 전문가라 하더라도 전장 회로 판독은 불가능하다. 따라서 올터네이터(alternator)의 내부 회로 판독이 이해가 되지 않더라도 적어도 올터네이터의 핀(단자) 기능을 알고 있어야 충전 회로 판독이 가능하다.

point

충전 회로의 판독 핵심 포인트

① 알터네이터(alternator)의 핀 단자
- B : 알터네이터 출력 단자(충전 전압 공급 단자)
  충전 전압(14V ± 0.5V)은 자동차 메이커 및 차종에 따라 약간의 차이가 있음
- S : 충전 전압이 14V ± 0.5V 범위 내에 있는 지를 감지하는 단자
- L : 로터 코일에 전원을 공급하는 단자
  점화 스위치 ON시 L단자를 통해 전압을 공급하게 되고 엔진이 회전시에는 트리오 다이오드(trio diode)를 통해 로터 코일에 전원을 공급하게 된다.

② 충전 경고등은 알터네이터의 점검에 핵심
- 점화 스위치 ON시 → 충전 경고등 점등, 엔진 회전시 → 충전 경고등 소등의 의미는 알터네이터 내의 로터 코일 회로가 정상적으로 작동하고 있는 것을 말한다.

③ 엔진 회전수가 변화하여도 충전 전압이 일정하게 14V ± 0.5V 범위 내를 유지하면 전압 레귤레이터는 정상임을 의미한다.

7. 점화회로 판독

1. 대표적인 점화 회로

점화 회로는 점화 코일에서 발생하는 20㎸ 이상의 높은 고압을 고압 케이블을 통해 전송하여 고압이 각 실린더(cylinder)에 장착된 점화 플러그를 통해 혼합 가스가 착화 되도록 불꽃 방전을 일으키는 회로이다.

먼저 점화 회로를 판독하기 위해 그림 (3-9)의 회로에서 점화 코일 부분부터 판독하여 보자. 점화 2차 코일측에는 디스트리뷰터를 통해 배전된 약 20㎸ 이상의 높은 고압이 점화 플러그(plug)를 통해 방전 할 수 있도록 고압 케이블이 연결되어 있고, 점화 1차 코일에는 점화 스위치를 통해 공급되는 IGN 1 전원과 점화 스위치의 접점 보호를 위한 콘덴서(condenser)가 연결 되어 있어서 점화 회로는 IGN 1의 ON 상태일 때 고압 회로가 구성되는 것을 알 수가 있다. 점화 1차 코일의 반대측에는 파워 TR(power transistor)의 컬렉터(collector)와 노이즈 필터(noise filter)가 연결되어 있어 점화 1차 회로와 관련이 있는 것을 알 수 있다. 파워 TR(power transistor)의 베이스(base) 측은 엔진 ECU(전자 제어 장치)와 연결 되어 있어서 파워 TR은 엔진 ECU(전자 제어 장치)와 관계가 있음을 알 수가 있다.

파워 TR(power transistor)의 동작은 베이스(base)의 신호 전압에 의해 컬렉터의 전류가 변화하는 것을 이용한 것으로, 엔진 ECU(전자 제어 장치)에 입력된 크랭크 각 센서 신호 및 TDC 센서 신호 그리고 기타 입력 정보에 따라 점화 기통 수 및 점화시기를 판별하여 엔진 ECU(전자 제어 장치)는 파워 TR의 베이스 측으로 점화 신호를 내 보낸다. 파워 TR(power transistor)는 점화 신호를 받아 점화 1차의 코일의 흐르는 전류를 단속하여 점화 2차 코일에는 약 20㎸ 이상의 높은 고압이 발생하게 하는 회로이다. 즉 파워 TR은 점화 1차 코일에 흐르는 전류를 단속하는 구성 부품이며 점화 코일은 파워 TR의 단속에 의해 높은 유도 기전력을 발생하는 구성 부품이다. 점화 코일에서 발생된 높은 전압은 디스트리뷰터(distributor)에 의해 각 실린더로 배전 된다. 여기서 노이즈 필터(noise filter)의 기능은 점화 코일에서 발생하는 높은 서지 전압(surge voltage)을 제거하는 필터(filter)로 서지 전압이 여과된 신호는 계기판의 태코미터(rpm meter) 신호로 사용된다.

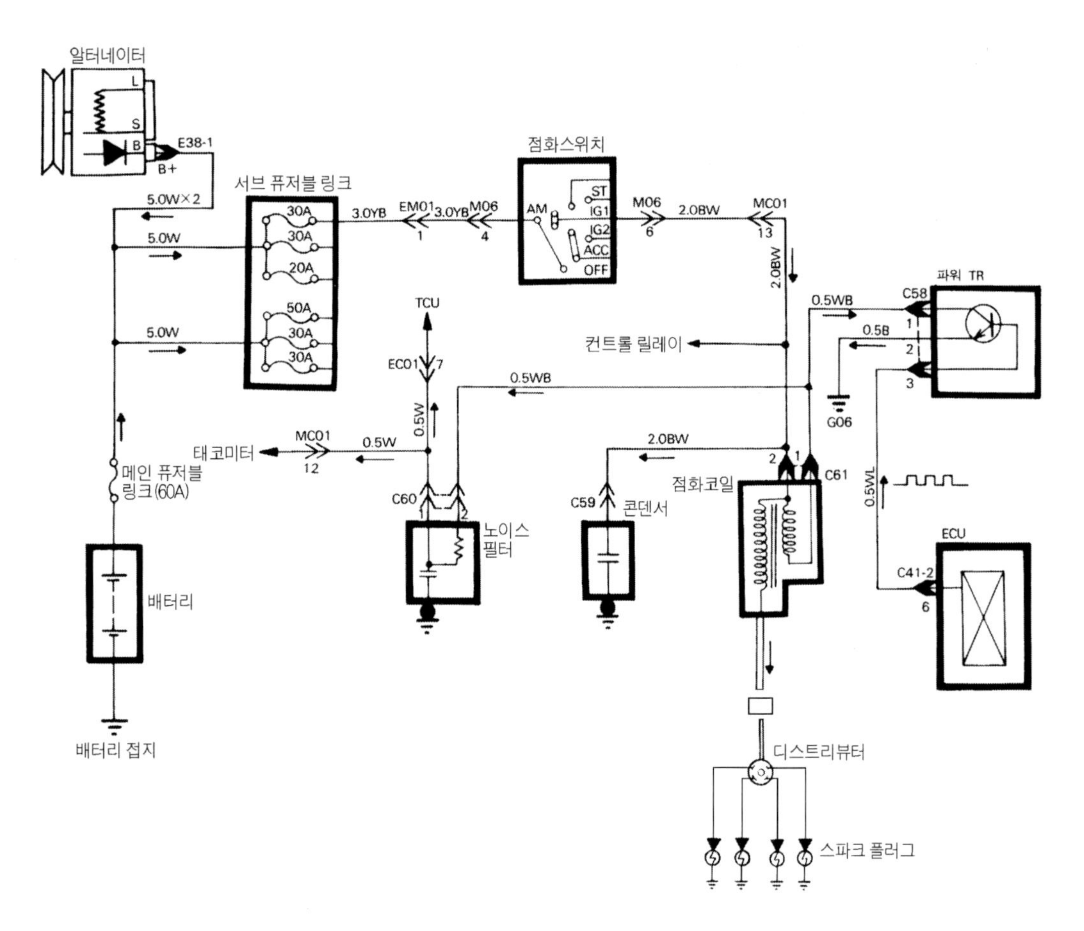

그림3-9 점화 회로

지금까지 그림 (3-9)의 점화 회로만을 놓고 보았을 때 점화 1차 코일에 공급하는 IGN 전원 과 높은 고압을 발생하기 위해 점화 1차회로의 IGN 전원을 단속하는 파워 TR (power transistor)라고 회로를 판독할 수 있다. 그러나 전자 제어 엔진인 경우에는 그림 (3-9)와 같은 점화 회로만으로는 이해할 수 없는 부분이 있다. 점화 회로만으로는 고압 발생에 대한 점화 회로의 판독은 쉽게 가능하지만 전자 제어 엔진의 경우에는 점화 시기 제어 및 폐각도 제어라는 제어 조건을 가지고 있어 언제 어떤 조건에서 점화 신호가 발생하는지를 모르게 되면 점화 회로를 판독하더라도 동작 조건을 모르게 되어 결과적으로 진단 정비 및 정확한 점검을 할 수 없게 된다.

파워 TR의 점화 1차 코일 단속은 ECU(전자 제어 장치)내의 ROM(영구 기억 장치)에

기억 된 데이터(data)에 의해 실행하지만 ROM(영구 기억 장치)에 기억 된 데이터(data)의 실행은 크랭크 각 센서 및 TDC 센서의 기준 신호에 의해 처리하므로 이들 센서(sensor)의 입력 없이는 점화 신호는 출력하지 않게 된다. 이와 같이 전자 제어 장치의 회로를 판독하는 것은 회로를 판독하는 것과 전자 제어 장치의 제어 조건은 별개의 문제가 아니라 하나의 문제로 생각하여 회로를 병행하여 판독하여야 한다.

2. DLI 점화 회로

그림 (3-10)의 회로는 DLI(Distributor-Less Ignition) 방식의 점화 회로로 점화 2차 코일을 통해 발생하는 높은 고압을 각 실린더(cylinder)에 배분하는 디스트리뷰터(배전기)가 없는 방식이다. 4기통 엔진의 경우에는 점화 코일을 2~4개를 사용하며 6기통 엔진의 경우에는 점화 코일을 3~6개를 사용하는 방식이 있다. 이 회로는 4기통 엔진에 점화 코일 2개를 사용하는 방식으로 점화 코일 1개 당 파워 TR이 하나씩 있다.

파워 TR-A의 경우는 #1, #4 기통의 고압을 발생하고 파워 TR-B의 경우는 #2, #3 기통의 고압을 발생하도록 하고 있다.

먼저 그림 (3-10)회로의 점화 코일 #1과 #2를 살펴보면 파워 TR(power transistor) 과 점화 코일이 일체로 된 형식으로 파워 TR의 베이스(base) 엔진 ECU(전자 제어 장치)에 연결 되어 있고 파워 TR의 컬렉터(collector) 측은 점화 코일의 2차 코일과 연결 되어 있으며 이미터(emitter) 측은 어스(earth)와 연결 되어 있는 것을 확인할 수 있다. 이 회로의 동작은 앞서 설명한 점화 회로와 같이 엔진 ECU(전자 제어 장치)의 점화 신호에 의해 파워 TR의 베이스(base)측에 점화 신호가 입력되면 파워 TR의 컬렉터(collector)측에서 이미터(emitter) 측으로 흐르는 점화 1차 코일의 전류를 단속하여 점화 2차 코일에는 약 20 kV 이상의 높은 고압이 발생하게 된다.

이 방식은 IGN 코일 #1은 실린더 #1, #4 기통을 IGN 코일 #2는 실린더 #2, #3 기통을 동시에 점화 하도록 하는 방식이다. 점화 1차 코일에 흐르는 전류를 단속에 의해 점화 2차 코일에 높은 고압을 발생하는 회로로 파워 TR의 컬렉터(collector)에서 이미터(emitter)로 흐르는 전류의 량은 2차 회로에 발생하는 불꽃 방전의 세기에 비례하므로 이와 같은 점화 회로는 G11의 접지(earth) 연결 상태가 중요하다고 하겠다.

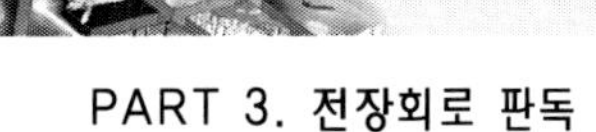

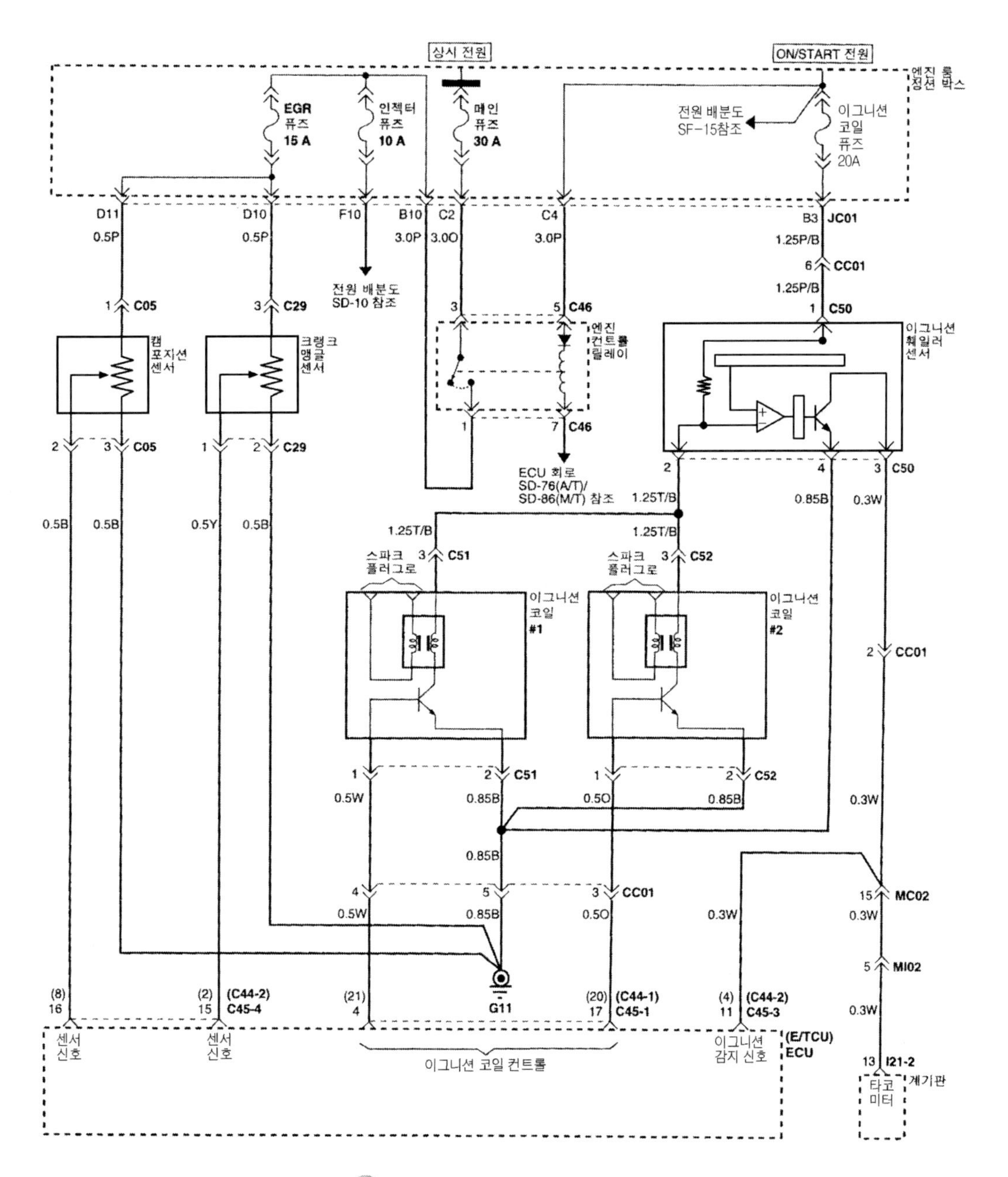

그림3-10 DLI식 점화 회로

점화 코일 좌측에 있는 크랭크 각 센서(crank angle sensor)와 캠 포지션 센서(cam position sensor)가 엔진 ECU(전자 제어 장치)에 입력 신호로 사용되고 있는 것을 나타냄으로서 점화 회로와 관련이 있다는 것을 알 수가 있다. 엔진 ECU(전자 제어 장치)는 파워

TR-A를 ON, OFF하는가, 파워 TR-B를 ON, OFF하는가의 판별은 #1, #4 기통을 점화 하는가 #2, #3 기통이 점화 하는 가를 판별하는 것으로 엔진 ECU가 실행하지만 ROM내의 기억 되어 있는 점화시기를 카운트(count) 하기 위한 기준 신호는 크랭크 각 신호를 사용하게 된다. 실제 전자 제어 엔진의 경우 점화 시기는 초기 SET 점화 시기 BTDC 5°를 사용하며 기본 점화 진각도는 엔진 회전수에 따라 흡입 공기량에 대응하는 점화시기로 ROM 내의 맵(map)화 된 데이터(data)에 의해 결정되어 진다. 이 회로는 점화 1차 코일과 연결된 것을 따라가다 보면 다른 점화 회로에서는 볼 수 없는 독특한 장치인 이그니션 페일러 센서(ignition failer sensor)와 연결된 것을 확인 할 수 있다.

이그니션 페일러 센서(ignition failer sensor)의 기능은 점화 회로의 이상 여부를 감지하는 기능과 태코미터(rpm meter)의 인터페이스(interface)기능을 가지고 있다. 이그니션 페일러 센서(ignition failer sensor)의 1번 핀은 엔진 룸 정션 박스를 통해 공급하는 IGN 전원이 공급하고 있어 점화 회로에 공급하고 있는 IGN 전원임을 알 수 있다.

4번 핀은 어스(earth) G11과 연결 되어 있어 1번 핀과 4번 핀은 이그니션 페일러 센서(ignition failer sensor)의 전원 공급 단자임을 알 수가 있다. 3번 핀을 따라 가면 계기판의 태코미터(tacho meter)와 연결 되어 있어 태코미터(tacho meter)와 관련이 있는 것을 알 수가 있다. 이 단자는 점화 1차 코일에서 발생하는 약 300~700V의 점화 1차 전압의 서지 전압(surge voltage)을 제거한 후 태코미터(rpm meter)로 입력하여 엔진 회전수를 나타내도록 하는 신호로 사용하는 단자이다. 이 단자는 일반적으로 사용되는 점화 회로에 1차 코일의 노이즈 필터 및 인터페이스(noise filter & interface) 기능을 갖고 있는 단자 이다. 페일러 센서의 2번 핀은 점화 1차 코일과 연결 되어 있어 1번을 통해 공급되는 IGN 전원이 2번 핀을 통해 점화 1차 코일에 공급됨을 알 수 있다.

만일 1번 핀을 통해 공급하는 IGN 전원이 2번 핀을 통해 점화 1차 코일에 공급하지 못하게 되면 점화 회로는 정상적으로 동작 할 수 없기 때문에 페일러 센서(failer sensor)의 2번 핀은 점화 1차 코일에 IGN 전원을 공급하는 단자임을 알 수가 있다.

또한 이그니션 페일러 센서(ignition failer sensor)의 3번 핀은 태코미터(rpm meter)와 엔진 ECU(전자 제어 장치)에 입력 신호로 사용되고 있는 것을 볼 수 있는 데 이 신호는 엔진 ECU(전자 제어 장치)의 rpm 신호로 사용함으로서 점화 계통의 이상 유무를 감지할 수 있는 신호이다. 즉 이 신호는 이그니션 코일 퓨즈(ignition coil fuse) 20A를 통해 공급

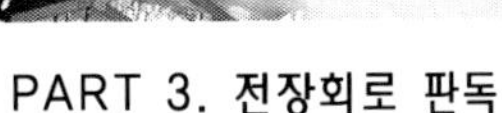

되는 IGN 전원이 페일러 센서(failer sensor)의 내부 저항을 통해 점화 1차 코일에 공급 되어 지므로 점화 코일의 단선 시나 점화 신호의 주기가 변화하여 페일러 센서 3번 핀을 통해 출력되는 타코 신호의 주기가 변화 할 때 엔진 ECU는 점화 신호 이상 코드(code)를 출력하여 점화 장치에 이상이 있음을 알리게 하는 장치이다.

엔진 컨트롤 릴레이(engine control relay)의 접점은 메인 퓨즈(main fuse) 30A를 통해 상시 전원 A가 인젝터 퓨즈(injector fuse) 10A 및 EGR 퓨즈(EGR fuse) 10A를 거쳐 크랭크 각 센서(crank angle sensor) 및 캠 포지션 센서(cam position sensor)의 전원으로 공급되어지므로 엔진 컨트롤 릴레이가 작동이 되지 않으면 점화 1차 코일의 전류를 단속하는 엔진 ECU의 4번 핀 및 17번 핀의 출력 신호는 출력 되지 않는다.

따라서 엔진 컨트롤 릴레이는 점화 스위치가 IGN 1상태일 때를 엔진 컨트롤 릴레이의 접점은 ON 상태가 되어 크랭크 각 센서 및 캠 포지션 센서의 전원을 공급하게 되고 엔진 회전에 의해 크랭크 각 센서(crank angle sensor) 및 캠 포지션 센서(cam position sensor)의 출력 신호는 엔진 ECU에 엔진 회전 중임을 알리게 된다.

point

점화 회로 판독의 핵심 포인트

① DLI 점화 회로의 동작 수순
- 점화 스위치 ON시(IGN SW ON시) → 엔진 컨트롤 릴레이의 접점 ON → 크랭크 각 센서, 캠 포지션 센서, 인젝터 등의 IGN 전원 공급
- 점화 스위치 ON시(IGN SW ON시) → 페일러 센서에 IGN 1 전원 공급
- 엔진 회전시 → 크랭크 각 센서 신호와 캠 포지션 센서 신호에 의해 ECU는 점화 신호 출력 → 파워 TR의 베이스 신호에 의해 점화 1차 코일의 전류를 단속함으로 → 점화 2차 코일에 높은 고압 발생

② 전자 제어 엔진의 경우는 점화 시기의 기준 신호로 크랭크 각 센서를 사용

※ 크랭크 각 센서의 입력 없이는 점화 신호는 발생 하지 않는다.

③ 점화 회로의 핵심 점검 포인트
- 엔진 컨트롤 릴레이를 통해 공급되는 상시 전원 A : 점화 스위치 ON시 크랭크 각 센서 신호 및 캠 포지션 센서의 전원 공급 단자
- 엔진 회전시 엔진 ECU로부터 출력되는 점화 신호 : 파워 TR 베이스 단자

8. 와이퍼 회로 판독

1. 와이퍼 회로(Ⅰ)

와이퍼 회로는 비의 우량에 따라 와이퍼 모터(wiper motor)를 회전시켜 윈도우(window)의 와이퍼 블레이드(wiper blade)를 좌우 운동을 하도록 하는 회로이다. 먼저 와이퍼 회로를 판독하기 위해서는 와이퍼 모터의 구조에 대해 알 필요가 있다. 와이퍼 모터는 일반 모터와 달리 브러시(brush)가 3개를 가지고 있어 모터의 회전을 저속 과 고속으로 회전 할 수 있도록 되어 있다. 와이퍼 모터(wiper motor) 내부에는 모터가 정위치(와이퍼 블레이드가 정위치)에 올 수 있도록 그림 (3-11)과 같은 캠 플레이트(cam plate) 형식의 접점 스위치(switch)가 있어서 와이퍼 모터가 회전을 하면 와이퍼 블레이드는 항상 정위치로 오도록 되어 있다.

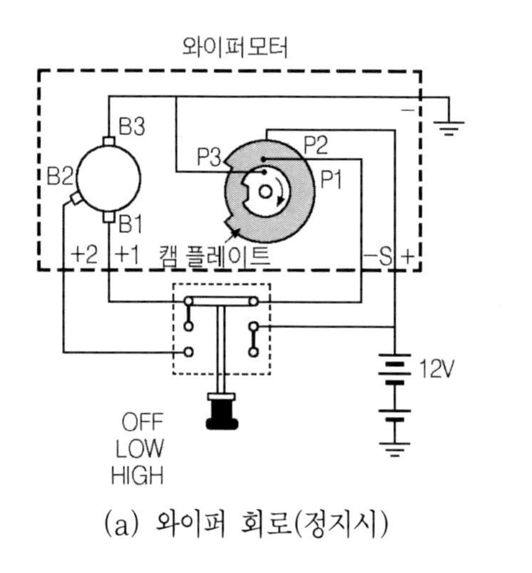

(a) 와이퍼 회로(정지시)

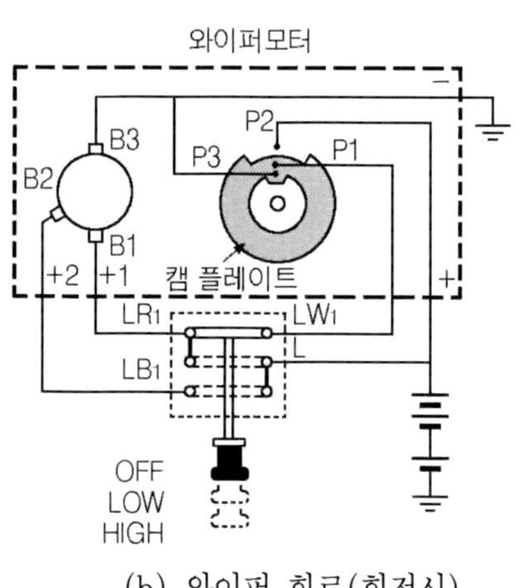

(b) 와이퍼 회로(회전시)

그림3-11 와이퍼 모터의 내부 회로

그림 (3-11)을 통해 와이퍼 모터의 내부 회로를 살펴보면 배터리(battery)로부터의 전원공급은 캠 플레이트(cam plate)의 P2 접점을 통해 와이퍼 스위치의 저속(LOW)과 고속(HIGH)의 위치에 공급하고 있어 와이퍼 스위치를 저속으로 선택한 경우에는 배터리 전압은 브러시 B1를 경유해 브러시 B3로 흘러 와이퍼 모터는 저속으로 회전을 하게 되고 와이

퍼 스위치(wiper switch)를 고속(HIGH) 위치로 선택하면 배터리(battery)의 전압은 브러시 B2를 경유해 브러시 B3로 흘러 와이퍼 모터는 고속으로 회전하게 된다. 와이퍼 모터(wiper motor)가 회전 중에 와이퍼 스위치를 OFF 시키더라도 와이퍼 블레이드(wiper blade)가 정위치에 올 수 있는 것은 캠 플레이트 스위치(cam plate switch) 때문인데 와이퍼 모터가 회전시에는 캠 플레이트(cam plate)의 접점은 그림 (3-11)의 우측과 같이 배터리(battery)에서 공급되는 P2의 접점은 차단되고 캠 플레이트의 P1, P3 접점이 연결되게 되지만 일단 와이퍼 모터(wiper motor)가 회전을 시작하면 캠 플레이트의 접점은 그림 (3-11)의 좌측과 같이 되어 캠 플레이트(cam plate)의 접점은 P3는 차단되고 P2와 P1은 연결되어 배터리의 전압은 P1을 통해 와이퍼 스위치의 OFF 위치를 경유하여 브러시 B1에서 B3로 전류가 흘러 와이퍼 모터가 정위치에 올 때까지 회전하게 된다.

즉 와이퍼 모터의 회전은 와이퍼 모터가 회전 중이라도 와이퍼 스위치를 OFF하면 바로 정지하지 않고 캠 플레이트(cam plate)의 접점을 통해 와이퍼 모터가 정위치에 올 때까지 전원을 공급하게 하고 있다. 이와 같은 와이퍼 모터(wiper motor)의 내부 회로를 이해하면 그림 (3-12)와 같은 회로들은 쉽게 눈에 들어 올 수가 있다.

그림 (3-12)의 와이퍼 회로에서 와이퍼 모터가 동작 대상이므로 부하인 와이퍼 모터(wiper motor)를 먼저 판독하여 보자 와이퍼 모터(wiper motor) 1번 단자를 따라 가면 점화 스위치를 통해 공급되는 IGN 2 전원임을 알 수가 있어 와이퍼 모터 1번 단자는 전원 공급 단자임을 알 수가 있다. 와이퍼 모터(wiper motor)가 회전을 하려면 와이퍼 모터의 5번 과 6번 단자가 접지(어스) 상태가 되어야 하므로 먼저 5번 단자를 따라 가면 와이퍼 스위치 3번과 연결되는 것을 확인할 수 있다.

와이퍼 스위치 3번 핀과 관련이 있는 것은 와이퍼 스위치(wiper switch)의 접속 상태를 보면 와이퍼 스위치가 OFF, INT, LO의 위치에 있을 때 관련이 있는 것을 알 수가 있다. 여기서 와이퍼 스위치(wiper witch)의 10번 핀은 어스(earth)가 되어 있는 것을 볼 수 있는데 이것은 와이퍼 스위치가 INT, LO, HI, W(INT : 간헐 와이퍼, LO : 와이퍼 모터 저속 회전, HI : 와이퍼 모터 고속 회전, W : 와셔 모터 작동)와 연결 되어 있어 각 모드(INT, LO, HI, W)가 각각 어스(earth)되어야 동작되는 것을 알 수 있다.

따라서 이 회로는 와이퍼 모터의 1번 핀을 통해 IGN 1 전원을 공급 하고 와이퍼 스위치를 LO(저속)에 위치 할 때 와이퍼 모터의 5번 핀은 와이퍼 스위치 의 3번 핀을 통해 10번

핀을 거쳐 G04로 어스(earth) 되어 와이퍼 모터는 저속으로 회전을 한다. 와이퍼 스위치를 HI(고속)에 위치하면 와이퍼 모터의 6번 핀은 와이퍼 스위치 2번 핀을 통해 10번 핀을 거쳐 G04로 어스(earth) 되어 와이퍼 모터는 고속으로 회전을 하게 된다. 와이퍼 스위치(wiper switch)를 INT로 위치하면 와이퍼 스위치의 7번 핀을 통해 ETACS에 와이퍼 스위치(wiper switch)가 현재 INT 모드에 있다는 것을 알린다.

ETACS는 이 신호를 토대로 와이퍼 모터에 연결된 5번 핀(LO)은 와이퍼 스위치 3번 핀과 연결되어 와이퍼 스위치 1번 핀을 통해 ETACS의 8번과 연결된 출력 단자는 내부 회로를 통해 어스(earth) 시키게 되어 와이퍼 모터는 저속으로 회전을 하게 된다. 여기서 와이퍼 스위치(wiper switch)를 INT로 위치 할 때 와이퍼 스위치 9번 핀과 연결된 와이퍼 조절 VR(가변 저항)값이 ETACS로 입력되어 ETACS는 미리 설정된 와이퍼 속도를 조절을 할 수가 있게 된다. 즉 간헐 와이퍼의 동작은 와이퍼 스위치(wiper switch)를 INT에 위치 할 때 와이퍼 스위치 7번을 통해 ETACS에 INT 모드를 알림과 동시에 9번 핀을 통해 INT 속도 조절 저항값이 ETACS에 입력되어 ETACS는 이 신호를 토대로 미리 설정된 데이터(data) 값에 따라 ETACS 8번 핀은 접지 회로가 되도록 하여 와이퍼 모터의 회전 속도를 조절 할 수 있도록 하고 있다. 와이퍼 스위치를 와셔 모드(washer mode)에 위치하면 와이퍼 스위치의 8번 핀은 10번 핀을 통해 G04로 어스(earth)되기 때문에 8번 핀과 연결된 와셔 모터 2번 핀은 어스(earth) 되어 와셔 모터(washer motor)는 회전을 하게 되며 와이퍼 스위치의 8번 핀은 ETACS 4번 핀과 연결되어 있어서 ETACS와 관계가 있는 것을 알 수가 있다.

ETACS에 입력된 와셔 스위치 신호는 약 0.5초 이상 ON상태가 되면 ETACS는 와셔 모터를 즉시 회전 하게 되고 약 0.5초 후에 와이퍼 모터(wiper motor)가 회전을 하도록 하기 위해 와이퍼 스위치(switch)의 8번 핀이 ETACS에 입력 하도록 하고 있다. 지금 까지 설명한 회로는 실제 회로만으로는 회로가 어떻게 동작하는지 어렵기 때문에 시스템의 제어 조건을 알지 못하면 판독하기 어려운 회로이다. 따라서 자동차 전장 회로의 판독에 앞서 시스템의 제어 조건을 파악하고 있는 것이 중요하다 하겠다. 참고로 ETACS는 자동차 메이커에 따라 TACS 또는 BCM 이라고도 표현하므로 참고하기 바란다.

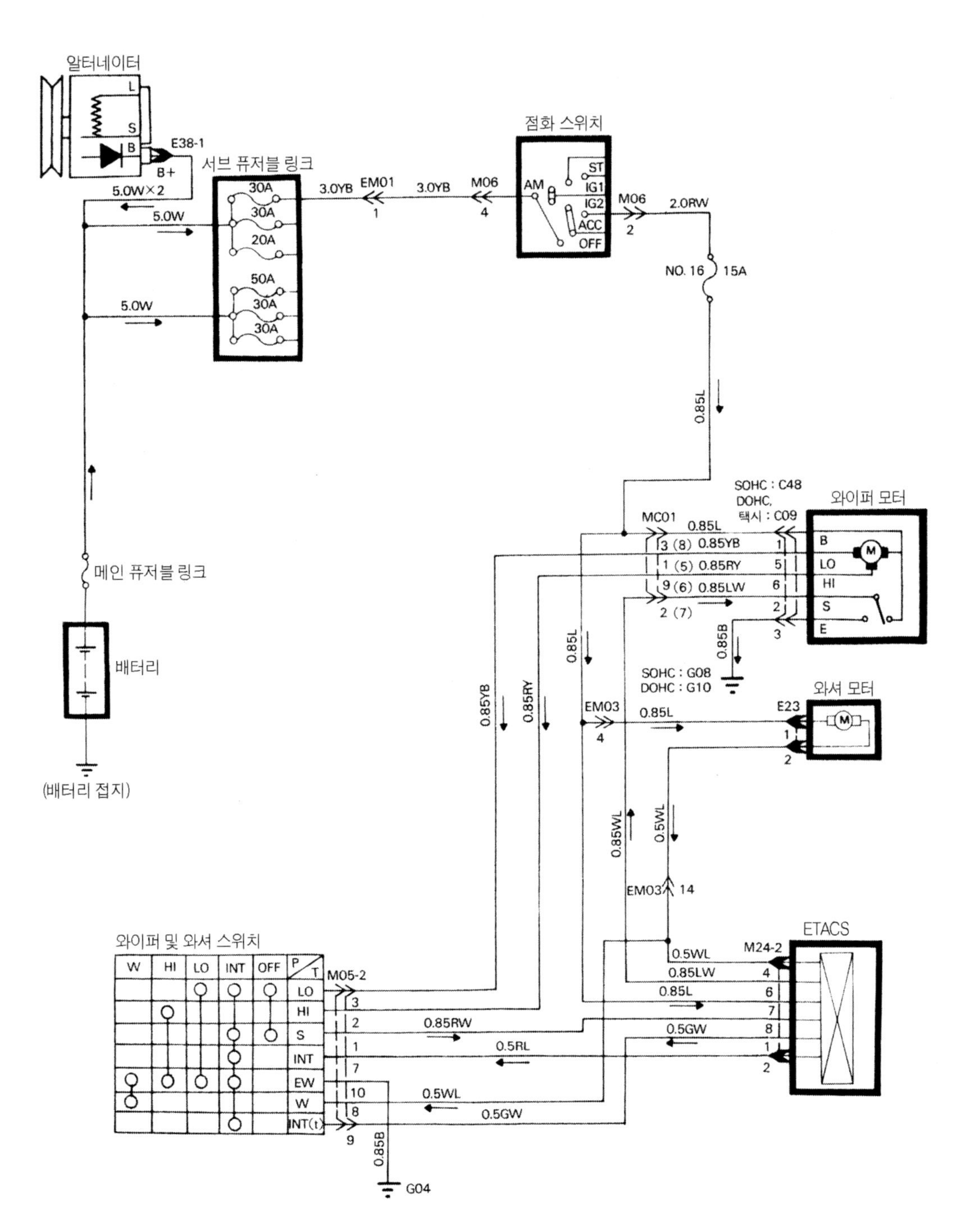

그림3-12 와이퍼 회로(1)

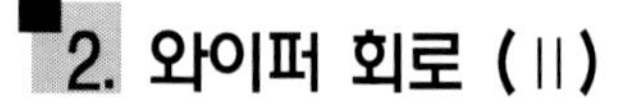

2. 와이퍼 회로 (II)

그림 (3-13)과 같은 와이퍼 회로도 보기에 따라서는 그림 (3-12)와 다른 회로로 볼 수 있지만 실제로는 그림 (3-12)와 동일한 회로이다. 이 회로도 동일한 방법으로 먼저 부하인 와이퍼 모터(wiper motor)부터 판독하여 보자.

와이퍼 모터 6번 핀과 연결된 선을 따라 가 보면 실내 정션 박스 퓨즈(fuse) 15A를 통해 공급되는 IGN 전원임을 확인 할 수 있다. 한편 와이퍼 모터 3번 핀은 저속(LO) 브러시 단자임을 알 수 있고 2번 핀은 고속(HI) 브러시 단자임을 알 수가 있어 이 들 단자가 어스(earth)와 연결되면 폐회로가 구성 되어 와이퍼 모터는 회전을 하게 됨을 알 수 있다. 여기서 와이퍼 스위치의 내부 회로를 살펴보면 와이퍼 스위치(wiper switch)는 3개의 로터리 스위치(rotary switch)가 연동되어 작동하는 스위치이므로 와이퍼 스위치를 선택하면 3개의 가동 접점은 연동되어 접점하게 돼 와이퍼 스위치를 LO(저속) 상태에 위치하면 2번째 가동 접점이 G04와 어스(earth) 되어 있어 저속(LO)에 위치한 접점은 모두 어스(earth)가 된다.

따라서 와이퍼 모터(wiper motor)의 3번은 어스가 되어 와이퍼 모터는 저속으로 회전하게 된다. 와이퍼 스위치(wiper switch)를 고속(HI)에 위치하면 와이퍼 스위치의 가동 접점은 모두 HI(고속)위치에 연결되어 와이퍼 모터의 2번 핀은 와이퍼 스위치 7번 통해 2번째 가동 접점과 연결하게 돼 와이퍼 스위치 3번 핀은 2번째 가동 접점과 연결되어 있어서 와이퍼 모터는 G04의 어스(earth)통해 폐회로가 구성되어 와이퍼 모터는 고속으로 회전을 하게 된다. 여기서 와이퍼 모터가 회전을 할 때 와이퍼 모터의 파킹 스위치(캠 플레이트 접점)는 회전과 동시에 접점이 절환되어 어스(earth)와 연결 되는 것을 상기하기 바란다.

다음은 와이퍼 스위치(wiper switch)을 INT(간헐 와이퍼) 위치로 선택하였을 때를 생각하여 보자 먼저 와이퍼 스위치 중에 좌측에 있는 로터리 스위치의 가동 접점을 보면 간헐 와이퍼 조절 저항을 통해 ETACS 14번 핀으로 입력되어 있는 것을 볼 수 있는 데 이것은 앞서 설명한 것과 같이 가변 저항의 값에 따라 ETACS 내에 미리 설정 된 데이터 값에 따라 와이퍼 모터의 회전 속도를 조절해 주도록 하는 입력 단자이다. 와이퍼 스위치 중에 중간에 있는 로터리 스위치의 가동 접점은 GO4와 어스(earth) 되어 있어 ETACS 15번 핀을

통해 와이퍼 스위치가 INT(간헐 와이퍼) 위치에 있다는 것을 알려 주는 입력 단자이다.

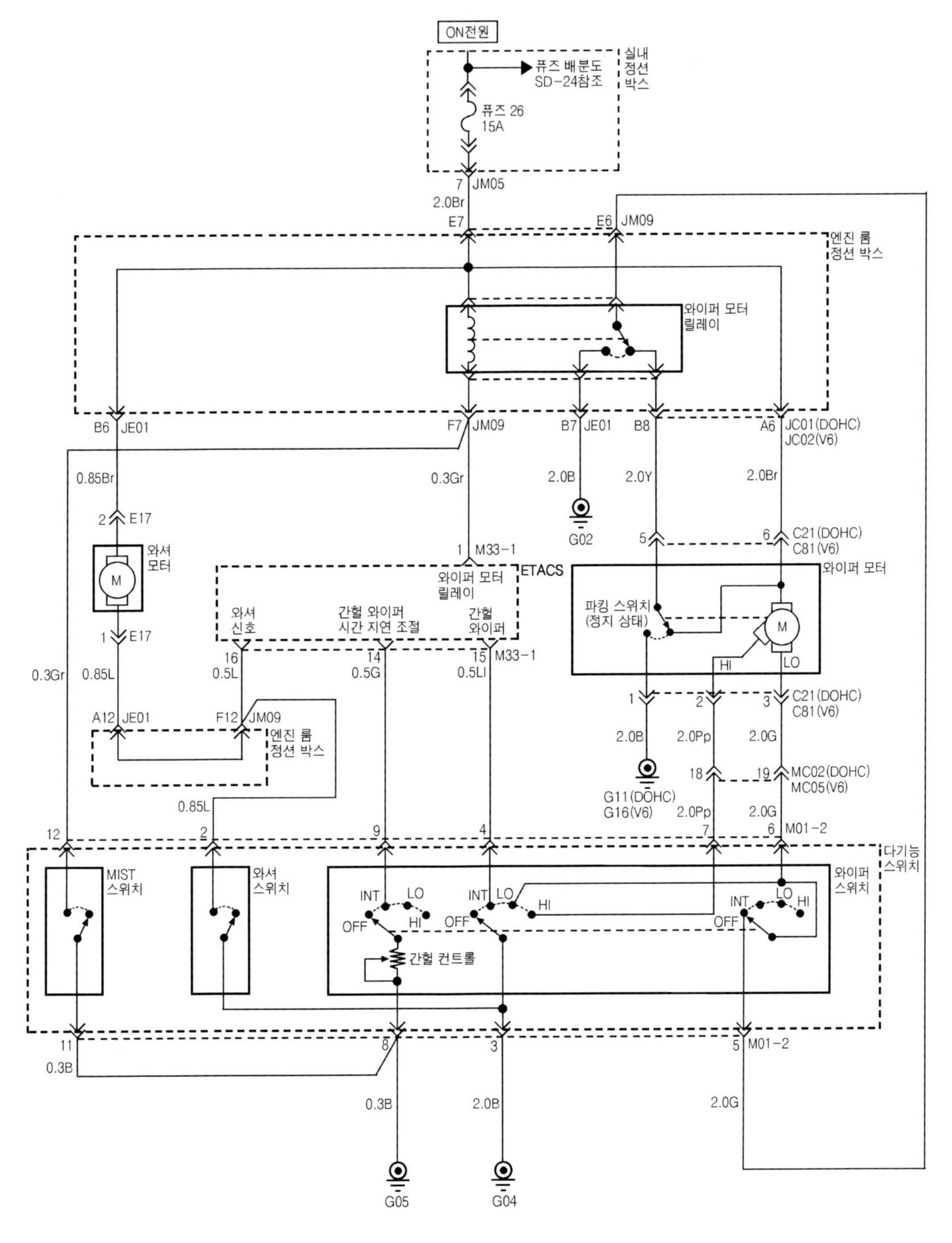

그림3-13 와이퍼 회로(2)

세번째 로터리 스위치의 가동 접점은 와이퍼 모터의 3번 단자와 연결되어 있어 와이퍼 모터의 3번 단자를 시간 제어함을 직감 할 수가 있다. 한편 가동 접점의 다른 단자는 와이퍼 스위치 5번 핀을 통해 와이퍼 릴레이의 가동 접점과 연결되어 있어 이 가동 접점이 와이퍼 릴레이의 B7과 연결되면 와이퍼 모터는 G02의 어스(earth) 단자로 전류가 흘러 와이퍼 모터(wiper motor)는 회전을 하게 됨을 알 수 있다.

결과적으로 간헐 와이퍼 모드가 선택되면 와이퍼 릴레이(wiper relay)의 구동은 ETACS가 INT 상태를 판단하고 와이퍼 릴레이의 동작을 실행하게 되어 있다. 간헐 와이퍼의 동작은 와이퍼 스위치의 4번 핀을 통해 ETACS가 판단하게 되고 와이퍼의 속도 조절은 와이퍼 스위치의 9번 핀을 통해 ETACS에 정보를 입력하면 ETACS는 미리 설정된 데이터(data)의 값에 따라 와이퍼 릴레이(wiper relay)의 코일에 흐르는 전류를 단속하도록 하고 있어서 와이퍼 릴레이(wiper relay)는 간헐 와이퍼 작동 때에만 동작하는 릴레이이다.

ETACS의 1번 핀을 통해 와이퍼 릴레이의 코일에 전류를 흐르게 하면 릴레이의 접점은 절환되어 가동 접점은 G02의 어스(earth)와 연결하게 되어 와이퍼 모터는 회전을 시작하게 되고 일단 와이퍼 릴레이의 가동 접점이 G02의 어스(earth)와 연결되었다 원 위치로 돌아가더라도 와이퍼 모터는 회전을 개시하면 와이퍼 모터의 파킹 스위치(캠 플레이트 접점)가 어스 상태가 되기 때문에 와이퍼 모터는 정위치 될 때까지 회전을 하게 된다. 와셔 스위치(washer switch)를 ON 시키면 와이퍼 스위치 3번 통해 G04와 어스(earth)되게 되어 있어 실내 정션 박스의 15A 퓨즈를 통해 공급되는 IGN 전원이 와셔 모터에 연결 되어 있어서 와셔 모터는 작동을 하게 되고 이 단자는 ETACS 16번 핀의 입력 단자로 사용되고 있어서 ETACS와 관계가 있음을 알 수 있다.

실제 와셔 스위치를 약 0.5초 이상 ON 시키면 ETACS는 이 신호를 감지하여 와셔 모터가 구동한 후 약 0.5초 후에 ETACS의 1번 핀을 통해 와이퍼 릴레이(wiper relay)를 구동하게 되어 와셔 모터가 작동 후 약 0.5초 후에 와이퍼 모터가 구동하도록 하고 있다. 와이퍼 스위치 내의 MIST 스위치의 가동 접점은 G05 어스(earth) 단자와 연결 되어 있어서 MIST 스위치를 ON 시키면 MIST 스위치의 접점이 와이퍼 릴레이의 코일측과 연결 되어 있어서 ETACS와 관계없이 와이퍼 모터가 구동함을 알 수 있다.

그림 (3-13) 회로의 판독을 정리하면 와이퍼 모터의 상측에는 IGN 전원이 공급되어 있고 하측에는 와이퍼 모터의 어스(earth) 단자로 저속(LO)와 고속 (HI) 단자가 있어서 와이

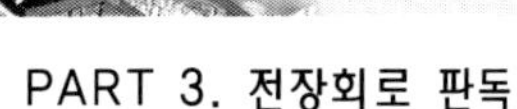

퍼 스위치의 LO, HI의 위치에 따라 G04로 어스(earth) 되어 와이퍼 모터는 저속 및 고속으로 회전을 하고 INT 모드 위치 시에는 ETACS의 1번 핀 단자를 통해 와이퍼 릴레이의 단속 시간을 출력함으로서 와이퍼 모터의 속도를 조절하고 있다. 이와 같은 와이퍼 회로는 와이퍼 모터(wiper motor)의 내부 회로를 이해하지 못하면 회로가 복잡한 것과 같이 느껴지므로 이해가 되지 않으면 앞서 설명한 와이퍼 모터의 내부 회로 설명을 참조하기 바란다. 기본적으로 와이퍼 모터가 회전을 개시하면 와이퍼 모터 내부의 파킹 스위치(캠 플레이트 접점)는 가동 접점이 절환되어 P2과 P1의 접점이 연결되며 와이퍼 모터(wiper motor)의 회전이 정지하면 가동 접점 P2는 차단되고 P1 과 P3 접점이 연결되게 되어 와이퍼 모터는 정위치에 오게 된다.

point

와이퍼 회로의 핵심 포인트

① **와이퍼 모터의 기능**
- 브러시가 3개로 저속 및 고속 회전을 하도록 되어 있다
- 캠 플레이트(cam plate)의 기능 : 회전 중인 와이퍼 모터를 정지하더라도 P2 접점이 전원과 연결되는 동안은(정위치 하는 동안은) 와이퍼 모터를 회전 되도록 하는 접점
- 캠 플레이트(cam plate)의 접점은 와이퍼 모터가 회전을 하는 동안은 T-접점 스위치와 같이 가동 접점은 절환된다

② 그림 (3-12)와 같이 다기능을 가지고 있는 와이퍼 스위치의 판독은 하나씩 하나씩 판독하여야 혼돈이 없다(예 : LO 위치시, HI 위치시, INT 위치시)

③ 그림 (3-13)과 같은 와이퍼 회로에 사용되는 와이퍼 릴레이는 간헐 와이퍼시 에만 작동하는 릴레이이다.

④ **INT 모드의 동작 조건**
- 점화 스위치 ON(와이퍼 회로에 IGN 전원 공급)
- ETACS에 INT 스위치 신호 입력
- ETACS에 간헐 와이퍼 조절(VR 저항 : 50㏀) 신호 입력

⑤ **와이퍼 회로의 핵심 점검 포인트**
- 와이퍼 릴레이의 가동 접점은 일시 절환하더라도 와이퍼 모터는 회전하게 되므로 와이퍼 릴레이의 코일 단자는 와이퍼 회로의 전반적인 이상 유무를 쉽게 점검 할 수가 있는 단자이다
- 와이퍼 모터의 파킹 스위치(캠 플레이트 접점)은 와이퍼 스위치를 OFF 하더라도 와이퍼 모터가 정위치에 가도록 하는 스위치로 파킹 스위치의 가동접점(캠 플레이트 P2 접점)은 핵심 점검 포인트가 된다.

9. 파워 윈도우 회로 판독

1. 파워 윈도우 회로(I)

파워 윈도우(power window) 란 전동 모터를 이용하여 윈도우(window)의 열고 닫음을 원터치 스위치(one touch switch)에 의해 윈도우(window)를 개폐하는 기능으로 윈도우(window)가 완전 개폐되면 자동으로 전동 모터의 전원을 차단하고 전동 모터의 작동을 멈추게 하는 장치이다. 또한 운전자의 편리를 위해 ETACS라는 전자 제어 장치를 사용 점화 키를 뺀 상태에서도 일정 시간(일반적으로 약 30초 간) 파워 윈도우 릴레이를 작동시켜 파워 윈도우(power window)가 작동하도록 하는 차량도 있다.

그림 (3-14)의 파워 윈도우(power window) 회로는 운전석에 부착되어 있는 파워 윈도우 메인 스위치와 조수석에 장착 되어 있는 서브 스위치(sub switch) 및 뒤측 도어 좌우에 있는 서브 스위치(sub switch), 그리고 각 도어에 부착된 파워 윈도우 전동 모터로 구성된 회로이다.

먼저 그림 (3-14)와 같은 파워 윈도우 회로를 판독하기 위해서는 파워 윈도우 모터가 어떻게 동작하여 윈도우(window)가 개폐 되는지를 알아야 한다. 윈도우(window)가 개폐하기 위해서는 파워 위도우 모터가 정회전 및 역회전을 하도록 직류 모터의 전압 극성을 절환하도록 하는 것이 학습 포인트이다.

그러면 회로의 판독을 위해 부하인 모터부터 접근하여 보자. 모터의 한쪽 극성이 정(+)이면 다른 한쪽 극성은 부(−)가 되는 것을 확인하면 파워 윈도우 회로는 쉽게 판독이 가능하다. 그림 (3-14)의 메인 스위치 내에 전자 회로는 모터에 흐르는 전류를 감지하여 윈도우가 완전 개폐되었음을 판단하고 모터에 공급하는 전원을 차단하는 회로이며 세부적인 회로의 설명은 이 장에서는 제외 하도록 하겠다.

그림 (3-14) 회로에서 운전석 도어에 장착된 프런트 좌측의 모터(motor)부터 살펴보면 프런트 좌측의 모터는 메인 스위치의 U1 가동 접점과 D1 가동 접점이 연결된 것을 확인할 수 있는데 이 가동 접점의 절환에 의해 모터의 공급 전압이 정(+) 과 부(−)로 절환되어 모터가 정회전 및 역회전 하는 것을 한 눈에 알아 볼 수가 있다.

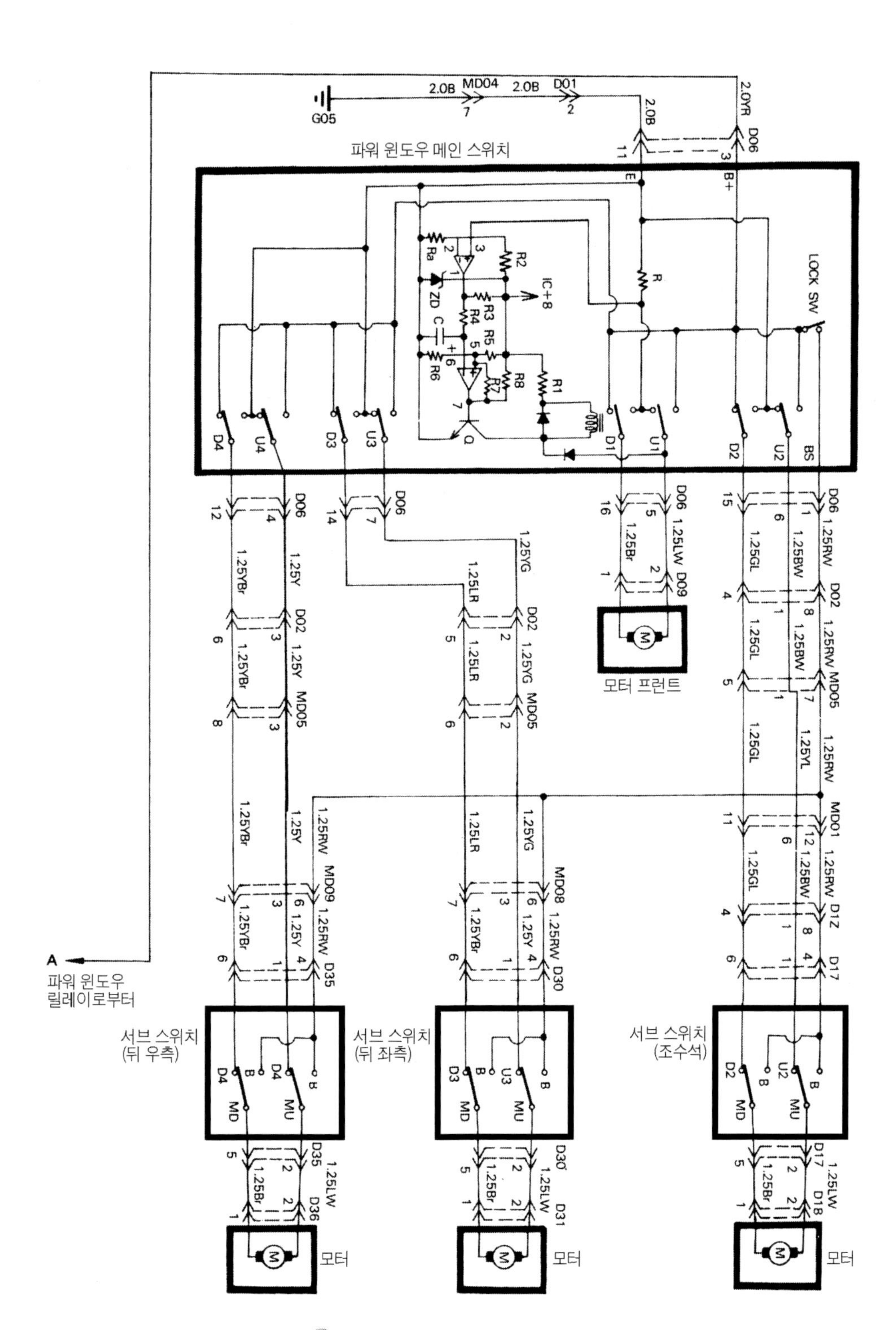

그림3-14 파워 윈도우 회로(1)

파워 윈도우 회로의 전원 공급은 그림 (3-14)에는 나타나지 않았으나 파워 윈도우 릴레이에 의해 모터의 전원이 공급되고 있으며 파워 윈도우 릴레이(power window relay)의 코일은 IGN 2 전원 통해 공급되고 있다.

릴레이의 접점은 상시 전원 B를 통해 그림 (3-14)의 메인 스위치 3번 핀(A)으로 상시 공급하고 있으므로 메인 스위치를 UP에 위치하면 U1 및 D1의 가동접점은 상측으로 이동하여 메인 스위치 3번을 통해 공급하고 있는 상시 전원 B는 프런트 좌측 모터의 2번 단자에 공급되고 프런트 좌측 모터의 1번 단자는 저항 R을 거쳐 메인 스위치 11번 핀을 통해 G05로 어스(earth) 되어 프런트 좌측 모터는 정회전하게 되며 반대로 메인 스위치를 DOWN에 위치하면 U1 및 D1의 가동 접점은 하측으로 이동하여 메인 스위치 3번 핀을 통해 공급하고 있는 상시 전원 B는 프런트 좌측 모터의 1번 단자에 공급되고 프런트 좌측 모터의 2번 단자는 저항 R을 거쳐 메인 스위치 11번 핀을 통해 G05로 어스(earth) 되어 모터의 회전은 역회전하게 된다.

조수석에 있는 서브 스위치(sub switch)를 DOWN에 위치하면 가동 접점 U2 및 D2는 하측으로 연결되어 모터의 1번 단자는 메인 스위치 3번 통해 공급되는 상시 전원 B는 가동 접점 D2을 거쳐 조수석 서브 스위치의 D2을 통해 모터의 1번 단자에 공급되고 모터의 2번 단자는 메인 스위치의 가동 접점 U2을 거쳐 메인 스위치의 11번 핀을 통해 G05로 어스(earth)되어 모터는 역회전 하게 된다. 조수석에 있는 서브 스위치(sub switch)를 UP에 위치하면 가동 접점 U2 및 D2는 상측으로 연결되어 모터의 1번 단자는 메인 스위치 가동 접점 U2를 거쳐 11 번 핀을 통해 G05로 어스(earth)되고 모터의 2번 단자는 메인 스위치의 3번 핀을 통해 공급 되는 상시 전원 B는 록 스위치(lock switch)를 거쳐 모터의 2번 단자로 공급되게 되어 모터의 정회전 하게 된다.

여기서 메인 스위치 내에 있는 록 스위치(lock switch)는 메인 스위치의 3번 핀을 통해 공급되는 상시 전원 B를 각 서브 스위치를 통해 모터에 공급하는 것을 차단하는 기능을 한다. 즉 안전을 위해 윈도우의 개폐를 운전석에 있는 메인 스위치를 통해 차단하는 기능이다. 리어 좌측 모터 및 리어 우측 모터의 동작도 조수석 모터의 작동과 동일한 방법으로 모터의 전원 극성을 절환 하므로 모터의 회전이 정회전 및 역회전 하도록 하는 회로이다.

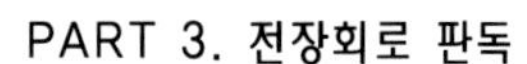

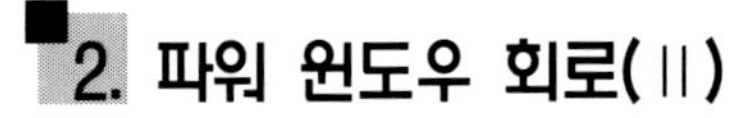

2. 파워 윈도우 회로(Ⅱ)

그림 (3-15)의 파워 윈도우 회로도 마찬 가지로 부하인 파워 윈도우 모터부터 접근하는 것이 좋다. 파워 윈도우(power window)의 모터는 파워 윈도우 스위치에 의해 1번 단자가 어스(earth) 상태이면 2번 단자는 전원 공급 상태가 되고 반대로 1번 단자가 전원 공급 상가 되면 2번 단자는 어스(earth) 상태가 되어 모터의 정회전 및 역회전을 하도록 되어 있어서 파워 윈도우 스위치(power window switch)의 조건을 주고 모터(motor)부터 판독하는 회로 판독을 쉽게 이해 할 수가 있다. 그림 (3-15)의 회로에서 좌측 앞 윈도우 스위치(window switch)가 UP 위치에 있다고 가정하고 좌측 앞 파워 윈도우 모터부터 접근하여 보면 모터의 1번 단자는 좌측 앞 윈도우 스위치의 가동 접점이 UP 접점과 연결되어 파워 윈도우 메인 스위치 11번 핀을 통해 G03으로 어스(earth)되고 모터의 2번 단자는 좌측 앞 윈도우 스위치의 가동 접점을 통해 UP 접점과 연결되어 파워 윈도우 메인 스위치 10번 핀을 통해 공급되는 상시 전원 B가 공급되어 모터는 정회전 하게 된다.

반대로 좌측 앞 윈도우 스위치를 DOWN 위치로 누르면 윈도우 스위치의 가동 접점은 DOWN 위치로 가 좌측 앞 파워 윈도우 모터의 1번 단자는 파워 윈도우 메인 스위치 10번 핀을 통해 공급되는 상시 전원 B가 연결되게 되고 모터의 2번 단자는 좌측 앞 윈도우 스위치의 가동 접점이 DOWN 접점과 연결되어 있어 파워 윈도우 메인 스위치 11번 핀을 통해 G03으로 어스(earth)되게 되어 모터는 역회전 하게 된다. 여기서 파워 윈도우 릴레이(power window relay)는 ETACS에 의해 컨트롤 되어 파워 윈도우 모터에 전원을 공급하도록 파워 윈도우 릴레이의 코일(coil) 단자는 ETACS와 연결되어 있다. 이것은 ETACS의 출력측이 동작 없이는 파워 윈도우 모터에 전원 공급을 할 수 없게 되는 것을 알 수가 있다.

우측 앞 파워 윈도우 모터의 동작 원리도 마찬 가지로 우측 앞 파워 윈도우 스위치가 UP 위치에 있다고 가정하고 우측 앞 파워 윈도우 모터의 1번 단자를 따라 가면 스위치의 가동 접점이 파워 윈도우 메인 스위치(우측 앞 윈도우 스위치)의 가동 접점과 연결되어 메인 스위치 11번 핀을 통해 G03으로 어스(earth)되고 모터의 2번 단자를 따라 가면 파워 윈도우 메인 스위치의 10번 핀을 통해 공급되는 상시 전원 B가 록 스위치의 언록(unlock) 접점을 경유하여 모터의 2번 단자에 공급하게 되어 모터는 정회전 하게 된다.

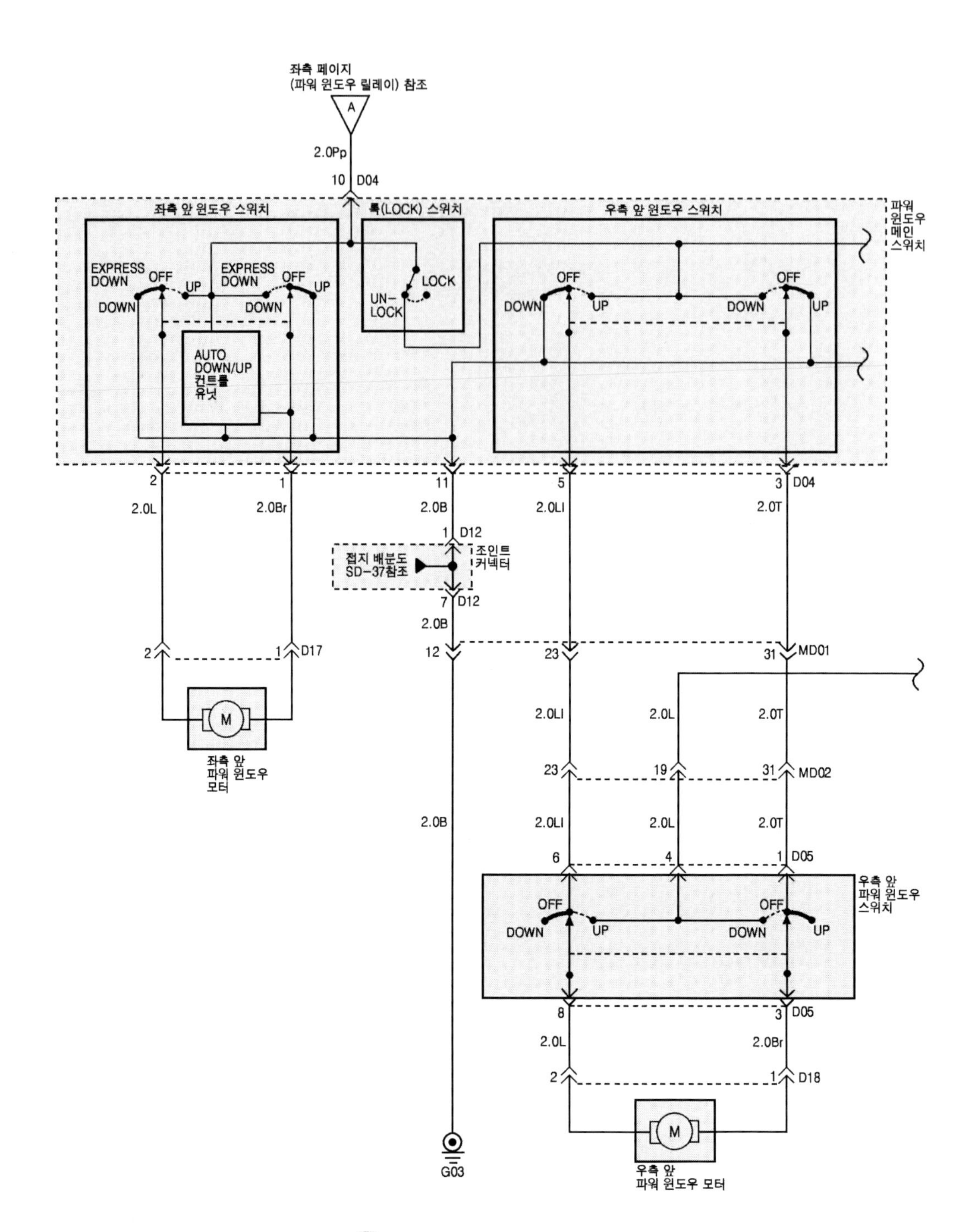

그림3-15 파워 윈도우 회로(2)

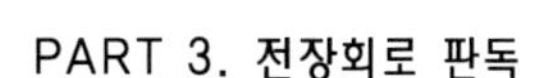

반대로 우측 앞 파워 윈도우 스위치를 DOWN 위치로 누르면 모터의 1번 단자는 우측 앞 파워 윈도우 스위치의 가동 접점을 거쳐 파워 윈도우 메인 스위치의 10번 핀을 통해 공급 되는 상시 전원 B가 록 스위치의 언록(unlock) 접점을 경유하여 모터의 1번 단자에 공급되고 모터의 2번 단자는 파워 윈도우 5번 핀을 거쳐 우측 앞 윈도우 스위치의 가동 접점이 DOWN 접점과 연결되어 메인 스위치의 11번 핀을 통해 G03으로 어스(earth)되게 되어 모터는 역회전 하게 된다. 결국 파워 윈도우 스위치는 모터의 전원 공급 극성을 절환하여 줌으로 파워 윈도우(power window)가 개폐하도록 하는 간단한 회로이다.

point

파워 윈도우 회로판독의 핵심 포인트

① 파워 윈도우의 개폐는 파워 윈도우 스위치의 절환(UP/DOWN)에 의해 모터에 공급되는 전원이 극성을 절환 함으로 윈도우의 개폐가 이루어진다.

② 파워 윈도우 회로의 전원 공급 : 파워 윈도우 릴레이의 접점을 통해 상시 전원 B를 공급 받고 있다.

※파워 윈도우 릴레이는 전자 제어 장치(ETACS또는 BCM)에 의해 제어되는 것은 자동차 선택 사양에 따라 달라질 수 있다.

③ **파워 윈도우 회로의 핵심 점검 포인트**

- 파워 윈도우 회로의 전원은 파워 윈도우 릴레이의 접점을 통해 공급하게 되므로 파워 윈도우 릴레이의 87번 핀은 핵심 점검 포인트가 된다.
- 그림 (3-15)의 파워 윈도우 회로는 GO3의 어스(earth) 단자를 통해 파워 위도우 모터가 공통 접지 되므로 GO3의 어스(earth)는 핵심 점검 포인트이다

10. 도어 록 회로 판독

1. 도어 록 회로(I)

도어 록 회로는 도어(door)의 잠금(lock) 과 풀림(unlock)을 자동으로 하기 위한 장치로 도어 스위치(door switch)를 통해 해당 도어(door)를 잠금과 풀림을 하는 기능과 하나의 스위치(switch)에 의해 4개의 도어(door)가 동시에 잠금과 풀림이 이루어는 집중 도어 록 기능, 그리고 리모컨(remocon)을 이용하여 원격으로 도어(door)를 잠금(lock)과 풀림

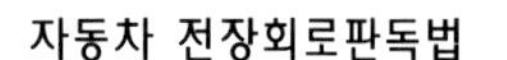

(unlock) 기능을 하는 원격 도어 록 기능이 있다. 이와 같은 도어 록 회로를 판독하기 위해서는 먼저 도어록 액추에이터(door lock actuator)가 어떻게 작동하는지를 알아야 한다. 도어록 액추에이터(door lock actuator)는 파워 윈도우 모터와 마찬 가지로 공급 전원의 극성 절환에 의해 잠금(lock)과 풀림(unlock)이 되도록 되어 있다.

그림 (3-16)과 같은 도어 록 회로를 판독하기 위해서는 부하인 도어 록 액추에이터(door lock actuator)부터 접근하여 보자. 4개의 도어 록 액추에이터(프런트 좌, 우측과 리어 좌, 우측 액추에이터)가 서로 병렬로 연결되어 있어 도어 록 액추에이터가 동시에 작동이 됨을 알 수가 있다. 한편 병렬로 연결된 도어 록 액추에이터의 2번 과 4번 핀을 따라 가면 도어 록 컨트롤 릴레이(door lock control relay)와 연결 되는 것을 알 수 있는데 이것은 도어 록 컨트롤 릴레이를 통해 각 액추에이터(actuator)에 공급 전압이 극성이 절환 되는 것을 직감 할 수 있다.

이와 같은 도어 록 컨트롤 릴레이 (door lock control relay)는 현재로는 블랙박스 상태로 그 내용을 알 수는 없지만 액추에이터의 전원 공급 극성을 절환 한다는 것은 알고 있으므로 이 회로를 판독하는 데에는 문제가 없다. 다음은 도어 록 스위치가 잠금(lock) 위치에 있다고 가정하면 도어 록 스위치의 가동 접점은 LOCK(잠김) 위치로 절환되고 이 가동 접점은 도어 록 스위치의 11번 핀을 통해 G05로 접지(어스) 되어 도어 록 2번 핀을 통해 도어 록 스위치가 LOCK(잠김) 위치에 있다는 것을 전자 제어 장치인 ETACS에 알리게 돼 도어 록 컨트롤 릴레이의 8번 핀을 어스(earth) 시킨다. 어스 된 8번 핀은 내부의 릴레이 접점에 의해 2번 핀과 연결되어 프런트 좌, 우측의 액추에이터의 2번 핀 과 리어 좌, 우측의 액추에이터의 4번 핀을 어스(earth) 시키므로써 액추에이터의 반대측 핀 단자가 컨트롤 릴레이로부터 전원이 공급 되는 것을 알 수 있는 회로이다

반대로 도어 록 스위치(door lock switch)가 UNLOCK(풀림) 위치에 있다고 가정하면 도어 록 스위치의 언록 가동 접점은 하측으로 절환되어 도어 록 스위치의 11번 핀을 통해 G05로 접지(어스) 되어 도어 록 스위치의 13번 핀을 통해 도어 록 스위치가 언록 상태에 있다는 것을 전자 제어 장치인 ETACS에 알리게 되고 도어 록 컨트롤 릴레이의 6번 핀을 어스 시킨다. 어스된 6번 핀은 내부의 릴레이 접점에 의해 9번 핀과 연결되어 프런트 좌, 우측의 액추에이터의 4번 핀과 리어 좌, 우측의 액추에이터의 2번 핀이 접지 되어 그 반측은 도어 록 컨트롤 릴레이의 2번 핀을 통해 전원이 공급됨을 알 수가 있다.

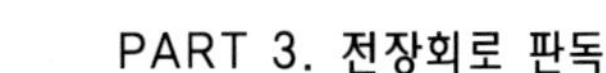

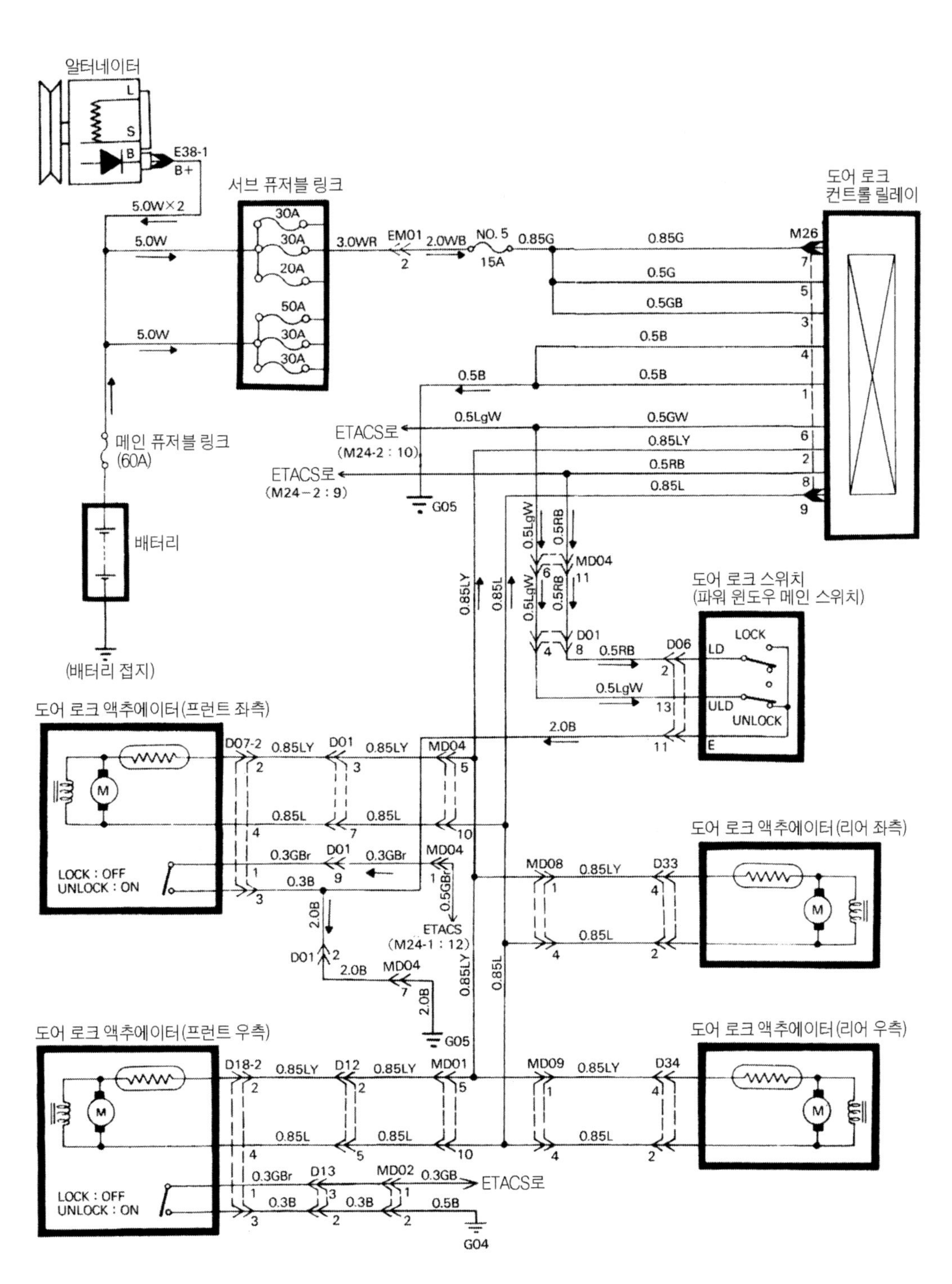

그림3-16 도어 록 회로(1)

2. 도어 록 회로(Ⅱ)

그림 (3-17)과 같이 도어 록 릴레이(door lock relay)가 도시되어 있는 회로를 살펴보자. 2개의 도어록 릴레이(door lock relay) 및 도어록 릴레이를 구동하는 파워 윈도우 메인 스위치(power window main switch)와 각 도어(door)에 장착된 4개의 액추에이터(앞 좌, 우측 액추에이터와 뒤 좌, 우측 액추에이터)로 구성되어 있는 대표적인 도어 록 회로이다.

먼저 좌측 앞 도어 록 액추에이터의 1번 핀과 연결된 전선을 따라 가면 도어 록 릴레이(1)의 가동 접점과 연결되고 가동 접점을 건너 접점 87a 핀과 연결 될 전선은 정션 박스 어스(earth)와 연결되어 있어 액추에이터의 반대측 3번 핀은 전원이 공급되어야 액추에이터가 동작됨을 알 수가 있다. 이와 마찬가지로 우측 앞 도어 록 액추에이터의 1번 핀과 연결된 전선을 따라가 보면 도어 록 릴레이(2)의 가동 접점(30번 핀)과 연결되어 있고, 87a의 핀을 거쳐 정션 박스 어스와 접지 되어 있어 액추에이터(actuator)의 반대측 3번 핀이 전원이 공급되면 액추에이터가 동작됨을 알 수가 있다. 이때 도어 록 스위치(door lock switch)를 LOCK(잠김) 위치에 놓으면 도어 록 릴레이(2)의 86번 핀은 파워 윈도우 메인 스위치의 가동 접점을 통해 G03 포인트로 어스(earth) 되어 도어록 릴레이(2)의 가동 접점은 절환된다.

따라서 87번 핀의 접점과 연결되어 상시 전원 A를 공급 받게 된다. 87번에 공급되고 있는 상시 전원 A는 30번 핀을 거쳐 실내 정션 박스의 11번 을 통해 우측 앞 도어 록 액추에이터의 1번 핀에 공급된다. 실내 정션 박스의 11번 핀의 분기점을 통해 좌측 앞 도어 록 액추에이터의 3번 핀에 공급되면 우측 앞 도어록 액추에이터의 3번 핀은 실내 정션 박스의 18번 핀이 분기점을 통해 도어록 릴레이(1)의 가동 접점을 거쳐 87a을 통해 어스되기 때문에 우측 앞 도어 록 액추에이터는 LOCK (잠김)으로 작동하게 된다. 한편 좌측 앞 도어 록 액추에이터는 1번 핀을 통해 도어 록 릴레이(1)의 30번 핀을 통해 87a 핀으로 어스되어 좌측 앞 도어 록 액추에이터도 LOCK(잠김)으로 동작하게 된다. 참고로 도어 록 릴레이(door lock relay)의 코일과 병렬로 연결된 다이오드는 반대로 연결되지 않으면 다이오드(diode)는 큰 전류에 의해 파손하고 만다. 따라서 그림(8-17)에 연결된 다이오드의 극성은 잘못 나타낸 그림이다.

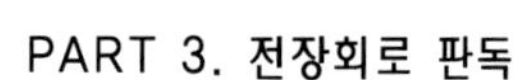

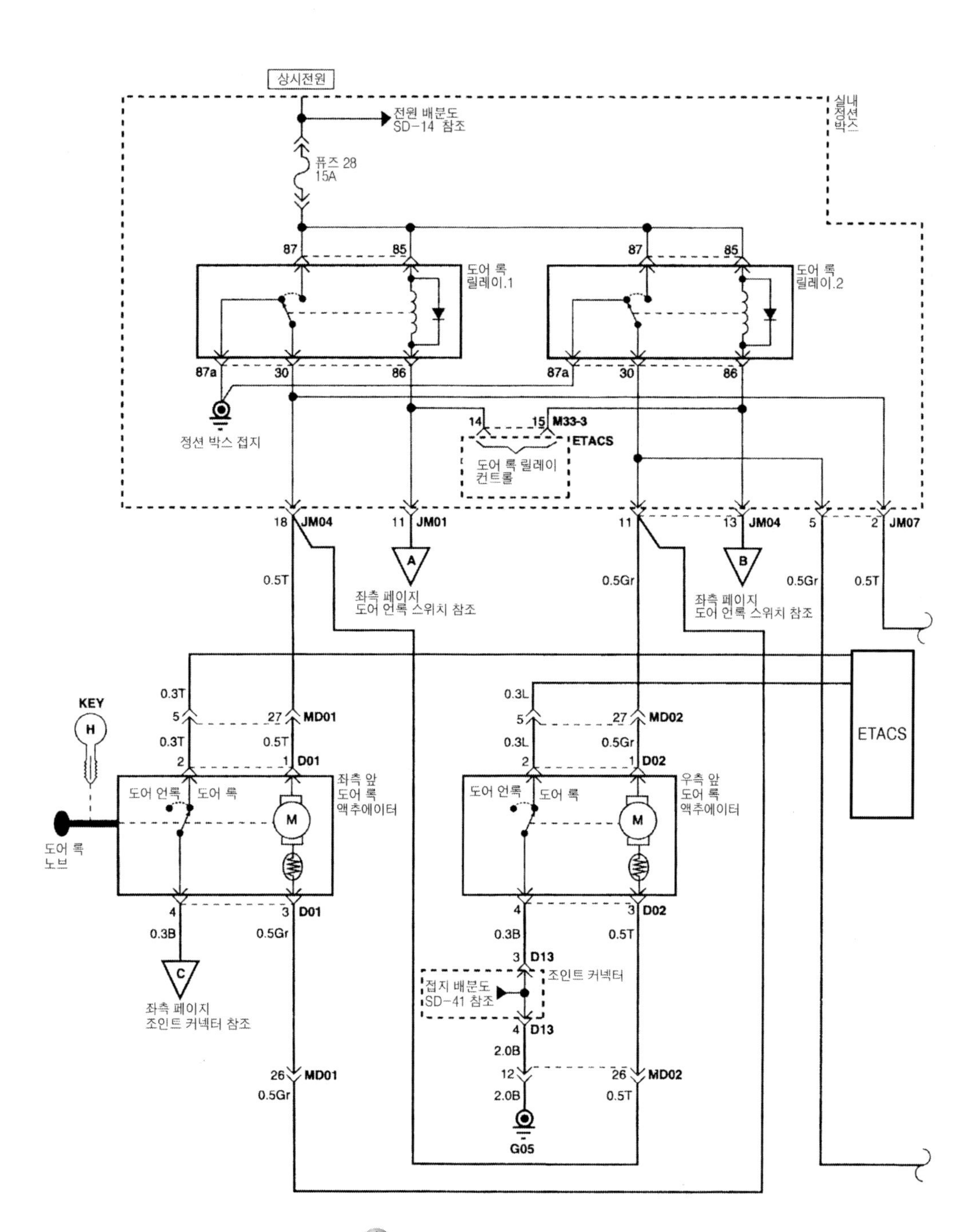

그림3-17 도어 록 회로(2)

반대로 도어 록 스위치를 언록(unlock) 위치에 놓으면 도어 록 릴레이(1)의 접점은 절환되어 15A 퓨즈를 통해 공급하는 상시 전원 A는 도어록 릴레이(1)의 가동 접점인 30번 핀을 거쳐 실내 정션 박스의 18번 핀의 분기점을 통해 좌측 앞 도어 록 액추에이터의 1번 핀에 공급 돼 액추에이터는 UNLOCK(풀림)으로 작동하게 된다.

상시 공급 전원 A는 실내 정션 박스의 18번 핀의 분기점을 통해 우측 앞 도어 록 액추에이터의 3번 핀에 공급되게 되므로 우측 앞 도어 록 액추에이터도 UNLOCK(풀림)으로 작동하게 된다. 즉 도어 록 액추에이터의 LOCK(잠김)과 UNLOCK(풀림)의 작동은 도어 록 릴레이(door lock relay)의 접점의 절환에 의해 액추에이터(actuator)의 전원 공급의 극성과 어스의 절환에 의해 액추에이터는 LOCK(잠김) 과 UNLOCK(풀림)이 가능하게 되는 것이다.

3. 집중 도어 록과 리모컨 도어 록(Ⅲ)

그림 (3-17)의 회로에서 도어 록 컨트롤 릴레이(1), (2)의 코일 측은 도어 록 스위치와 전자 제어 장치(ETACS)가 연결되어 있는 것을 확인 할 수 있는데 이것은 도어 록 컨트롤 릴레이(door lock control relay)를 전자 제어 장치(ETACS)가 제어함으로써 도어 록 액추에이터를 LOCK(잠김) 과 UNLOCK(풀림) 상태로 제어 할 수 있음을 의미하는 것으로 도어 록 스위치의 조작이 없이도 액추에이터를 작동 할 수 있다는 것을 나타낸다.

즉 리모컨(remocon)을 조작하여 원격으로 LOCK(잠김)과 UNLOCK(풀림)이 가능한 것은 이 때문이다. 또한 운전석 도어의 도어 록 노브(door lock knob)를 통해 집중 도어 록 기능을 하도록 하는 것은 도어 록 노브(door lock knob)에 내장되어 있는 도어 록 스위치가 점화 키(열쇠)에 의해 도어 록(door lock) 위치로 절환 되면 G03의 어스(earth)로 연결되어 ETACS에 도어 록(door lock) 하라는 정보를 입력하게 된다.

전자 제어 장치인 ETACS는 이 명령에 응답하여 도어 록 컨트롤 릴레이 (2)의 코일 측에 전류가 흐르도록 한다. 이렇게 도어 록 컨트롤 릴레이 (2)의 코일 측에 전류가 흐르면 릴레이의 접점은 절환되어 각 액추에이터(actuator)에는 15A 퓨즈를 통해 공급하고 있는 상시 전원 A를 공급하게 되고 액추에이터는 도어를 LOCK(잠김) 상태로 작동하게 되는 것이다.

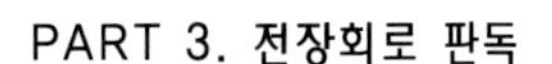

① 도어 록 액추에이터의 작동(잠김 과 풀림의 작동)은 도어 록 컨트롤 릴레이의 접점의 절환에 의해 액추에이터의 공급 되는 전원 극성을 절환하여 이루어진다.

② 집중 도어 록 기능은 메인 스위치 및 도어 노브 스위치에 의해 작동 되며
- 메인 스위치의 도어 록 기능은 도어 록 컨트롤 릴레이를 직접 구동하게 하지만
- 도어 노브 스위치는 ETACS를 통해 도어 록 컨트롤 릴레이를 구동하게 한다.
- 원격제어 도어 록 기능은 ETACS를 통해 도어 록 컨트롤 릴레이를 구동하게 한다.

※ 따라서 도어 노브 스위치 및 리모컨에 의해 작동되는 도어 록 기능이 이상 없이 작동 한다는 것은 도어 록 회로는 정상적으로 작동하고 있는 것을 의미 한다.

⑤ 도어 록 회로의 핵심 점검 포인트
- 도어 록 액추에이터의 작동은 도어 록 컨트롤 릴레이의 접점 절환에 의해 전원공급 극성이 절환 되어 지므로 그림 (3-17)과 같은 회로에서는 릴레이의 접점이 중요한 점검 포인트이다.
- 액추에이터의 전원 공급은 공통으로 상시 전원 A와 정션 박스 접지를 사용하므로 15A의 퓨즈 및 정션 박스의 접지는 중요한 점검 포인트가 된다.

선 루프 회로 판독

그림 (3-18)의 선 루프(sun roof) 회로의 구성을 살펴보면 전동 모터(motor)를 이용해 루프(roof)을 열고 닫는 선 루프 모터(sun roof motor)와 선 루프 모터에 전원을 공급하여 주는 선 루프 릴레이(1)과 (2)가 있으며 선 루프 모터를 구동하여 루프의 도어(door)를 열고 닫도록 하는 선 루프 스위치(sun roof switch)로 구성되어 있다.

먼저 회로를 판독하기 위해 부하인 선 루프 모터(sun roof motor)의 1번 핀을 따라가 보자. 선 루프 릴레이(sun roof relay) (2)의 가동 접점과 연결되어 있는 것을 확인 할 수 있다. 선 루프 모터의 3번 핀과 연결된 선을 따라가 보면 선 루프 릴레이(sun roof relay) (1)의 가동접점과 연결된 것을 확인 할 수가 있다. 다음은 선 루프 릴레이의 접점을 살펴보자. 2개의 선 루프 릴레이(sun roof relay)의 B 접점은 4번 핀을 통해 상시 전원 B와 연결 되어 있는 것을 확인 할 수 있고 선 루프 릴레이(sun roof relay)의 A 접점은 3번 핀을 통해 G05의 어스(earth)와 연결 되어 있는 것을 확인 할 수가 있어 릴레이의 접점 절환에 의해

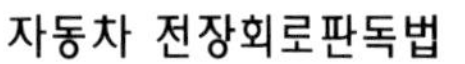

선 루프(sun roof)가 열고(open), 닫힘(close) 됨을 알 수가 있다. 즉 선 루프 릴레이 하나 A 접점으로 동작하면 다른 하나는 B 접점으로 동작하게 되고 반대로 선 루프 릴레이 하나가 B 접점으로 동작하면 다른 하나는 A 접점으로 동작하게 돼 선 루프의 도어(door)을 열고 닫을 수 있는 회로라는 것을 선 루프 릴레이(sun roof relay)의 접점을 통해 알 수가 있다. 선 루프 릴레이의 코일 측을 보면 2번 핀은 IGN 2 전원을 공급 받고 있고 선 루프 릴레이 (1)과 (2)의 6번 핀은 선 루프 스위치와 연결 되어 있어 선 루프 스위치에 의해 선 루프 릴레이(sun roof relay)가 제어됨을 알 수가 있다.

선 루프 스위치(sun roof switch)의 내부 회로도를 살펴보면 가동 접점인 슬라이드(slide)와 틸트(tilt)가 있으며 이들 가동 접점은 연동하여 작동한다. 또한 점선의 4각형 박스 안에 스위치 D와 C는 틸트(tilt)가 작동 할 수 있도록 선 루프 모터를 연결하는 접점이다. 선 루프 스위치(sun roof switch)를 OPEN(열림) 및 UP(상향) 위치로 선택하면 슬라이드(slide)와 틸트(tilt)의 가동 접점이 OPEN(열림) 및 UP(상향)의 접점으로 연결된다. 여기서 슬라이드(slide)와 틸트(tilt)의 가동 접점은 4번 핀을 통해 G05로 어스되게 되어 선 루프 스위치의 1번 핀(M 35 커넥터)은 선 루프 릴레이 (1)의 코일 측과 연결 된다. 이때 릴레이의 코일 측에 공급하고 있던 IGN 2 전원은 릴레이 코일 통해 G05 어스로 전류는 흐르게 된다. 결국 선 루프 릴레이 (1)의 B 접점은 절환되고 릴레이(relay)의 3번 핀을 통해 G05 포인트로 어스(earth) 되어 있어서 선 루프 모터의 3번 핀(M 34 커넥터)은 어스로 연결되고 선 루프 모터의 1번 핀은 선 루프 릴레이 (2)의 가동 접점과 연결 된다. 선 루프 모터의 1번이 가동 접점과 연결되면 서브 퓨저블 링크 50A를 통해 공급되는 상시 전원 B는 선 루프 모터에 공급하게 돼 선루프의 도어는 열림과 동시에 틸트(tilt) 동작을 하게 된다. 참고로 A 접점은 노말 오픈 접점(NO : normal open 접점)을 말하며 B 접점은 노말 크로스 접점(NC : normal close 접접)을 말한다.

반대로 선 루프 스위치(sun roof switch)를 CLOSE(닫힘) 및 DOWN(하향) 위치로 선택하면 슬라이드(slide)와 틸트(tilt)의 가동 접점이 CLOSE(닫힘) 및 DOWN(상하향)의 접점으로 연결 돼 슬라이드(slide)와 틸트(tilt)의 가동 접점과 연결된 4번 핀을 통해 G05 포인트로 어스(earth) 돼 선 루프 스위치의 2번 핀(M 34 커넥터)은 선 루프 릴레이 (2)의 코일 측과 연결 된다. 이 때 릴레이의 코일 측에 공급하고 있던 IGN 2 전원은 릴레이 코일 통해 G05 어스(earth)로 전류는 흐르게 된다.

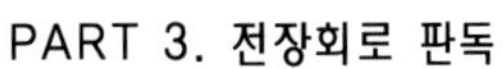

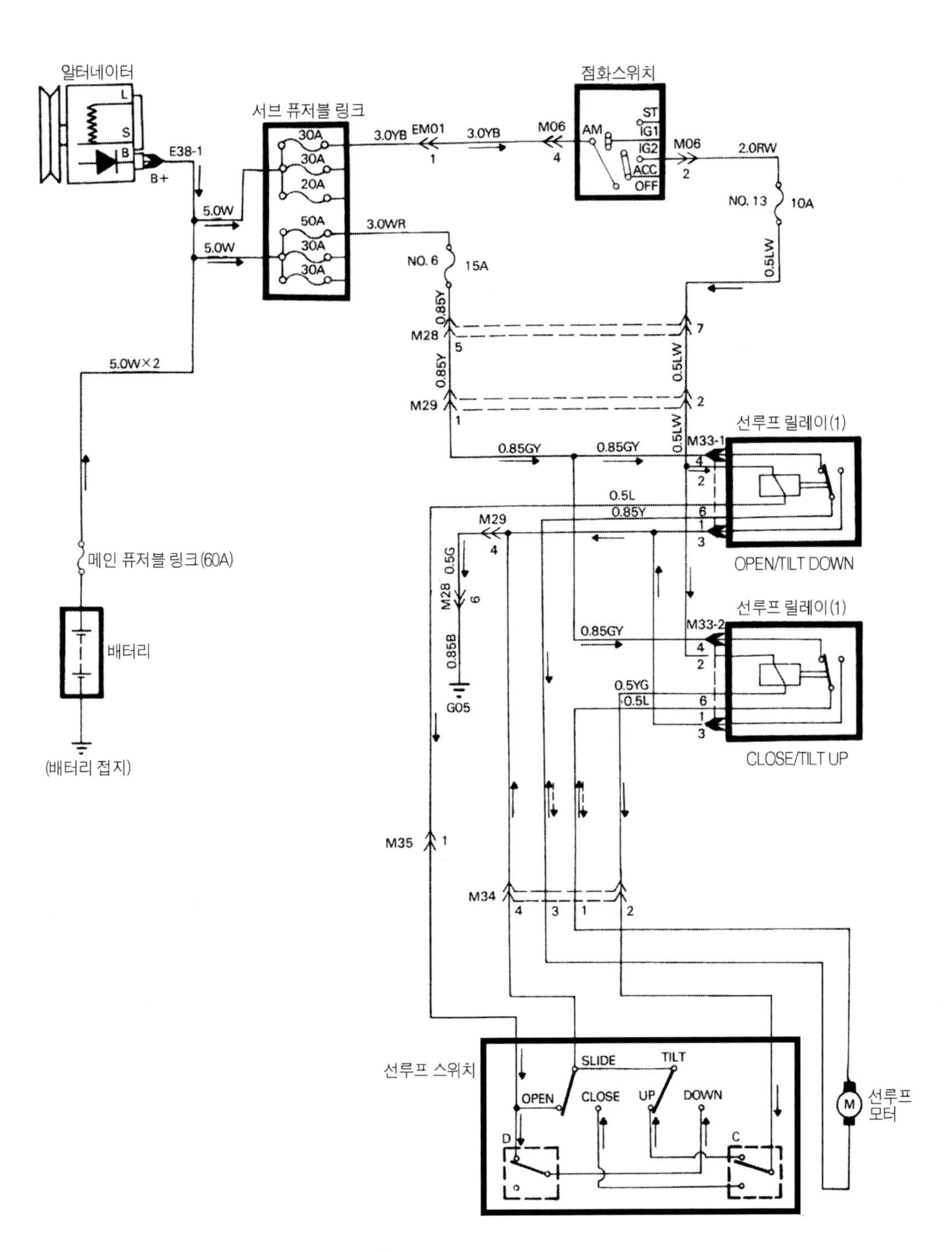
알터네이터
L
S
B
B+
E38-1
서브 퓨저블 링크
30A
30A
20A
50A
30A
30A
5.0W
5.0W
3.0YB
EM01
1
3.0YB
M06
4
점화스위치
AM
ST
IG1
IG2
ACC
OFF
M06
2
2.0RW
NO. 13
10A
3.0WR
NO. 6
15A
0.5LW
0.85Y
M28
5
7
0.85Y
0.5LW
M29
1
2
5.0W×2
선루프 릴레이(1)
M33-1
0.85GY
0.85GY
4
2
0.5L
0.85Y
6
1
3
M29
4
0.5G
M28
6
0.85B
G05
OPEN/TILT DOWN
메인 퓨저블 링크(60A)
배터리
(배터리 접지)
선루프 릴레이(1)
M33-2
0.85GY
4
2
0.5YG
0.5L
6
1
3
CLOSE/TILT UP
M35
1
M34
4
3
1
2
선루프 스위치
SLIDE
TILT
OPEN
CLOSE
UP
DOWN
D
C
선루프 모터
M

그림3-18 선 루프 회로

따라서 선 루프 릴레이 (2)의 B 접점은 절환되고 릴레이(relay)의 가동 접점은 3번 핀을 통해 G05로 어스(earth) 된다. 한편 선루프 모터의 3번 핀(M 34 커넥터)은 선 루프 릴레이 (1)의 가동 접점과 연결 되어 있어 릴레이(relay)의 B 접점을 통해 공급되고 있는 상시 전원이 연결 돼 선 루프(sun roof)의 도어(door)는 닫힘과 동시에 틸트(tilt) 동작이 DOWN (하향)으로 작동하게 된다.

결국 그림 (3-18)의 선 루프 회로의 동작은 2개의 T-접점 릴레이를 이용하여 선 루프 모터(sun roof motor)의 전원 공급 극성을 절환하여 선 루프의 도어(door)를 열고 닫도록 되어 있는 회로이다. 선 루프 모터(sun roof motor)는 하나의 선 루프 릴레이의 가동접점이 A 접점으로 되어 상시 전원을 공급 받고 있으면 다른 하나의 선 루프 릴레이의 가동 접점은 절환 되어 B 접점과 연결되어 있는 G05의 어스(earth) 포인트와 연결 되게 돼 모터는 폐회로를 구성하게 되는 회로이다.

point

선 루프 회로판독의 핵심 포인트

① 선 루프의 작동은 선 루프 릴레이의 접점의 절환에 의해 선 루프 모터에 공급되는 전원의 극성을 절환하므로서 이루어진다.

② 선 루프 릴레이의 가동 접점은 선 루프 모터와 연결되어 있어서
- 선 루프 모터가 구동 시 : 선 루프 릴레이(1)이 접점이 A 접점 상태이면 선 루프 릴레이(2)의 접점은 B 접점 상태가 되어 선 루프 모터에 전원 극성을 절환하고 있다.

③ 그림 (3-18)과 같은 선 루프 릴레이의 제어는 선 루프 스위치를 통해 제어 하도록 하고 있다

④ **선 루프 회로의 핵심 점검 포인트**
- 선 루프 릴레이의 접점 : 접점은 모터의 공급 전원 극성을 절환 하므로서 이루어진다.
- 선 루프 릴레이의 코일 : 코일은 선 루프 스위치에 의해 페회로를 구성한다.

※ 따라서 선 루프 릴레이의 단자는 선 루프 회로를 점검하기 위한 중요한 포인트가 된다.

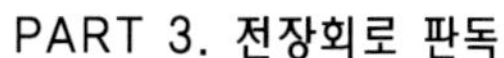

12. 아웃사이드 미러 회로 판독

아웃 사이드 미러(out side mirror) 회로는 스위치의 조작에 의해 아웃 사이드 미러가 전동으로 격납 또는 미러(mirror)의 위치가 상하, 좌우로 틸트(tilt)되는 회로로 전동 모터의 전원 극성을 절환 함으로 동작되는 회로이다. 따라서 아웃 사이드 미러(out side mirror)의 회로 경우도 부하인 전동 모터의 회로부터 판독하여 나간다.

아웃 사이드 미러(out side mirror)의 내에는 전동 모터(motor)가 좌우 각각 2개의 모터로 구성 되어 있어 UP/DOWN 및 LEFT/RIGHT의 방향으로 미러의 위치를 틸트(tilt) 할 수 있도록 되어 있는 것이 일반적이다.

그림 (3-19)의 회로에서도 좌측 아웃 사이드 미러 모터(2개의 아웃 사이드 미러 모터는)는 하나는 UP/DOWN용이며 다른 하나는 LEFT/RIGHT 용으로 7번 핀을 통해 2개의 모터에 공통으로 연결되어 있다. UP/DOWN용 모터는 5번 핀을 통해 미러 선택 스위치의 LEFT에 연결 되어 있고 LEFT/RIGHT용 모터는 6번 핀을 통해 미러 선택 스위치의 LEFT에 연결되어 있어 미러 선택 스위치에 의해 좌측 아웃 사이드 미러가 선택되는 것을 알 수가 있다. 아웃 사이드 미러 모터(out side mirror motor)의 회로가 어느 정도 눈에 들어오면 다음은 미러 선택 스위치에 조건을 주어 판독하여 본다.

미러 선택 스위치를 LEFT로 위치하면 좌측 아웃 사이드 미러 모터와 연결되고 RIGHT로 위치하면 우측 아웃 사이드에 연결되는 것이 확인 되면 아웃 사이드 미러 스위치(out side mirror switch)의 틸트(tilt) 조건을 주어 회로를 판독하여 본다. 우선 UP/DOWN 스위치를 DOWN으로 위치하면 UP/DOWN 스위치의 가동 접점은 연동해서 DOWN 위치에 연결되고 좌측에 있는 UP/DOWN 스위치의 가동 접점은 아웃 사이드 미러 스위치의 7번 핀을 통해 ACC 전원과 연결되는 것을 확인할 수 있다. 한편 우측에 있는 UP/DOWN 스위치의 가동 접점은 아웃 사이드 미러 스위치의 3번 핀을 통해 GO3으로 어스(earth)되는 것을 확인 할 수 있다. 따라서 좌측에 있는 아웃 사이드 미러 모터는 5번 핀을 통해 접지가 되고 7번 핀을 통해서는 ACC 전원이 연결되어 좌측 아웃 사이드 미러 모터는 DOWN(하향) 방향으로 틸트(tilt)하게 된다.

반대로 UP/DOWN 스위치를 UP으로 위치하면 UP/DOWN 스위치의 가동 접점은 연동해서 UP 위치로 연결되고 좌측에 있는 UP/DOWN 스위치의 가동 접점은 아웃 사이드 미

러 스위치의 3번 핀을 통해 G03 어스(earth)로 연결되는 것을 확인 할 수 있다. 한편 우측에 있는 UP/DOWN 스위치의 가동 접점은 아웃 사이드 미러 스위치의 7번 핀을 통해 ACC전원이 공급되는 것을 확인 할 수가 있다. 따라서 좌측에 있는 아웃 사이드 미로 모터는 7번 핀을 통해 접지가 되고 5번 핀을 통해서는 ACC 전원이 연결되어 좌측 아웃 사이드 미러 모터는 UP(상향) 방향으로 틸트(tilt)하게 되는 회로이다.

다음은 같은 방법으로 아웃 사이드 미러 스위치의 선택 스위치를 RIGHT에 위치하고 LEFT/RIGHT의 스위치를 RIGHT에 위치하였다고 가정하여 회로를 판독하여 보면 우측에 있는 LEFT/RIGHT의 가동 접점은 아웃 사이드 미러 스위치의 7번 핀을 통해 ACC 전원과 연결되고 우측에 있는 LEFT/RIGHT 스위치의 가동 접점은 3번 핀을 통해 G03 어스 포인트와 접지되는 것을 확인 할 수 있다. 따라서 우측에 있는 아웃 사이드 미러 모터에는 ACC전원이 아웃 사이드 미러 스위치의 2번 핀을 통해 우측 아웃 사이드 미러 모터의 7번 핀에 공급되고 아웃 사이드 미러 스위치의 3번 핀을 통해 G03으로 접지된 전선은 아웃 사이드 미러 스위치의 6번 핀을 통해 우측에 있는 LEFT.RIGHT용 미러 모터 6번 핀에 연결되어 모터는 RIGHT(우향) 방향으로 틸트(tilt)하게 된다.

반대로 LEFT/RIGHT의 스위치를 LEFT에 위치하면 좌측에 있는 LEFT/RIGHT 스위치의 가동접점은 아웃 사이드 미러 스위치의 3번 핀을 통해 G03 어스 포인트와 연결되고 우측에 있는 LEFT/RIGHT 스위치의 가동 접점은 아웃 사이드 미러 스위치의 7번 핀을 통해 ACC 전원과 연결되는 것을 확인 할 수 있다. 따라서 우측에 있는 아웃 사이드 미러 모터의 7번 핀은 아웃 사이드 미러 스위치의 2번 핀을 통해 좌측에 있는 LEFT/RIGHT 스위치의 가동 접점을 경유해 3번 핀을 통해 G03 어스 포인트와 연결되게 되고 아웃사이드 모터의 6번 핀은 아웃 사이드 미러 스위치의 6번 핀을 통해 우측에 있는 LEFT/ RIGHT 스위치의 가동 접점을 경유해 아웃 사이드 미러 스위치의 7번 핀을 통해 ACC 전원과 연결되게 되어 아웃 사이드 미러 모터는 LEFT(좌향) 방향으로 틸트(tilt) 하게 된다. 결국 이 회로는 아웃 사이드 미러 스위치(out side mirror switch)를 사용하여 UP/DOWN 및 LEFT/RIGHT용 전동 모터에 ACC 전원 공급 극성을 절환하여 미러를 틸트(tilt) 하도록 하는 회로이다. 참고로 회로에 표시된 폴딩 스위치는 폴딩 컨트롤 유닛(folding control unit)에 폴딩 스위치의 입력 신호를 주어 폴딩 모터(일명 파워 모터)를 구동하게 하는 스위치이다.

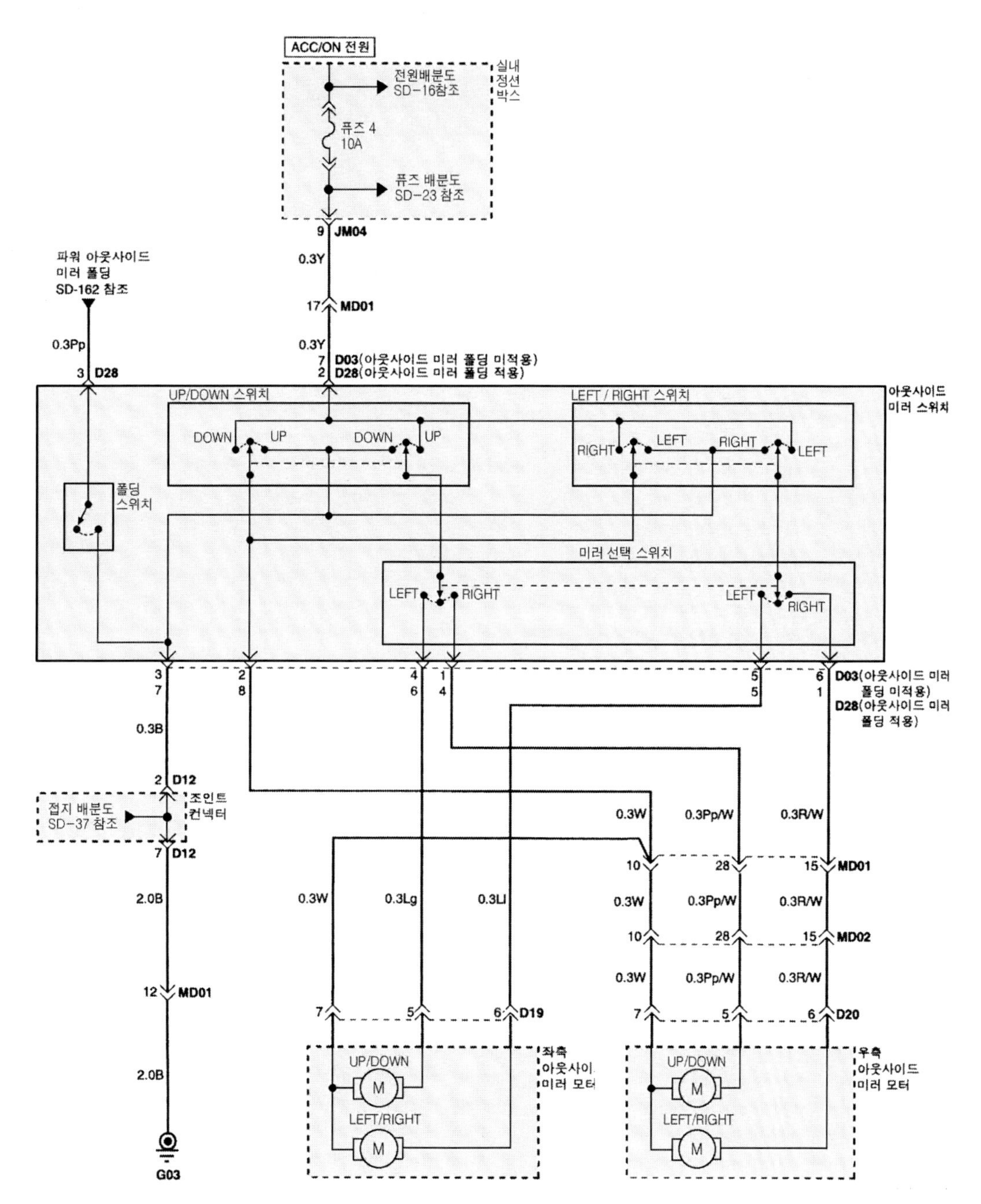

그림3-19 파워 아웃 사이드 미러

point

아웃사이드 미러 회로판독의 핵심포인트

① **아웃 사이드 미러의 회로**
- 미러 스위치의 고정 접점은 ACC 전원, 어스와 연결된 T 접점 스위치로 가동 접점의 절환에 의해 모터의 공급 전원 극성을 절환하는 회로이다

② **아웃 사이드 미러 스위치의 접점 연결**
- 미러 선택 스위치 : 미러 선택 스위치의 가동 접점(접점)이 좌측 또는 우측의 2개의 미러 모터와 연결.
- 틸트 스위치 : 2개의 가동 접점이 연동되어 UP/DOWN용 모터, LEFT/RIGHT용 모터의 공급 전원의 극성을 절환한다.

③ **아웃 사이드 미러 회로 점검의 핵심 포인트** : 미러의 모터 작동은 미러 스위치 내로 공급 되는 ACC 전원과 G03의 접지점으로 아웃 사이드 미러 스위치의 7번 핀과 3번 핀은 중요한 점검 포인트가 된다.

13. 예열회로 판독

디젤 엔진(diesel engine)은 추운 날씨에 연소실의 표면적에 의한 냉각 손실로 연료가 착화되지 않는 현상이 일어나 시동성이 떨어지는 것을 방지하기 위해 예연소실에 예열 플러그(전기 히터 플러그)를 삽입하여 시동성이 떨어지는 것을 방지하고 있다. 그럼 예열 플러그(pre heater plug)를 사용하고 있는 디젤 엔진(diesel engine)의 대표적인 예열 회로를 예를 들어 보자.

그림 (3-20)의 예열 회로를 살펴보면 예열 플러그와 예열 플러그에 전원을 공급 하는 예열 릴레이(pre heater relay)가 있으며 일정 시간 예열 플러그의 전원을 공급하도록 예열 컨트롤 릴레이와 엔진의 온도에 따라 예열 시간을 조절 하도록 엔진의 냉각수의 온도를 감지하는 수온 센서로 구성되어 있는 회로이다.

먼저 부하인 예열 플러그(pre heater plug)부터 회로를 판독하여 보자. 예열 플러그 한쪽 단자는 어스(earth)되어 있고 다른 한 쪽 단자는 예열 릴레이의 접점(2번 핀)을 통해 전원을 공급 받고 있음을 알 수 있다. 예열 릴레이의 접점에 연결되어 있는 전원은 메인 퓨저블 링크(main fusible link)로부터 공급되는 상시 전원 A가 공급되어 있으며 예열 릴레이의 코일측 1번 핀은 어스(earth)와 연결되어 있고, 2번 핀과 연결되어 있는 전선은 예열 컨

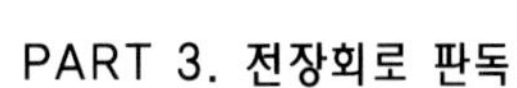

트롤 유닛(pre heater control unit)의 8번 핀과 연결되어 있어 예열 릴레이는 예열 컨트롤 유닛에 의해 제어되고 있음을 알 수가 있다.

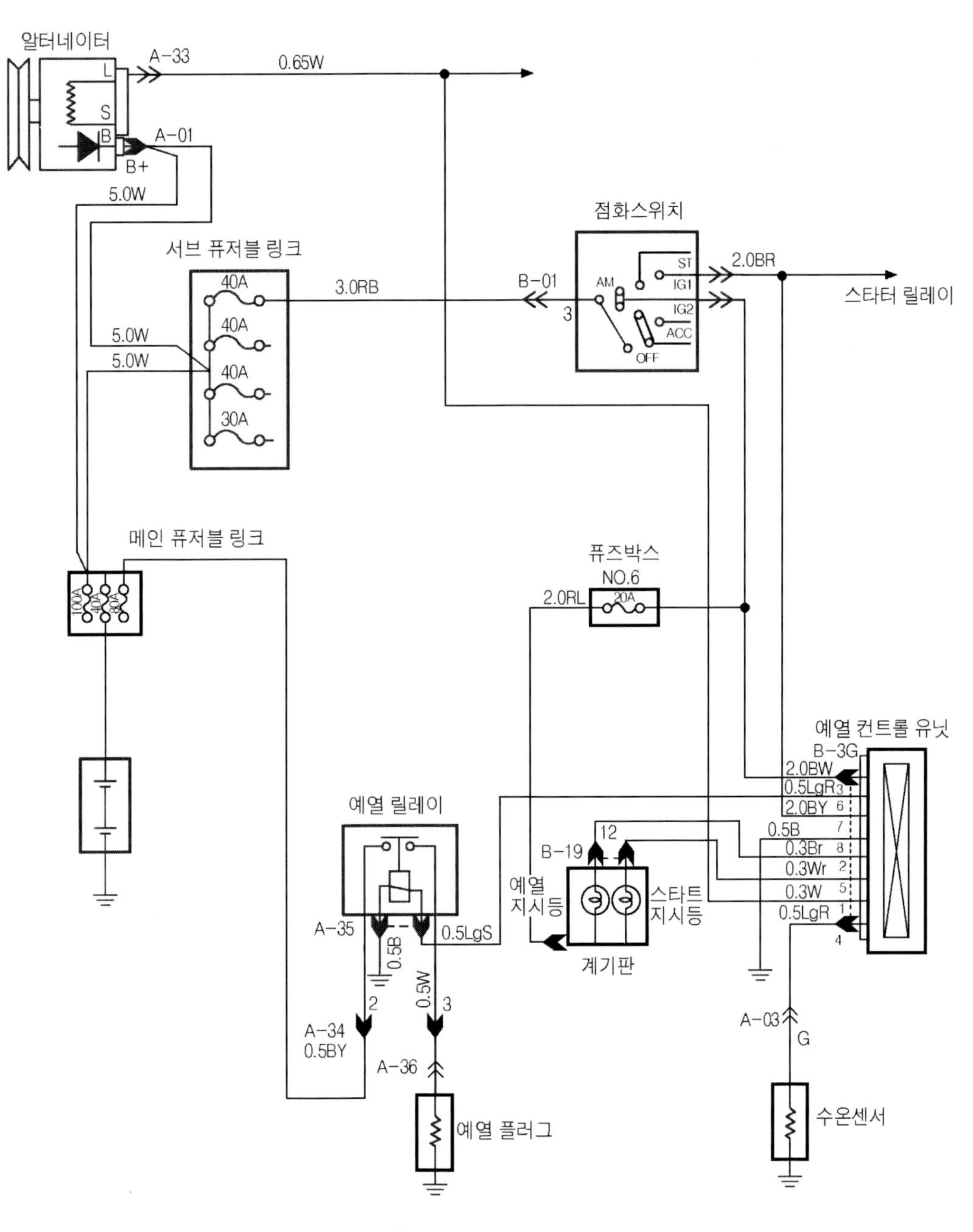

그림3-20 예열회로

다음은 예열 컨트롤 유닛을 살펴보면 예열 컨트롤 유닛 4번 핀을 통해 수온 센서가 연결되어 있는데 이것은 엔진의 온도에 따라 예열 플러그에 전원 공급 시간을 제어 하도록 하는 입력 신호로 사용되고 있다.

예열 컨트롤 유닛 1번 핀은 올터네이터(alternator)의 L-단자와 연결되어 있어 예열 플러그에 전원 공급을 엔진 회전 중에만 공급하도록 하는 것을 알 수가 있고 5번과 2번 핀에는 스타트 지시등 과 예열 지시등이 연결되어 있다. 반대측에는 N06의 20A 퓨즈를 통해 IGN 전원이 공급되고 있는 것을 확 인 할 수가 있어 이 회로는 예열 컨트롤 유닛에 의해 점등 및 소등을 하도록 하는 것을 알 수가 있다. 예열 컨트롤 유닛의 3번 핀은 IGN에서 공급되는 전원 공급 단자이며 7번 핀은 점화 스위치(ignition switch)의 ST 단자와 연결 되어 있는 것을 확인 할 수 있는데 이것은 예열 컨트롤 유닛(pre heater control unit)이 ST(스타트) 신호를 받아 8번 핀을 통해 예열 플러그에 전원을 공급하도록 하기 때문이다.

예열 컨트롤 유닛은 수온 센서 신호의 입력을 받아 예열 릴레이의 구동 시간을 결정하고 올터네이터의 L-단자 입력은 예열 플러그에 전원 공급을 엔진이 회전 중에만 작동하도록 하는 입력 단자이다. 점화 스위치의 ST(스타트) 입력 신호는 점화 스위치를 통해 공급되는 ST(스타트) 전원 신호를 입력으로 받아 예열 컨트롤 유닛은 예열 릴레이를 작동시켜 예열 릴레이에 전원 공급 시간을 제어하는 일종의 타이머(timer) 회로인 셈이다. 따라서 이와 같은 회로에서는 예열 컨트롤 유닛에 전원이 공급되더라도 ST(스타트) 전원 신호와 올터네이터의 L-단자 신호가 입력되지 않으면 타이머(timer)로서 작동하지 않게 된다.

point

예열회로 판독의 핵심 포인트

① **예열 컨트롤 유닛의 동작 조건**
- 점화 스위치를 통해 ST 전원 신호 입력 및 올터네이터의 L-단자 신호 입력
- 예열 시간을 결정하는 수온 센서 신호의 입력

② 예열 릴레이의 코일측 단자는 예열 컨트롤 유닛의 출력에 의해 전압이 공급되므로 예열 회로를 판독하기 위해 예열 릴레이의 접점이 ON 되는 조건(상기 ①항의 조건)을 생각하지 않으면 안된다.

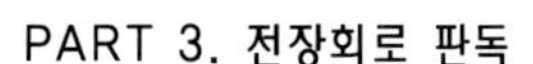
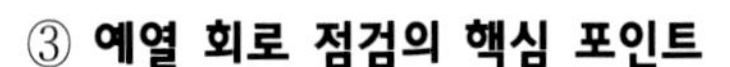

③ 예열 회로 점검의 핵심 포인트

※ 예열 컨트롤 유닛에는 스타트 지시등 과 예열 지시등이 연결되어 있어서 예열 플러그에 전원 공급을 확인 할 수 있는 인디케이터(indicator)로 점검시 우선적으로 확인 하여야 하는 체크 포인트이다.

- 점화 스위치를 통해 ST 전원 신호 입력 및 올터네이터의 L-단자 신호 입력은 예열 컨트롤 유닛의 출력을 지시하는 신호로 중요한 점검 포인트이다.

14. 열선회로 판독

리어 히티드(rear heated) 회로는 뒤 유리에 열선을 넣어 성애시나 안개가 낄 때 후방 시야를 확보하기 위한 뒤 유리 열선 회로이다. 이 리어 히티드 열선(뒤 유리 열선) 회로의 구성은 뒤 유리 열선, 열선과 병렬로 연결된 열선 지시등, 열선 스위치의 입력을 받아 열선에 전원 공급 시간을 제어하는 리어 히티드 타이머(rear heated timer)로 구성되어 있다.

먼저 리어 히티드 열선(뒤 유리 열선)을 살펴보면 한쪽 단자는 어스(earth) 되어 있고 다른 한쪽 단자는 리어 히티드 타이머와 연결되어 있어 리어 히티드 타이머로부터 전원을 공급 받는 것을 알 수 있다.

또한 리어 히티드 열선(뒤 유리 열선)은 계기판에 부착되어 있는 열선 지시등이 병렬로 연결되어 있어서 리어 히티드 열선(rear heated heater)에 전원이 공급되고 있다는 것을 지시등을 통해 알 수가 있어 점검시 우선 체크하여야 하는 것이 열선 지시등이다. 리어 히티드 스위치(rear heated switch)는 원-터치 푸쉬 스위치(one touch push switch)로 한번 누르면 접점이 ON 상태에 있다가 다시 누르면 OFF 상태로 되는 원-터치 스위치로 이 스위치(switch)의 입력 신호는 리어 히티드 타이머(rear heated timer)의 5번 핀을 통해 입력되면 리어 히티드 타이머(rear heated timer)는 미리 설정된 시간 동안 만 3번 핀 통해 출력 하도록 하는 기능을 갖고 있다.

보통 리어 히티드 타이머(rear heated timer)의 설정 시간은 약 20~30분 간으로 되어 있어서 한번 작동되면 약 20~30분간 리어 히티드 열선(뒤 유리 열선)에 전원을 공급하고 시간이 지나면 자동으로 OFF되는 기능을 가지고 있다. 리어 히티드 타이머의 1번 핀은 올터네이터(alternator)의 L-단자와 연결되어 있는 것을 확인 할 수 있는 데 이것은 리어 히티드 스위치를 ON 시키더라도 엔진이 회전 중이 아니면 리어 히티드 타이머(rear heated timer)는 열선으로 전원 공급을 하지 않도록 하기 위한 단자이다.

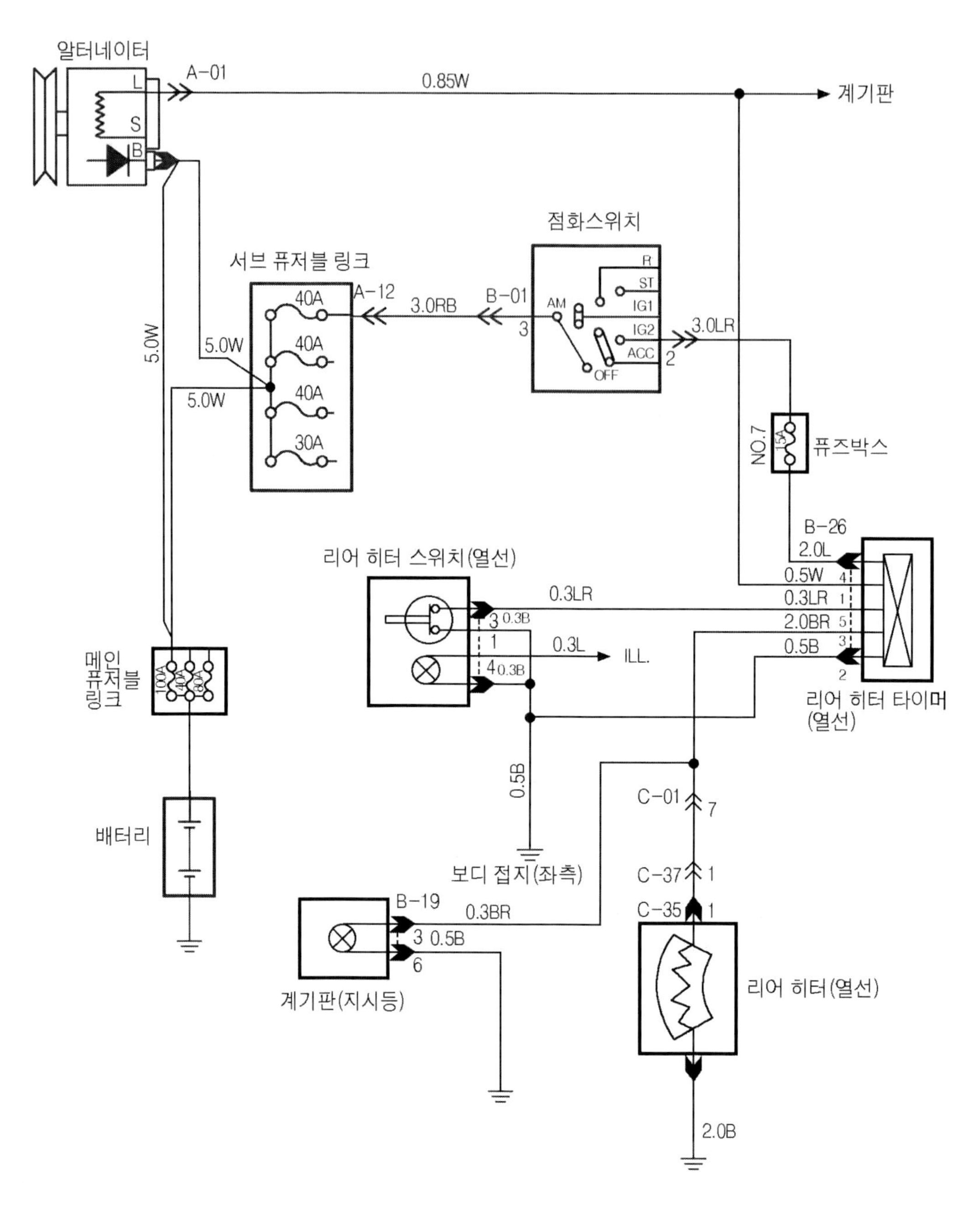

그림3-21 열선 회로(디포그 회로)

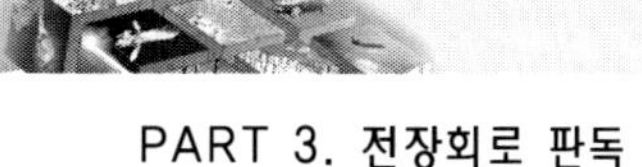

즉 열선은 전력 소모가 많은 부하이므로 엔진이 회전 중에만 작동하기 위기 위한 것이다. 리어 히티드 타이머(rear heated timer)가 작동하기 위해서는 리어 히티드 타이머의 전원 공급은 물론이지만 엔진이 회전 중에 알터네이터(alternator)의 L-단자 신호가 입력 되어야 하며 리어 히티드 스위치(rear heated switch)가 ON 상태가 되어야 비로소 리어 히티드 열선(뒤 유리 열선)에 전원을 공급하게 된다.

그림 (3-21)에 사용되는 리어 히티드 타이머(rear heated timer)는 내부에 열선 릴레이(relay)가 내장 되어 있어서 릴레이의 접점을 통해 리어 히티드 열선(뒤 유리 열선)에 전원을 공급하고 방식이다. 이 회로는 열선 과 열선을 일정 시간 구동하는 타이머(timer) 및 열선 스위치로 구성된 간단한 회로로 리어 히티트 타이머(rear heated timer)의 동작 조건만 알고 있으면 누구나 쉽게 이해 할 수 있는 회로이다. 참고로 이와 같은 리어 히티드 열선(뒤 유리 열선) 기능은 리어 히티드 타이머 대신 ETACS 또는 BCM 컴퓨터를 이용하여 제어하는 전자 제어 장치 차량이 증가 추세에 있으나 근원적인 작동은 동일하다.

point

열선회로 판독의 핵심 포인트

① **리어 히티드 타이머의 동작 조건**
- 엔진 회전 중인 올터네이터의 L-단자 신호 입력
- 리어 히티드 스위치 신호의 입력

② 외부에 열선 릴레이를 내장하고 있는 경우에는 열선 릴레이의 접점을 통해 상시 전원이 공급되도록 하고 코일측에는 IGN 전원을 공급하도록 하고 있다

③ **열선 회로 점검의 핵심 포인트**
※ 리어 히티드 열선(뒤 유리 열선)에는 열선 지시등이 병렬로 연결되어 있어서 눈으로 열선에 전원 공급을 간접 확인 할 수 있는 인디케터(indicator)로 점검시 우선적으로 확인 하여야 하는 체크 포인트이다.
- 리어 히티드 스위치 신호 입력 및 엔진의 회전 중에 알터네이터의 L-단자 신호 입력은 리어 히티드 타이머의 출력을 지시하는 신호로 중요한 점검 포인트이다

블로어 회로 판독

블로어 회로는 히터(heater)작동시나 에어컨(air-con)작동시 실내의 풍속을 조절하는 회로로 일반적으로 블로어 모터(blower motor) 및 블로어 모터의 회전 속을 결정하는 블로어 레지스터(blower resistor), 그리고 블로어 스위치(blower switch)로 구성되어 있다.

그림 (3-22)의 블로어 회로를 판독하기 위해 블로어 회로에 부하인 블로어 모터(blowe motor)를 살펴보도록 하자. 블로어 모터의 2번 핀과 연결되어 있는 전선을 따라가 보면 레지스터(resistor)의 3번 핀과 연결되어 있고 다시 분기하여 블로어 스위치 6번 핀과 연결되어 있는 것을 확인할 수 있다. 여기서 블로어 스위치(blower switch)의 내부 접점을 살펴보면 블로어 스위치 가동 접점은 1번 핀을 통해 어스(earth) 되어 있고 블로어 스위치 가동 접점이 회전하여 각 접점과 접촉하면 연결된 접점은 2번 핀을 포함하여 어스(earth)로 연결되는 구성품이다.

또한 레지스터(resistor)는 블로어 모터의 속도를 조절하는 전류 제한 저항으로 레지스터(resistor)의 내부 회로를 살펴보면 레지스터 3번 핀과 4번 핀 사이에 여러 개의 저항이 직렬 연결되어 있는 것을 확인 할 수가 있다. 여기서 블로어 스위치를 L(저속)으로 선택하면 블로어 스위치의 가동 접점은 어스(earth)가 되어 있으므로 블로어 스위치의 2번 핀을 포함하여 4번 핀은 어스가 되고 3번 핀과 연결된 프런트 히터 블로어 모터(front heater blowr motor)의 1번 핀과 레지스터(resistor)의 전체 직렬 저항값이 연결되게 되어 모터가 저속으로 회전을 하게 된다.

결국 블로어 스위치(blower switch)의 기능은 블로어 모터와 레지스터(resistor)가 직렬로 연결 되도록 하는 연결 스위치로 블로어 스위치를 H(고속)로 절환하면 블로어 모터와 직렬로 연결된 레지스터(resistor) 내의 저항값이 가장 작은 값으로 연결 돼 블로어 모터의 회전 속도는 빨라지고 L(저속)로 절환하면 블로어 모터와 직렬로 연결된 레지스터(resistor) 내의 저항 값이 큰 값으로 연결 돼 블로어 모터의 회전 속도는 저속으로 회전을 하게 된다. 블로어 스위치를 L(저속)로 선택하면 블로어 스위치의 가동 접점이 어스(earth)와 연결되어 있어 블로어 스위치의 2번 핀도 어스(earth)로 연결되어 지기 때문에 파워 릴레이(일명 블로어 릴레이)의 코일측의 3번 핀을 통해 공급하고 있던 IGN 2 전원이 코일측의 1번 핀을 통해 전류가 흘러 파워 릴레이(블로어 릴레이)의 접점을 연결하게 된다.

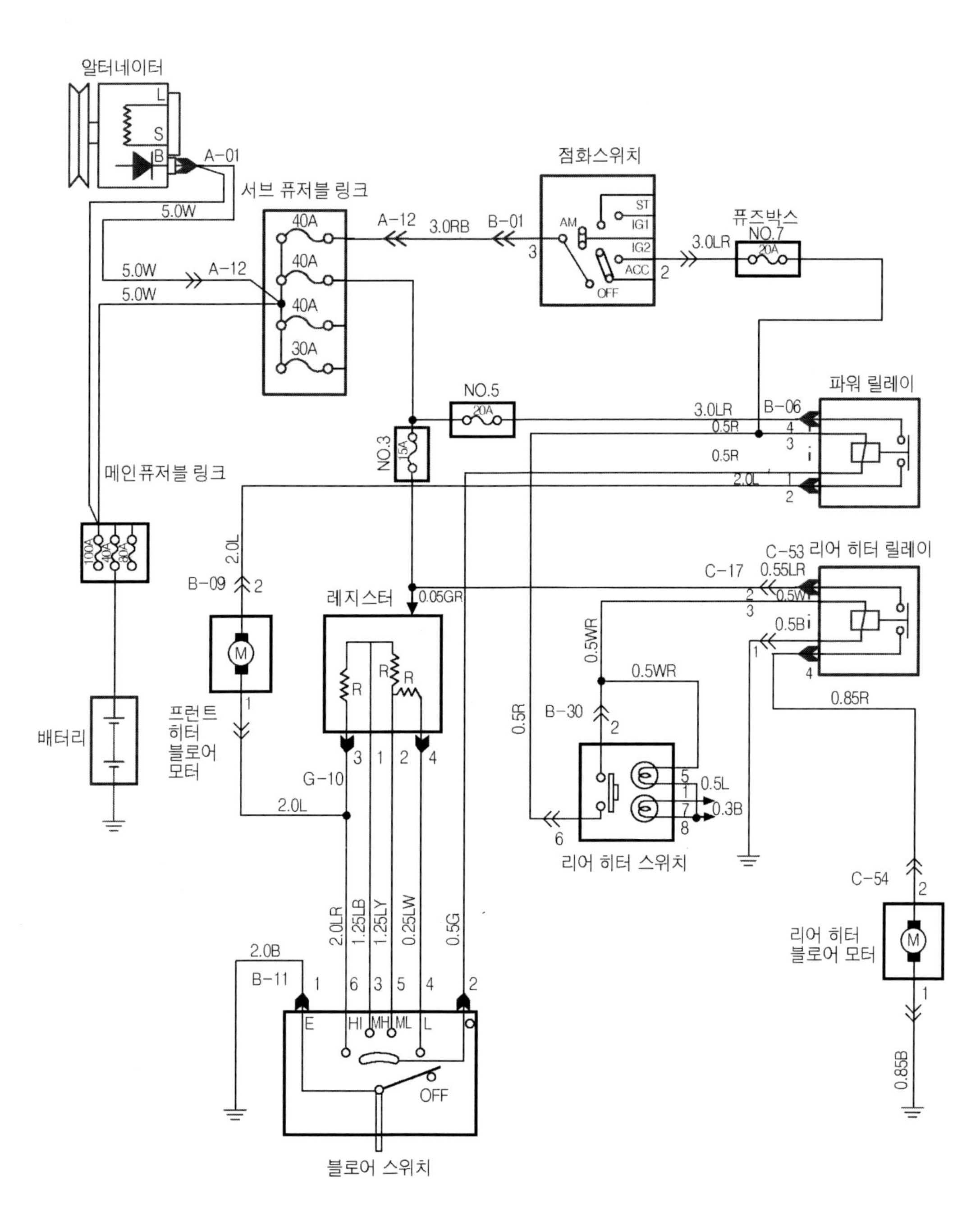
알터네이터
L
S
B
A-01
서브 퓨저블 링크
5.0W
40A
40A
40A
30A
A-12
3.0RB
B-01
점화스위치
AM
ST
IG1
IG2
ACC
OFF
3
2
3.0LR
퓨즈박스
NO.7
20A
5.0W
A-12
5.0W
NO.5
20A
파워 릴레이
3.0LR
B-06
0.5R
4
3
0.5R
2.0L
1
2
NO.3
15A
메인퓨저블 링크
100A
40A
30A
2.0L
B-09
2
C-53 리어 히터 릴레이
C-17
0.55LR
0.05GR
0.5W
0.5B
레지스터
0.5WR
0.5WR
0.85R
배터리
프런트 히터 블로어 모터
0.5R
B-30
G-10
2.0L
0.5L
0.3B
리어 히터 스위치
C-54
리어 히터 블로어 모터
2.0LR
1.25LB
1.25LY
0.25LW
0.5G
2.0B
B-11
HI
MH
ML
L
E
OFF
0.85B
블로어 스위치

그림3-22 블로어 회로

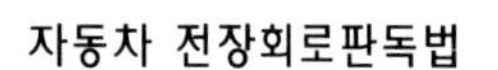

파워 릴레이(블로어 릴레이)의 4번 핀은 서브 퓨저블 링크 40A의 퓨즈를 통해 NO 5의 20 A 퓨즈를 거쳐 상시 전원 B가 공급되고 있어 상시 전원 B는 파워 릴레이(블로어 릴레이)의 2번 핀을 통해 블로어 모터(프런트 히터 블로어 모터)로 전원을 공급하게 된다. 즉 이 회로에서 파워 릴레이(블로어 릴레이)의 기능은 접점에 공급하고 있는 상시 전원 B를 블로어 스위치에 의해 접점을 연결시켜 블로어 모터에 전원을 공급하도록 하는 릴레이(relay)이다.

블로어 스위치를 HI(고속)으로 절환하면 블로어 스위치의 가동 접점은 6번 핀과 연결된 접점과 연결되어 6번 핀은 어스(eatth)와 연결되고 블로어 스위치의 2번 핀도 가동 접점과 연결되어 어스(earth)로 연결되므로 파워 릴레이(블로어 릴레이) 3번 핀 코일측에 공급하고 있던 IGN 2 전원은 릴레이의 1번 핀을 통해 전류가 흐르게 돼 릴레이의 접점은 연결되게 된다. 릴레이의 접점이 연결되면 파워 릴레이(블로어 릴레이) 4번 핀에 연결되어 있던 상시 전원 B는 파워 릴레이 2번 핀을 통해 블로어 모터(프런트 히터 블로어 모터)에 전원을 공급하여 모터는 고속으로 회전하게 된다.

리어 히터 블로어 모터(rear heater blower motor)는 1번 핀을 통해 어스 (earth)되어 있고 리어 히터 릴레이(rear heater relay)의 4번 핀 접점은 모터와 연결 되어 있어 릴레이 접점 2번 핀을 통해 공급 되고 있는 상시 전원 B는 접점이 연결되면 리어 히터 블로어 모터에 전원을 공급하게 돼 모터는 회전을 하게 되는 것을 알 수 있다. 리어 히터 릴레이의 코일측을 살펴보면 코일측 1번 핀은 어스(earth) 되어 있고 3번 핀은 리어 히터 스위치(rear hearer switch)와 연결 되어 있는 것을 확인할 수 있다.

리어 히터 스위치의 6번 핀은 파워 릴레이(블로어 릴레이)의 코일 측에 공급되는 IGN 2 전원과 분기되어 공급되고 있는 것을 확인 할 수 있어 리어 히터 스위치가 ON 상태가 되면 리어 히터 릴레이의 코일측에 IGN 2 전원이 공급되어 릴레이의 접점이 연결 되는 것을 알 수 있다. 그림 (3-22)의 회로에 표기된 블로어 스위치는 로터리 스위치로 블로어 모터의 전원을 공급 할 수 있도록 블로어 릴레이를 구동하는 스위치이다. 결국 이 회로는 블로어 스위치와 직렬로 연결된 레지스터(resistor)는 블로어 스위치의 선택에 따라 변화된 저항값이 블로어 모터에 직렬로 연결되도록 하여 블로어 모터의 회전 속을 변화 하도록 함으로서 블로어의 풍량을 조절 할 수 있는 일반적인 블로어 회로이다.

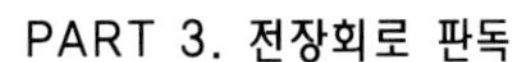

블로어 회로 판독의 핵심 포인트

① **블로어 스위치의 기능**

- 블로어 릴레이를 구동시켜 블로어 모터에 전원을 공급하도록 연결하고
- 레지스터 내의 직렬 저항을 블로어 모터에 저항별로 연결하게 하여 모터의 회전 속도를 변화하게 한다.

※ 참고 : 블로어 모터의 속도 조절을 파워 트랜지스터의 베이스 전류를 조절하여 제어 하는 자동 풍속 제어 방식도 사용되고 있다.

② 블로어 스위치의 가동 접점은 2번 핀의 고정 접점과 선택된 고정 접점이 동시에 연결되는 single pole double through 로 연결되는 스위치이다.

③ **블로어 회로 점검의 핵심 포인트**

- 블로어 스위치의 각 위치의 선택에 의한 블로어 모터의 작동 상태 확인 : 하나라도 블로어 모터가 작동하면 전원 공급 회로는 정상을 의미
- 파워 릴레이의 1번 핀은 블로어 스위치의 선택시 파워 릴레이의 구동을 위해 접지가 되는 단자이므로 중요한 점검 포인트가 된다.

16. 냉각회로 판독

1. 냉각 회로(I)

냉각 회로는 엔진 과열을 방지하기 위해 라디에이터(radiator)의 냉각수를 전동 팬 모터를 이용하여 냉각하는 장치로 차종에 따라 전동 모터를 회전시키는 방법은 다소 차이는 있지만 팬 모터를 회전시켜 엔진을 냉각하는 회로는 기본적으로 동일하다.

그림(3-23)의 냉각 회로는 라디에이터 팬 모터(radiator fan motor)와 콘덴서 팬 모터(condenser fan motor)를 구동하는 냉각 회로를 나타낸 회로이다. 이 회로는 라디에이터 팬 모터의 전원을 공급하는 라디에이터 팬 모터 릴레이(radiator fan motor relay) 2개와 콘덴서 팬 모터의 전원을 공급하는 콘덴서 팬 모터 릴레이(condenser fan motor relay) 2개로 구성되어 팬 모터의 속도를 저속 및 고속으로 변환하는 회로이다. 이 회로의 판독도 부하인 라디에이터 팬 모터부터 판독하여 보자.

라디에이터 팬 모터 2번 핀은 G02 포인트로 어스(earth) 되어 있고 1번 핀은 라디에이터

의 2번 핀과 연결되어 있다.

여기서 다른 한선은 분기되어 라디에이터 팬 모터 릴레이 2번 핀(가동 접점)과 연결 되어 있는 것을 확인 할 수 있다. 앞서 강조한 바와 같이 릴레이를 판독 할 때에는 코일 측보다 접점측을 먼저 판독하는 것이 회로를 이해하는 데 편리하므로 라디에이터 팬 모터 릴레이의 접점부터 판독하여 보자.

회로의 상측에 있는 릴레이(relay)는 레지스터(resistor)를 거쳐 라디에이터 팬 모터에 전원을 공급하고 릴레이(relay) 접점 하측은 라디에이터 팬 모터에 직접 연결된 것으로 보아 라디에이터 팬 모터가 회전 할 때 회로의 상측에 있는 라디에이터 팬 모터 릴레이는 모터의 회전을 저속으로 회전 시키는 저속(LO)용 전원 공급 릴레이 이고 회로의 하측에 있는 릴레이 접점에는 상시 전원 B의 전원이 라디에이터 팬 모터 릴레이(radiator fan motor)와 직접 연결되어 있어 모터의 회전을 고속으로 회전 시키는 고속(HI)용 전원 공급 릴레이 임을 알 수가 있다. 회로의 상측에 있는 라디에이터 팬 모터 릴레이의 작동 조건은 회로상으로 보면 릴레이의 코일측 1번 핀은 에어컨 스위치와 연결되어 있어 에어컨 스위치(air-con switch)로부터 전원을 공급됨을 알 수 있다.

따라서 에어컨 스위치(air-con switch)를 ON시켜 릴레이의 코일측에 전원을 공급하면 저속용 라디에이터 팬 모터 릴레이의 접점은 연결되어 서브 퓨저블 링크 30A의 퓨즈를 통해 상시 전원 B가 저속용 라디에이터 팬 모터 릴레이의 접점과 연결된 레지스터를 통해 라디에이터 팬 모터에 공급되므로 라디에이터 팬 모터는 저속으로 회전하게 된다.

한편 라디에이터 팬 모터 릴레이 1번 핀 코일 측은 분기되어 콘덴서 팬 모터 릴레이(condenser fan motor relay)의 1번 핀에 공급하게 돼 콘덴서 팬 모터 릴레이의 접점에 공급되어 있던 상시 전원 A는 콘덴서 팬 모터 접점을 거쳐 레지스터(resistor)를 통해 콘덴서 팬 모터에 공급되므로 콘덴서 팬 모터는 저속으로 회전하게 된다.

즉 이 회로는 에어컨 스위치(air-con switch)를 ON 시키면 저속용 라디에이터 팬 모터 릴레이의 코일 측과 저속용 콘덴서 팬 모터 릴레이의 코일 측에 전원을 공급해 2개의 저속용 릴레이의 접점을 작동시켜 레지스터(resistor)를 통해 상시 전원을 공급하게 하므로 라디에이터 팬 모터(radiator fan motor)와 콘덴서 팬 모터(condenser fan motor)는 저속으로 회전하도록 하는 회로이다. 하측에 있는 고속용 라디에이터 팬 모터 릴레이의 코일 측을 살펴보면 온도 센서라는 구성 부품이 연결되어 있는 것을 확인할 수 있는 데 이것은

엔진의 냉각 수온을 검출하는 서모 페라이트 스위치로 온도가 약 90~100℃ 정도(자동차의 차종에 따라 다름)가 되면 내부에 있는 리드 스위치가 ON 상태가 되는 서모 스위치(thermer switch)이다.

고속용 라디에이터 팬 모터 릴레이의 코일측 1번 핀과 접점측 4번 핀은 서로 연결되어 서브 퓨저블 링크의 30 A 퓨즈를 통해 상시 전원 B가 공급 되어 있어 서모 스위치(수온 스위치 또는 서모 스위치라 부름)가 엔진의 냉각 수온이 일정 온도 이상만 되면 시동 키를 제거한 상태라도 라디에이터 팬 모터는 고속으로 회전하게 구성 되어 있는 회로이다.

따라서 고속용 라디에이터 팬 모터의 동작 조건은 상시 전원 B가 항상 고속용 라디에이터 팬 모터 릴레이의 접점 과 코일측에 공급되어 있으므로 라디에이터 팬 모터의 동작 조건은 설정된 서모 스위치의 온도에 의해 구동하게 된다. 콘덴서 팬 모터 릴레이(condenser fan motor relay)을 살펴보면 팬 모터 2번 핀 접점 측은 콘덴서 팬 모터와 연결 되어 있고 4번 핀 접점 측은 20 A의 퓨즈를 통해 공급되는 상시 전원 A가 공급되고 있다. 코일 측의 회로를 살펴보면 3번 핀 코일측은 입력 스위치와 연결 되어 있는 것을 확인 할 수 있는데 이것은 에어컨(air-con)의 냉매 사이클에 고압측에 장착되어 있는 스위치로 고압측의 컴프레서(compressor)의 작동에 의해 냉매의 고압측 순환관에 일정 압력이상 상승하면 압력 스위치는 ON 상태가 되는 스위치(switch)이다.

따라서 에어컨(air-con)의 컴프레서(compressor)가 작동되어 냉매의 순환관이 일정압 이상이 되면 압력 스위치는 ON 상태가 되고 콘덴서 팬 모터 릴레이의 코일측 3번 핀은 10A 퓨즈를 통해 점화 스위치로부터 IGN 2 전원을 공급하고 있어 고속용 콘덴서 팬 모터 릴레이의 코일은 압력 스위치를 통해 G02 어스 지점으로 전류가 흘러 콘덴서 팬 모터 릴레이의 접점은 접촉된다. 이때 콘덴서 팬 모터 릴레이의 접점측에 4번 핀을 통해 공급하고 있던 상시 전원 A는 릴레이의 2번 핀을 통해 콘덴서 팬 모터에 공급되어 콘덴서 팬 모터는 고속(HI)으로 회전하게 된다.

그림 (3-23)의 냉각 회로는 에어컨 스위치(air-con switch)를 ON 시키면 릴레이의 가동 접점에 레지스터가 연결되어 있는 저속용 라디에이터 팬 모터 릴레이와 저속용 콘덴서 팬 모터 릴레이가 작동되어 라디에이터 팬 모터 및 콘덴서 팬 모터는 저속(LO) 상태로 회전을 하게 되고 엔진의 냉각수 온도가 일정 온도 이상이 되면 고속용 라디에이터 팬 모터 릴레이가 작동이 되어 라디에이터 팬 모터는 고속(HI)으로 회전을 하게 된다.

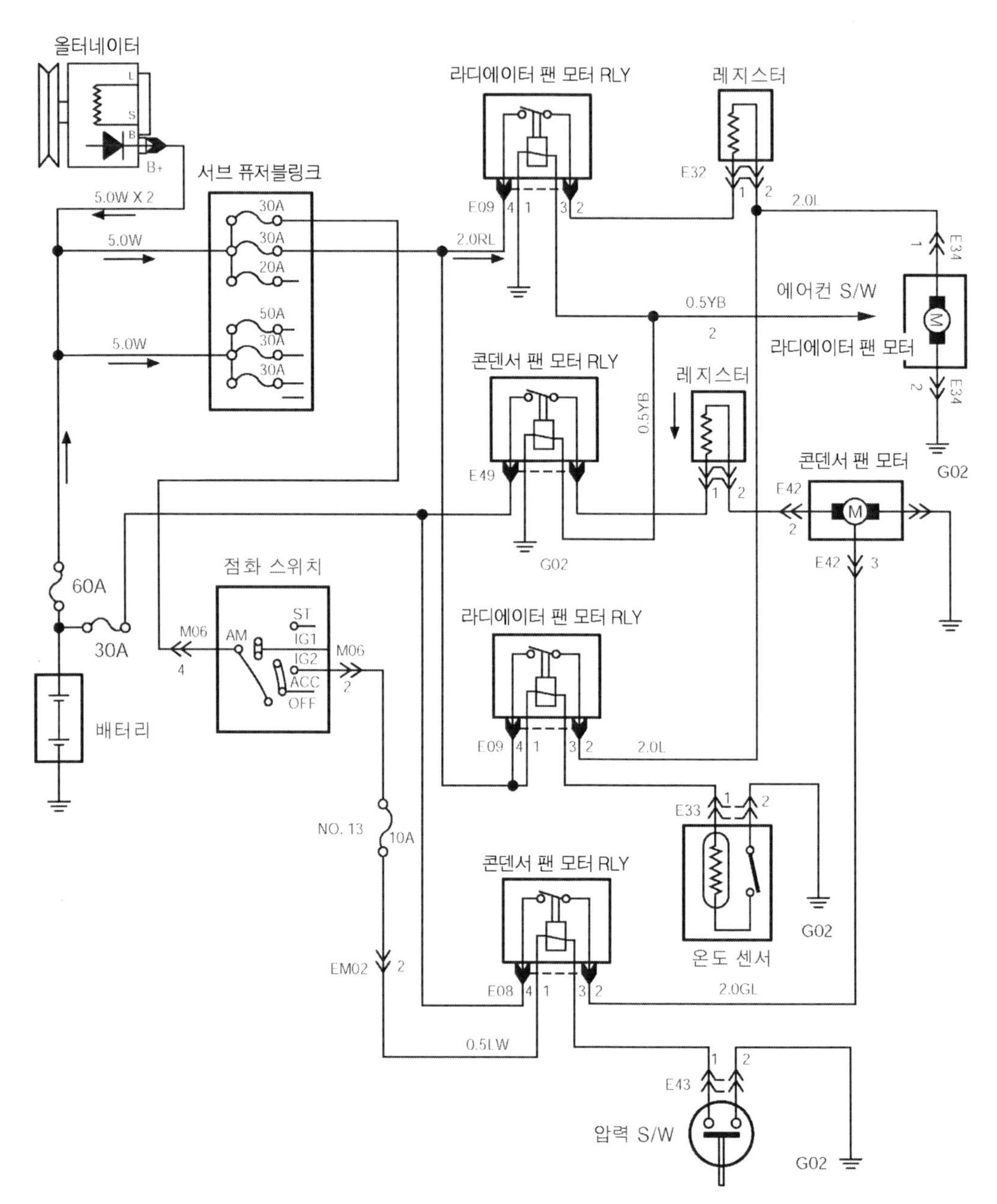

그림3-23 냉각회로(1)

에어컨의 컴프레서(compressor)가 작동이 되어 냉매의 순환관에 일정 이상 압력이 상승하게 되면 압력 스위치는 ON상태가 되어 콘덴서 팬 모터는 고속(HI)으로 회전하게 되는 회로이다.

콘덴서 팬 모터 릴레이의 접점을 통해 공급되는 상시 전원 B는 콘덴서 팬 모터에 공급하게 되어 모터는 고속(HI)으로 회전하게 된다. 냉각 회로와 같이 릴레이를 여러 개 사용하여 부하를 작동하는 회로의 판독은 먼저 회로의 구성 부품을 전체를 살펴보고 그 중에 부하를 하나 선택하여 부하부터 회로를 판독하여 나간다.

부하의 한쪽에는 어스(earth)가 연결되어 있고 다른 한쪽에는 릴레이 접점이 연결되어 있는 경우에는 해당 릴레이는 부하의 전원 공급용으로 사용되고 있는 릴레이(relay)로 릴레이의 접점이 어디서 공급되는 전원인지를 확인하고 다음은 코일측을 판독하여 나간다. 여기서 코일측에는 스위치(switch) 또는 컨트롤 유닛(control unit)와 연결되어 있는 경우에는 릴레이의 코일 측에 전류가 흐른다고 가정하여 회로를 판독하여 나간다. 즉 릴레이의 작동 조건을 주어 릴레이(relay)가 ON 상태가 되었다고 가정하여 회로를 판독하여 나가라는 것이다. 이렇게 회로를 하나씩 판독하여 나가면 초기에는 어려워 보이는 회로가 어느새 한눈에 회로 전체가 들어오는 경우가 생기게 된다.

2. 냉각 회로(II)

그림 (3-24)의 냉각 회로를 살펴보면 특이한 점이 있는 것을 발견 할 수 있는데 이 회로는 쿨링 유닛(cooling unit)라는 구성품을 통해 콘덴서 팬 릴레이(condenser fan relay)와 라디에이터 팬 릴레이(radiator fan relay)를 작동 시키는 회로이다. 이 회로의 구성을 살펴보면 블로어 스위치(blower switch)에 의해 구동 되는 블로어 모터 회로 에어컨 스위치(air-con switch)에 의해 구동되는 컴프레서(compressor)가 있으며 콘덴서 팬 모터와 라디에이터 팬 모터를 제어하는 쿨링 유닛(cooling unit)로 구성되어 있는 회로이다.

먼저 블로어 회로부터 회로를 판독하여 보면 블로어 모터는 블로어 스위치와 연결되어 있고 다른 한 단자는 상시 전원 B로 부터 공급되는 블로어 릴레이의 접점과 연결되어 있어 블로어 모터의 전원은 상시 전원 B에 의해 전원을 공급 받고 있는 것을 알 수가 있다. 블로어 릴레이의 접점이 접촉되어 상시 전원 B가 접점을 통해 블로어 모터에 공급되기 위해서 블로어 릴레이의 코일측을 판독하여 보면 릴레이의 코일측은 블로어 스위치와 연결되어 있고 다른 한 단자는 이그니션 스위치 IGN 2전원을 통해 블로어 스위치로 전류가 흐르도록 구성되어 있다.

따라서 블로어 릴레이가 작동하기 위해서는 블로어 스위치를 ON 시켜 어스(earth)와 연

결되도록 폐회로를 구성하여야 하므로 블로어 스위치가 ON 상태가 되었다고 가정하고 회로를 판독하면 블로어 릴레이의 접점은 ON 상태가 되고 가동 접점을 통해 공급되고 있던 상시 전원 B는 블로어 모터에 공급되어 블로어 모터는 회전을 하게 되는 회로이다. 다음은 에어컨(air-con)회로를 판독하여 보자

에어컨(air-con)의 작동은 컴프레서의 구동으로부터 에어컨(air-con)의 냉매 회로가 시작되므로 컴프레서(compressor)로부터 회로를 판독하여 보도록 하면 컴프레서는 에어컨 릴레이(air-con relay)의 접점과 연결되어 회로상으로 컴프레서의 구동은 에어컨 릴레이의 작동에 의해 이루지는 것을 알 수가 있다. 에어컨 릴레이의 접점은 상시 전원 B인 30A 퓨즈와 연결되어 있어 컴프레서 전원은 상시 전원 B로부터 전원을 공급받고 있는 것을 알 수가 있다. 다음은 에어컨 릴레이가 작동하기 위한 조건을 살펴보자.

에어컨 릴레이의 코일측은 엔진 ECU의 1번 핀과 연결되어 있어 엔진 ECU에 의해 제어가 되고 있는 것을 알 수 있다. 엔진 ECU의 2번 핀은 에어컨 스위치(air-con switch)와 연결되어 있어 에어컨 릴레이(air-con relay)의 작동은 엔진 ECU가 에어컨 스위치의 입력 신호를 받아 에어컨 릴레이(air-con relay)가 작동 되는 것을 유추해 볼 수가 있다.

실제 차량에서도 엔진 ECU는 에어컨 스위치의 입력 신호를 받아 에어컨 릴레이를 작동하도록 하고 있다. 따라서 에어컨 스위치를 ON시키면 엔진 ECU는 에어컨 스위치의 입력 신호를 받아 에어컨 릴레이의 코일측과 연결되어 있는 출력측 단자를 통해 전류가 흐르도록 신호를 출력하면 에어컨 릴레이의 접점은 접촉되고 릴레이의 가동 접점측으로부터 공급 되어 있던 상시 전원 B는 접점을 통해 컴프레서(compressor)에 전원을 공급하게 된다. 다음은 쿨링 유닛(cooling unit)에 의해 제어 되는 콘덴서 팬 모터 회로와 라디에이터 팬 모터 회로를 살펴보자.

콘덴서 팬 모터(condenser fan motor)의 2번 핀은 어스(earth)되어 있고 2번 핀은 레지스터(resistor)와 연결된 것을 볼 수 있다. 다시 레지스터에서 분기하여 콘덴서 팬 릴레이(HI)의 접점과 연결되어 있고, 레지스터를 통해 연결된 것은 콘덴서 릴레이(LO)의 접점과 연결 된 것을 확인 할 수가 있다. 콘덴서 팬 릴레이(HI)와 (LO)의 접점을 건너 연결된 전선을 따라가 보면 퓨저블 링크에서 공급되는 상시 전원 B가 연결되어 있는 것을 확인 할 수가 있어 레지스터(resistor)를 거치지 않고 콘덴서 팬 모터에 전원이 공급될 때에는 콘덴서 팬 모터는 고속(HI)으로 회전을 하게 되고 레지스터(resistor)를 거쳐 콘덴서 팬 모터에

전원이 공급 할 때는 저속(LO)으로 회전하는 회로임을 알 수가 있다.

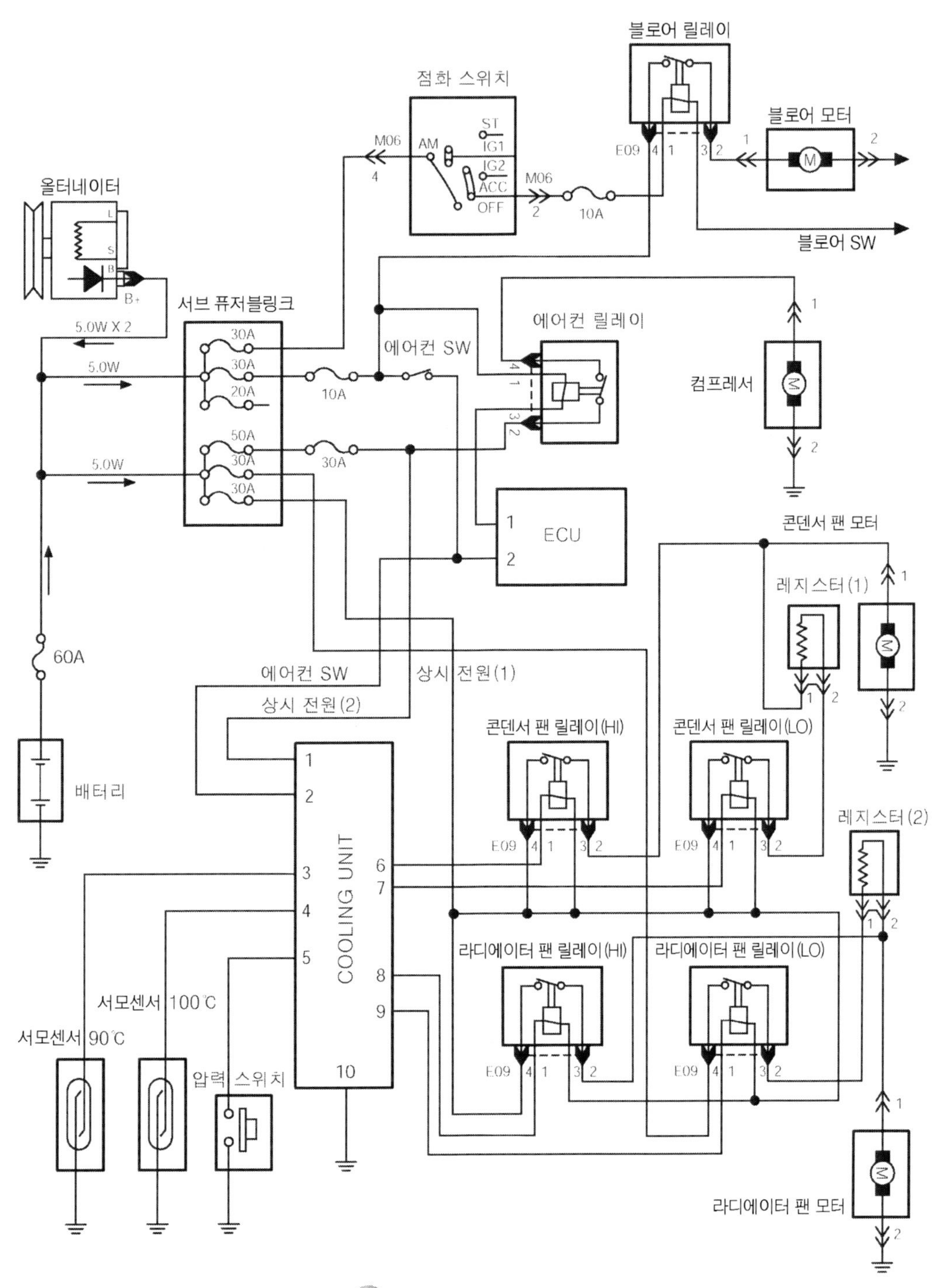

그림3-24 냉각회로(2)

다음은 콘덴서 팬 릴레이(condenser fan relay)가 동작하기 위한 조건을 보기 위해 콘덴서 팬 릴레이의 코일 측을 판독하여 보자

릴레이의 코일 측 3번 핀은 상시 전원 B와 연결 되어 있으며 콘덴서 팬 릴레이(HI)의 코일 측 1번 핀은 쿨링 유닛(cooling unit) 6번 핀과 연결 되어 있고 콘덴서 팬 릴레이(LO)의 코일측 1번 핀은 쿨링 유닛(cooling unit) 7번 핀과 연결 되어 있는 것을 확인할 수가 있다. 즉 콘덴서 팬 릴레이(HI)와 콘덴서 팬 릴레이(LO)는 쿨링 유닛(cooling unit)에 의해 제어 되는 것을 알 수가 있다. 이 회로는 쿨링 유닛(cooling unit)을 제외하여 생각하면 앞서 설명한 그림 (3-23)의 냉각 회로와 동일하다는 것을 알 수가 있는 회로이다. 콘덴서 팬 모터 회로와 마찬 가지로 라디에이터(radiator)회로의 경우도 같은 방법으로 회로를 판독하여 보면 라디에이터 팬 모터(radiator fan motor)의 2번 핀은 어스(earth)되어 있고 1번 핀은 레지스터(2)의 2번 핀과 연결 되어 있다.

다시 레지스터(2)의 2번 핀에서 분기하여 라디에이터 릴레이(HI)의 고정 접점과 연결되어 있고 레지스터(2)를 거쳐 연결 된 것은 라디에이터 릴레이(LO)의 접점과 연결된 것을 확인 할 수가 있다 . 다음은 라디에이터 릴레이(HI)와 (LO)의 접점 건너 연결된 선을 따라가 보면 퓨저블 링크(fusible link)의 30A 퓨즈로부터 공급되는 상시 전원 B가 연결되어 있는 것을 확인 할 수가 있다. 따라서 레지스터(resistor)을 거치지 않고 라디에이터 팬 모터에 전원이 공급될 때에는 라디에이터 팬 모터는 고속(HI)으로 회전을 하게 되고 레지스터(resistor)를 거쳐 라디에이터 팬 모터에 전원이 공급 할 때는 저속(LO)으로 회전하는 회로임을 알 수가 있다.

다음은 라디에이터 릴레이(radiator relay)가 동작하기 위한 조건을 살펴보기 위해 라디에이터 릴레이의 코일 측을 판독하여 보자. 라디에이터 릴레이의 코일 측 3번 핀은 퓨저블 링크(fusible link) 30A의 퓨즈로부터 공급되는 상시 전원 B와 연결 되어 릴레이의 구동 전원임을 알 수 있다. 라디에이터 릴레이(HI)의 코일 측 1번 핀은 쿨링 유닛 8번 핀과 연결되어 있고 라디에이터 릴레이(LO)의 코일 측 1번 핀은 쿨링 유닛(cooling unit) 9번 핀과 연결되어 콘덴서 팬 릴레이와 라디에이터 릴레이는 쿨링 유닛(cooling unit)에 의해 제어 되고 있는 회로임을 알 수 있다. 결국 이 회로는 쿨링 유닛(coolin unit)의 정확한 제어 조건을 알지 못하면 지금까지 설명한 회로 판독 외에는 더 이상 정확한 회로 판독은 어렵다는 것을 경험하게 된다.

하지만 쿨링 유닛(cooling unit)의 정확한 제어 조건을 모른다 하더라도 쿨링 유닛의 핀(pin)이 가지고 있는 기능을 알고 있다면 어느 정도 회로의 판독을 유추할 수 있으므로 정확한 제어 조건을 모른다 하더라도 구성 부품의 핀 기능을 알고 있으면 점검은 위한 회로 판독은 가능하다. 회로 판독시 제어 조건을 모른다 하더라도 중간에 중단하는 일이 없도록 인내심을 기르는 것이 좋다.

예컨대 그림 (3-24)의 쿨링 유닛(cooling unit)의 핀(pin)의 기능을 토대로 회로를 파악하여 나가 보자. 1번 핀은 상시 전원 B가 공급되어 있어 쿨링 유닛(cooling unit)의 전원 공급선이라 생각 할 수 있다. 2번 핀은 에어컨 스위치로부터 입력되는 에어컨 스위치 입력 신호이고, 3번 핀은 서모 스위치(thermo switch) 90℃의 입력 신호 단자이고 4번 핀은 서모 스위치 100℃의 입력 신호 단자이며 5번 핀은 에어컨의 압력 스위치 신호 단자이고, 6번 선은 콘덴서 팬 모터 릴레이(HI)의 고속용 제어 출력 신호 단자이다. 7번 핀은 콘덴서 팬 모터 릴레이(LO)의 저속용 제어 출력 신호 단자이고 8번 핀은 라디에이터 릴레이(HI)의 고속용 제어 출력 신호 단자이며, 9번 핀은 라디에이터 릴레이(LO)의 저속용 출력 신호 단자이다.

[표3-1] 쿨링 유닛의 동작 조건표(예)

에어컨	서모 SW(90℃)	서모 SW(100℃)	라디에이터	압력 SW	콘덴서
ON	ON	ON	ON	고속	고속
	ON	OFF		고속	고속
	OFF	OFF		저속	고속
	ON	ON	OFF	고속	저속
	ON	OFF		고속	저속
	OFF	OFF		저속	저속
OFF	ON	ON	-	저속	저속
	ON	OFF		고속	저속
-	ON	ON	-	저속	-
	ON	OFF		고속	-

이와 같은 방식으로 주 변 회로를 보고 제어 장치 또는 구성 부품의 핀의 기능을 파악하고 제어 장치 또는 구성부품에 동작 조건을 가정하여 가며 회로를 판독하면 의외로 쉽게 회로 판독이 가능하다 설령 잘 모르는 제어 장치 또는 구성 부품이 회로 판독 중에 나타난다 하더라도 주변회로와 연결된 회로의 상태를 보고 제어 부품의 핀(pin) 기능을 파악 하여 나가면 의외로 전체 회로를 파악할 수 있는 경우가 많다. 따라서 회로를 판독하여 나가다 모르는 구성 부품이 있는 경우라도 회로 판독을 중간에서 포기해서는 안된다.

point

냉각회로 판독의 핵심 포인트

① 여러 개의 릴레이를 사용한 회로의 판독
- 첫번째 부하인 팬 모터부터 하나씩 회로를 판독하여 나간다.
- 두번째 릴레이의 접점부터 회로를 판독하여 나간다.
- 세번째 릴레이를 작동시키기 위한 동작 조건을 가정하여 릴레이의 코일측 회로를 판독하여 나간다.

② 팬 모터에 직렬로 연결된 저항의 경우는 모터의 회전 속을 저속으로 회전시키기 위한 일종의 전류 제한용 저항이다

③ 콘덴서 팬 모터와 라디에이터 팬 모터의 일반적인 고 · 저속 조건 :
- 저속시 : 에어컨 스위치 ON 상태, 라디에이터 서모 스위치 OFF 상태 일 때
- 고속시 : 에어컨 스위치 ON 상태, 라디에이터 서모 스위치 ON 상태일 때

④ 모르는 구성 부품이 있는 경우의 판독 :
- 먼저 회로 판독이 가능한 부문부터 회로 판독을 한다.
- 모르는 구성 부품의 경우는 주변 회로를 판독하여 봄으로써 구성 부품과 연결된 핀(pin)의 기능을 파악한다.
- 구성 부품이 동작 할 수 있는 조건을 가정하여 회로를 판독하여 본다.

⑤ 냉각 회로 점검의 핵심 포인트
- 전원을 단속하는 릴레이의 접점 및 코일측은 핵심 점검 포인트가 된다.

17. 에어컨 회로 판독

에어컨(air-con) 원리는 냉매 가스의 증발열을 이용해 주위의 열을 빼앗는 장치로 증발할 때 발생하는 기체의 냉매를 액화하기 위해 필요한 컴프레서(compressor)와 압축된 고온 고압의 냉매 가스를 쉽게 액화되도록 필요한 콘덴서(condenser), 그리고 액화된 냉매를

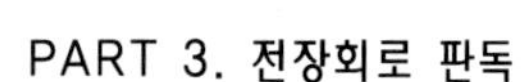

기화가 잘 되도록 이배퍼레이터(evaporator)의 구성 부품이 필요하다. 또한 이배퍼레이터(evaporator)에서 발생하는 증발열은 블로어 모터(blower motor)에 의해 실내로 불어내게 하는 블로어 장치로 구성 되어 있다. 따라서 에어컨 회로의 구성에는 그림 (3-25)와 같이 컴프레서(마그네틱 클러치)가 작동하기 위한 조건을 갖도록 여러 가지 구성 부품이 필요하게 된다.

그럼 그림(3-25)의 회로에 사용되는 구성 부품의 기능을 살펴보자.

컴프레서(compressor)의 마그네틱 클러치(magnetic clutch)는 엔진의 회전을 컴프레서의 회전 축과 연결하여 주는 전자석 클러치가 컴프레서에 일체화 되어 있고 냉매 가스 순환관의 고압측에 부착된 듀얼 스위치는 압력 스위치로 일정 압력 이상이 되면 컴프레서(compressor)의 과부하를 방지하기 위해 마그네틱 클러치의 공급 전원을 차단하는 기능을 가지고 있다. 이배퍼레이터(evaporator)에는 주위의 공기와 온도차에 의해 수증기가 빙결하는 현상을 방지하기 위한 서모 스위치(thermo switch)가 있다.

또한 실내로 풍량을 조절하도록 하는 블로어 스위치(blower switch)가 있으며, 블로어의 풍량 조절은 앞서 설명한 블로어 회로에 같이 블로어 모터의 회전 속도를 조절하여 풍량을 조절하도록 하는 레지스터(resistor) 또는 자동 에어컨 장치에 사용되는 파워 TR이 사용되고 있다. 이 회로의 판독은 먼저 블로어(blower) 회로부터 판독하여 보자 부하인 블로어 모터(blower motor)의 1번 핀과 연결된 배선은 분기되어 레지스터(resistor)와 블로워 스위치 6번 핀(HI)과 연결 되어 있는 것을 확인할 수 있다.

블로어 모터(blower motor) 2번 핀은 파워 릴레이(블로워 릴레이)의 접점과 연결되어 서브 퓨저블 링크(sub fusible link) 40A 퓨즈를 통해 공급되는 상시 전원 B의 전원으로 동작되는 것을 알 수가 있다. 블로어 모터의 구동은 블로어 스위치 6번 핀(HI)과 연결된 것으로 보아 블로어 스위치(blower switch)의 조작에 의해 블로어 모터가 회전하게 되는 것도 회로를 통해 알 수가 있다.

다음은 블로어 스위치의 회로를 살펴보면 블로어 스위치의 가동 접점은 어스(earth)와 연결되어 있어 블로어 스위치의 가동 접점이 이동에 따라 각 단(HI, MH, ML, LO)은 가동 접점을 통해 어스(earth)가 되는 것을 확인할 수 있고 특히 블로어 스위치(blower switch)의 2번 핀은 각 단마다 연동되어 가동 접점을 통해 어스(earth)가 되는 로터리 스위치(rotary switch) 임을 알 수 있다.

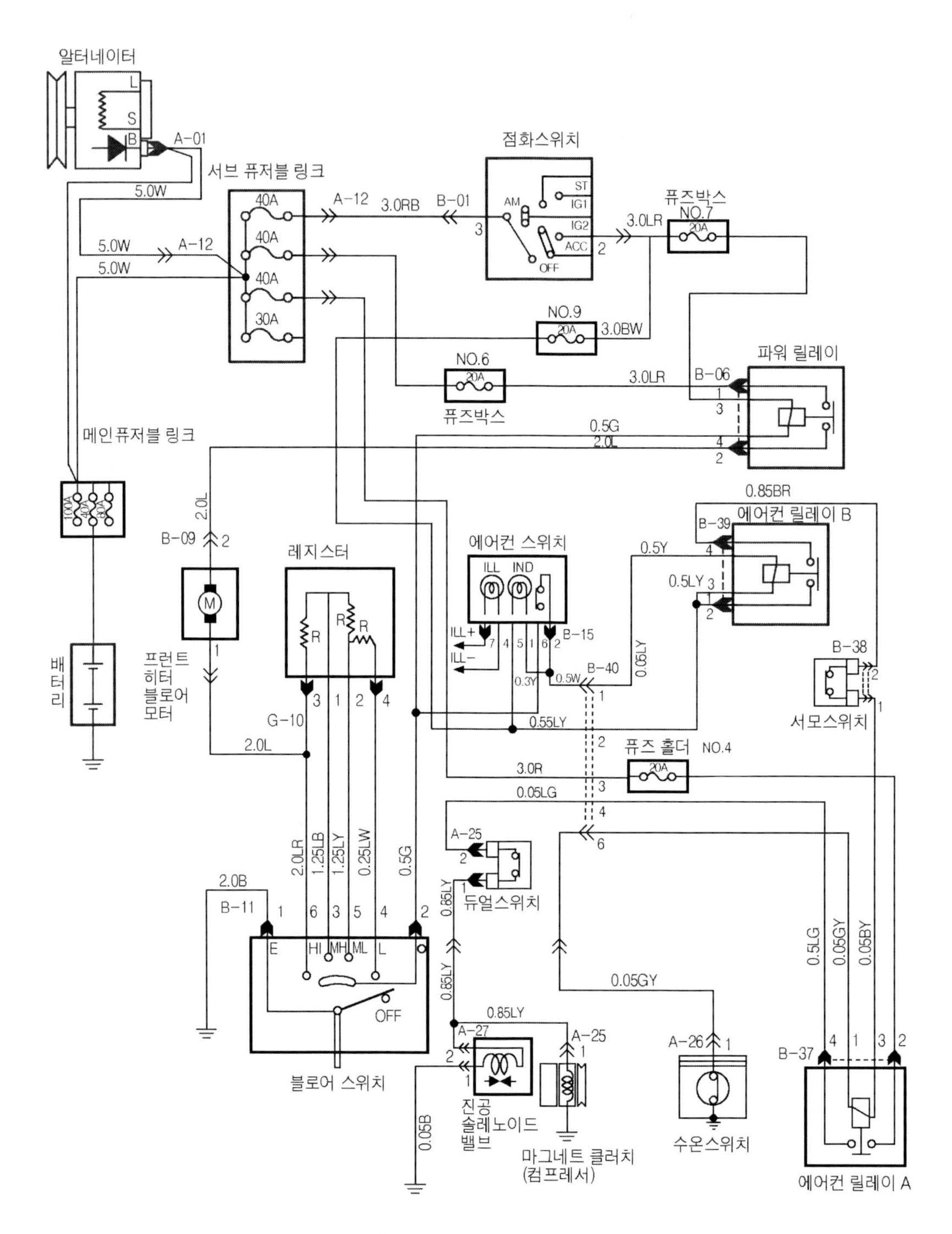
알터네이터
L
S
B
A-01
서브 퓨저블 링크
5.0W
40A
A-12
3.0RB
B-01
점화스위치
AM
ST
IG1
IG2
ACC
OFF
3
2
3.0LR
퓨즈박스
NO.7
20A
5.0W
A-12
40A
5.0W
40A
30A
NO.9
3.0BW
NO.6
3.0LR
B-06
파워 릴레이
퓨즈박스
0.5G
2.0L
메인퓨저블 링크
0.85BR
에어컨 릴레이 B
B-39
2.0L
B-09
레지스터
에어컨 스위치
ILL
IND
0.5Y
0.5LY
0.05LY
B-15
B-40
B-38
배터리
프런트 히터 블로어 모터
G-10
0.3Y
0.5W
0.55LY
서모스위치
2.0L
퓨즈 홀더
NO.4
3.0R
0.05LG
A-25
2.0LR
1.25LB
1.25LY
0.25LW
0.5G
2.0B
B-11
HI
MH
ML
E
L
OFF
0.85LY
듀얼스위치
0.05GY
0.5LG
0.05GY
0.05BY
0.85LY
A-27
A-25
A-26
B-37
블로어 스위치
진공 솔레노이드 밸브
마그네트 클러치 (컴프레서)
수온스위치
에어컨 릴레이 A
0.05B

그림3-25 에어컨 회로

예를 들어 블로어 스위치(blower switch)를 LO(저속)으로 선택하면 블로어 스위치의 가동 접점은 2번 핀과 4번 핀이 연결 되어 어스(earth)와 연결 된다는 것을 말한다. 따라서 블로어 스위치(blower switch)의 가동 접점이 2번 핀과 4번 핀(LO)이 연결되면 블로어 모터(blower motor) 2번 핀과 연결된 파워 릴레이(블로어 릴레이)의 접점으로부터 공급되는 상시 전원 B는 블로어 모터의 2번 핀에 공급하게 되고 1번 핀은 레지스터(resistor)의 3번 핀을 거쳐 4번으로 저항이 직렬로 연결되어 블로어 스위치의 4번 핀을 통해 가동 접점(어스와 연결된 접점)과 연결되게 된다. 여기서 파워 릴레이(블로어 릴레이)의 동작 조건을 살펴보기 위해 파워 릴레이(블로어 릴레이)의 코일 측을 보면 코일 측 3번 핀은 점화 스위치를 거쳐 공급되는 IGN 2 전원임을 확인 할 수 있다. 코일의 4번 핀은 블로어 스위치(blower switch)의 2번 핀과 연결 되어 있어 블로어 스위치의 선택에 따라 블로어 릴레이(blower relay)가 작동되는 것을 알 수 있다.

따라서 블로어 스위치를 LO(저속)으로 위치하면 블로어 모터는 저속으로 회전하게 되는 것이다. 다음은 에어컨(air-con) 회로를 판독하기 위해 에어컨(air-con)의 부하인 컴프레서(마그네틱 클러치)를 살펴보자. 마그네틱 클러치의 1번 핀은 듀얼 스위치(dual switch)와 연결되어 있고 듀얼 스위치(dual switch) 2번 핀은 에어컨 릴레이 A(air-con relay A)의 접점과 연결되어 있으며 에어컨 릴레이 A의 접점 2번 핀은 서브 퓨저블 링크(sub fusible link)의 40A 퓨즈로부터 공급되는 상시 전원 B가 공급 되어 있는 것을 확인 할 수 있다.

에어컨 릴레이 A(air-con relay A)의 동작 조건을 알기 위해 릴레이의 코일 측 연결 회로를 판독하여 보면 코일 측 1번 핀은 수온 스위치와 연결되어 있고 코일측 3번 핀은 서모 스위치(thermer switch)와 연결되어 있는 것을 확인 할 수 있다. 다시 서모 스위치 2번 핀은 에어컨 릴레이 B(air-con relay B)의 접점과 연결되어 접점의 2번 핀을 통해 이그니션 스위치(ignition switch)를 통해 공급되는 IGN 2 전원이 10A 퓨즈를 통해 공급되고 있는 것을 알 수가 있다. 이 회로에 사용된 에어컨 릴레이 A(air-con relay A)의 동작 조건은 수온 스위치가 ON 상태에 있어야 하고 서모 스위치가 ON 상태가 되어야 하며 에어컨 릴레이 B(air-con relay B)가 작동 중이어야 한다. 여기서 사용되는 수온 스위치는 (엔진의 냉각 수온의 온도를 감지하는 수온 스위치는) NC형(상폐 접점형) 수온 스위치 엔진의 온도가 일정 온도 이상 상승하지 않으면 상시 닫혀 있는 스위치를 사용한다. 이배퍼레이터

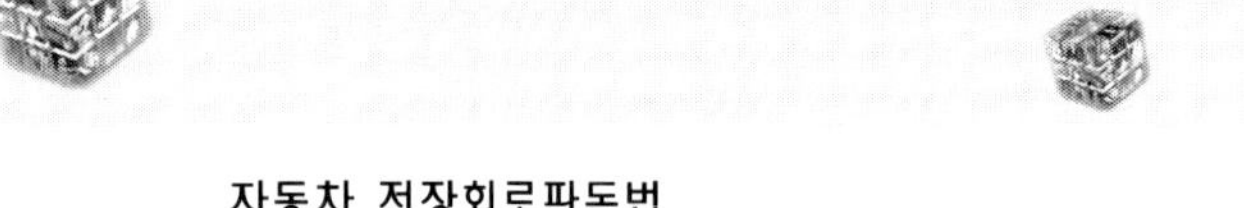

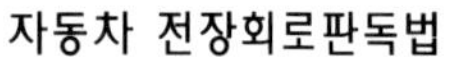

(evaporator)에 장착되는 서모 스위치는 이배퍼레이터(evaporator)의 빙결을 방지하기 위해 섭씨 약 4℃ 이하가 되면 서모 스위치는 OFF 상태가 되는 NC형(상폐 접점형) 서모 스위치를 사용하고 있다. 따라서 이 회로에서는 컴프레서의 마그네틱 클러치가 작동하기 위해서는 에어컨 릴레이 B(air-con relay B)가 작동하여야 하는데 에어컨 릴레이 B(air-con relay B)가 작동하기 위해서는 코일 1번 측으로 공급되고 있는 IGN 2 전원이 코일 3번 핀을 통해 어스(earth)로 연결되어 폐 회로가 구성되어야 한다. 따라서 에어컨 릴레이 B(air-con relay B)가 작동하기 위해서는 코일 3번 핀과 연결된 에어컨 스위치(air-con switch)가 ON 상태가 되어야 한다는 것을 회로를 통해 알 수가 있다.

즉 이 회로는 동작은 에어컨 스위치(air-con switch)를 ON시키면 에어컨 릴레이 B의 코일 측에 공급하고 있던 IGN 2전원은 에어컨 스위치(air-con switch)를 통해 블로어 스위치(blower switch)의 2번 핀을 통해 어스(earth) 회로가 구성되고 에어컨 릴레이 B(air-con relay B)는 작동하게 되며 에어컨 릴레이 B의 접점을 통해 공급되고 있던 전원은 서모 스위치(thermo switch)와 수온 스위치를 통해 에어컨 릴레이 A(air-con relay A)를 작동하게 하여 컴프레서(compressor)의 마그네틱 스위치에 전원을 공급하게 하는 회로이다. 결국 에어컨 회로를 정확히 판독하기 위해서는 에어컨의 냉매 순환 기본 원리를 이해하지 못하면 정확한 회로 판독을 할 수 없게 되므로 시스템에 대한 기본 원리를 이해하고 회로 판독에 접근하여야 함을 알 수 있다.

이와 같이 회로를 판독하기 위해서는 시스템(system)의 동작 조건은 물론 그 시스템의 내용을 알지 못하면 전기적인 지식만으로 전장 회로를 정확히 판독 할 수 없는 것이 메커트로닉스(mechatronics)가 갖고 있는 특징이라고 말 할 수 있다. 또한 이와 같은 회로에서 에어컨 릴레이 B(air-con relay B)가 작동하기 위해서는 에어컨 스위치와 블로어 스위치가 같이 ON상태가 되어야 하며 회로상으로 보아도 에어컨 스위치와 블로어 스위치 중에 하나라도 OFF 되면 컴프레서의 마그네틱 클러치에 전원 공급이 되지 않기 때문에 에어컨 릴레이 B(air-con relay B)의 코일측 3번 핀은 중요한 점검 포인트가 된다. 에어컨 릴레이 A(air-con relay A)의 접점을 통해 공급되는 2번 핀은 컴프레서(compressor)의 마그네틱 클러치의 전원 공급 라인이 되므로 중요한 점검 포인트가 된다. 회로를 판독하는 것은 회로의 전기적인 동작 흐름을 파악하기 위한 목적도 있지만 회로의 정확한 판독은 진단 기술의 첩경이기도 하다.

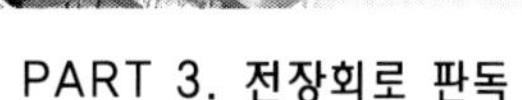

point

에어컨 회로판독의 핵심포인트

① **에어컨 회로 판독 조건**
- 에어컨의 냉매 순환 사이클 원리를 이해하라
- 에어컨에 사용되는 구성 부품의 기능을 이해하고 부하인 컴프레서의 마그네틱 클러치부터 하나씩 판독하여 나아간다.
- 엔진 ECU 및 에어컨 ECU의 제어 조건을 파악하라
- 에어컨 스위치의 조작 조건을 파악하라

② 부하인 컴프레서의 마그네틱 클러치부터 판독하여 나간다.
- 에어컨 릴레이는 접점 측부터 판독하고
- 에어컨 릴레이의 작동 조건을 판독하기 위해 릴레이의 코일측에 작동 조건을 가정하여 판독하여 나간다.

③ **에어컨 회로 점검의 핵심 포인트**

※ 에어컨 릴레이 A가 작동하기 위한 조건은 에어컨 스위치 및 블로어 스위치가 ON 상태가 되어야 하므로 에어컨 릴레이 A의 코일측과 같은 포인트는 중요한 점검 포인트가 된다.

18. 오디오 회로 판독

그림 (3-26)의 오디오 회로의 구성을 살펴보자. 오디오 (audio)기기에 전원을 공급하는 전원 회로, 음성 신호를 변환하는 스피커(speaker) 및 라디오(radio)의 수신 감도를 향상하기 위한 안테나 모듈(antenna module)로 구성 되어 있는 기본적인 오디오 회로이다. 이 회로의 경우에도 동일한 방법으로 부하인 스피커(speaker) 회로부터 판독하면 앞측의 좌, 우측 스피커(speaker)와 뒤측의 좌, 우측 스피커(speaker)만 오디오 기기에 연결되어 있어 회로를 판독 한다는 것은 별로 의미가 없다.

따라서 그림 (3-26)과 같은 오디오 회로 판독은 오디오 본체부터 판독하는 것이 좋다. 오디오(audio) 본체의 판독은 전원 공급선부터 판독하고 그 밖에 주변 회로를 판독하여 나가면 좋다. 여기서 오디오(audio) 본체의 커넥터 핀 설명서를 가지고 있으면 훨씬 효과적으로 회로를 판독 할 수가 있다. 그림 (3-26)의 회로에서 먼저 전원 공급선을 확인하면 오디오(audio) 본체의 11번 핀 단자는 서브 퓨저블 링크로부터 10A의 퓨즈를 통해 공급되는 상시 전원 B의 공급 전원 핀이 있고 10번 핀은 점화 스위치를 통해 10A의 퓨즈를 거쳐 공

급되는 ACC 전원이 있다.

여기서 상시 전원 B의 기능은 오디오(audio) 본체의 백-업(back up) 기능의 전원으로 사용되며 ACC 전원은 오디오(audio) 본체의 전원으로 사용된다.

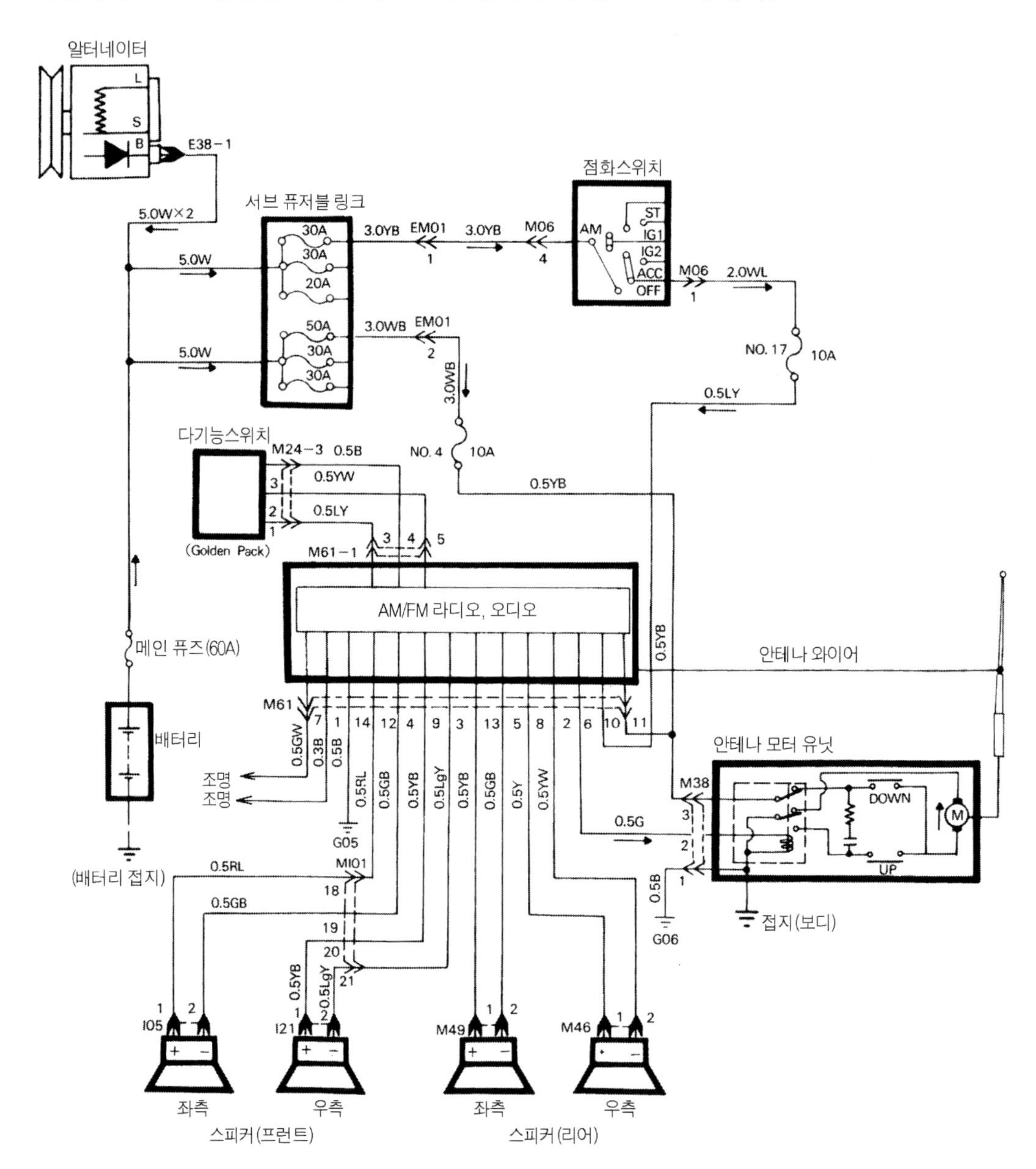

그림3-26 오디오 회로

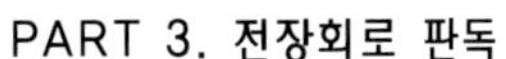

1번 핀과 7번 핀은 레오스타트와 연결되어 오디오의 스몰 램프(small lamp)의 조명을 조절하는 핀으로 사용되며 6번 핀은 오디오 전원 ON시 안테나(antenna)를 작동하기 위한 출력 핀으로 사용되는 것을 알 수 있다. 또한 3번, 4번 , 5번 핀과 연결된 다기능 스위치는 스위치 조작이 쉽도록 하기 위해 스티어링(steering)에서 전원 조작 및 볼륨 조작을 하기 위한 스위치(switch) 모듈이다.

point

오디오회로 판독의 핵심 포인트

① 오디오 본체의 핀(단자) 기능 설명서를 참조하라
- 오디오 본체의 핀(단자) 기능 설명서가 없는 경우에는 오디오 본체와 연결된 전원 회로부터 하나씩 판독하여 나가라
- 오디오 본체의 전원 회로 : 상시 전원(시계 및 벡-업용 전원), ACC 전원(오디오 본체의 공급 전원)
- 테일 램프 스위치 입력 신호 : 미등 스위치의 입력 신호에 의한 오디오 조명

② **오디오 회로 점검의 핵심 포인트**

※ 오디오의 본체는 전원 공급에 의해 작동되므로 오디오에 공급되는 상시 전원과 ACC 전원 공급 단자는 중요한 점검 포인트가 된다.

19. 계기회로 판독

그림 (3-27)의 계기 회로의 구성을 살펴보자. 계기판(태코미터, 전압, 오일 압력 게이지 및 연료 미터, 온도 미터, 각동 경고등)과 계기판의 구동을 위한 전원 공급 회로, 계기판의 지침을 가동케 하는 각종 입력 센서로 구성되어 있는 회로이다. 이러한 회로의 판독도 그림 (3-26)의 오디오 회로와 마찬가지로 구동원이 바로 부하가 되므로 계기판 회로부터 판독하는 것이 좋다. 먼저 계기판의 전원 회로를 판독하면 계기판의 1번 핀은 서브 퓨저블 링크(sub fusible link)를 거쳐 점화 스위치를 통해 IGN 1 전원이 공급되고 있는 것을 알 수가 있다. 이 전원은 계기판 내의 엔진 점검등, 태코미터, 전압 게이지, 오일 압력 게이지, 연료 게이지 및 온도 미터 등의 계기판 전체에 전원을 공급하고 있는 것을 확인 할 수 있다. 한편 8번 핀은 G08의 어스(earth) 포인트와 연결되어 계기판 내의 전체 어스(earth) 단자로 이용되고 있는 것을 확인할 수 있다.

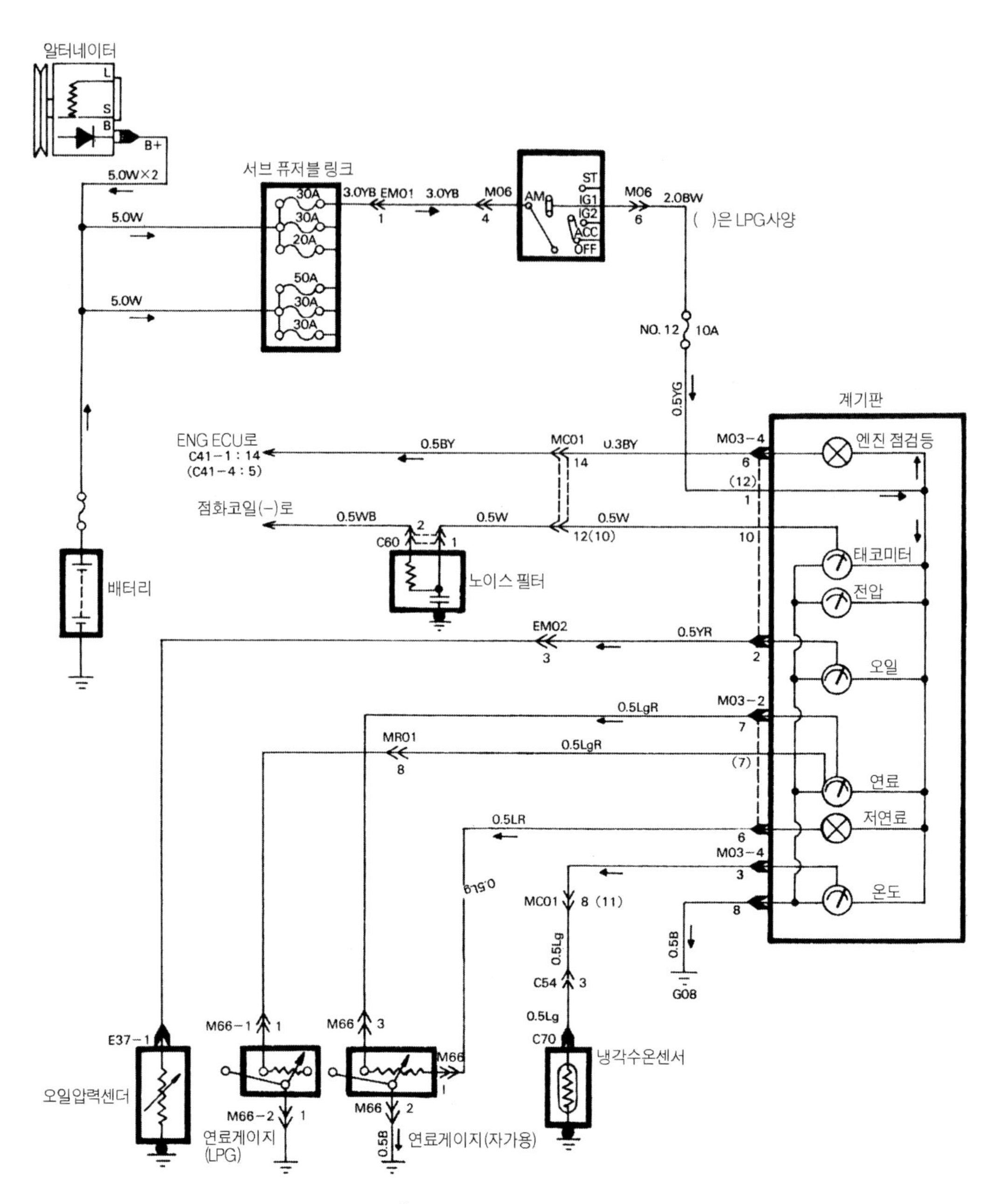

그림3-27 계기 회로

계기판의 10번 핀은 점화 1차 코일로부터 노이즈 필터(noise filter)를 통해 태코미터의 입력측으로 연결되어 있는 것을 확인 할 수 있어 엔진 회전시 태코미터(tacho meter)가 작동되는 회로임을 알 수가 있다. 계기판 2번 핀은 오일 압력 센더인 가변 저항(압력에 의한

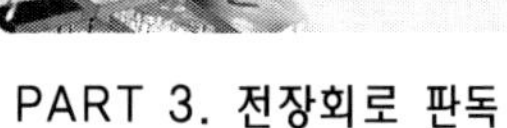

저항 변화)이 연결되어 있어 엔진 회전중 기관내의 오일 압력을 지시하는 회로임을 알 수가 있다. 계기판 7번 핀은 연료 게이지의 연료 레벨 센더의 가변 저항(연료의 량에 따라 저항이 변화 하는 저항)이 연결되어 있어 점화 스위치가 IGN ON 상태에서 작동 되는 회로임을 알 수가 있다. 계기판(7) 핀은 LPG 차량의 연료 레벨 센더의 입력 신호용으로 동작은 가솔린 연료 레벨 센더와 동일하다. 계기판의 2번 핀에 연결된 냉각 수온 센서는 반도체형 서미스터(thermistor) 센서로 온도에 따라 저항값이 변화하는 것을 이용하여 엔진의 냉각수온을 나타내는 회로임을 알 수가 있다.

point

계기회로 판독의 핵심 포인트

① 계기판의 입력되는 신호 : 공급 전원 과 계기판의 지침을 가동하는 입력 신호이므로 전원 공급 회로부터 판독하는 것이 좋다.

※ 센서 신호
디지털 신호 : 속도 메터, 태코미터
아날로그 신호 : 연료 게이지, 온도 게이지, 전압 게이지

② 계기판 회로 점검의 핵심 포인트
- 계기판의 작동은 공급 전원 과 신호에 의해 작동되므로 전원과 센서 신호가 중요한 점검 포인트가 된다.

[표3-2] 전장 회로에 사용되는 부품의 기능

부품명	부품의 기능
점화스위치	ST 위치에서는 IGN 1과 연결되고 IGN ON시에는 IGN 1 과 IGN 2 및 ACC의 접점이 연결되는 로터리 형식의 스위치
미등 릴레이	릴레이의 접점을 통해 미등의 상시 전원을 공급하는 릴레이
전조등 릴레이	릴레이의 접점을 통해 전조등의 상시 전원을 공급하는 릴레이
플래셔 유닛	일명 깜박이라 불리우는 유닛으로 방향 지시등의 전원을 단속하는 유닛이다.
스타트 릴레이	릴레이의 접점을 통해 스타트 모터의 S-단자(솔레노이드 코일)에 전원을 공급하는 릴레이
도난 방지 릴레이	경계 상태로 돌입하면 도난 경보 릴레이의 접점을 차단하여 스타트 릴레이의 코일에 공급되는 전원을 차단하는 릴레이

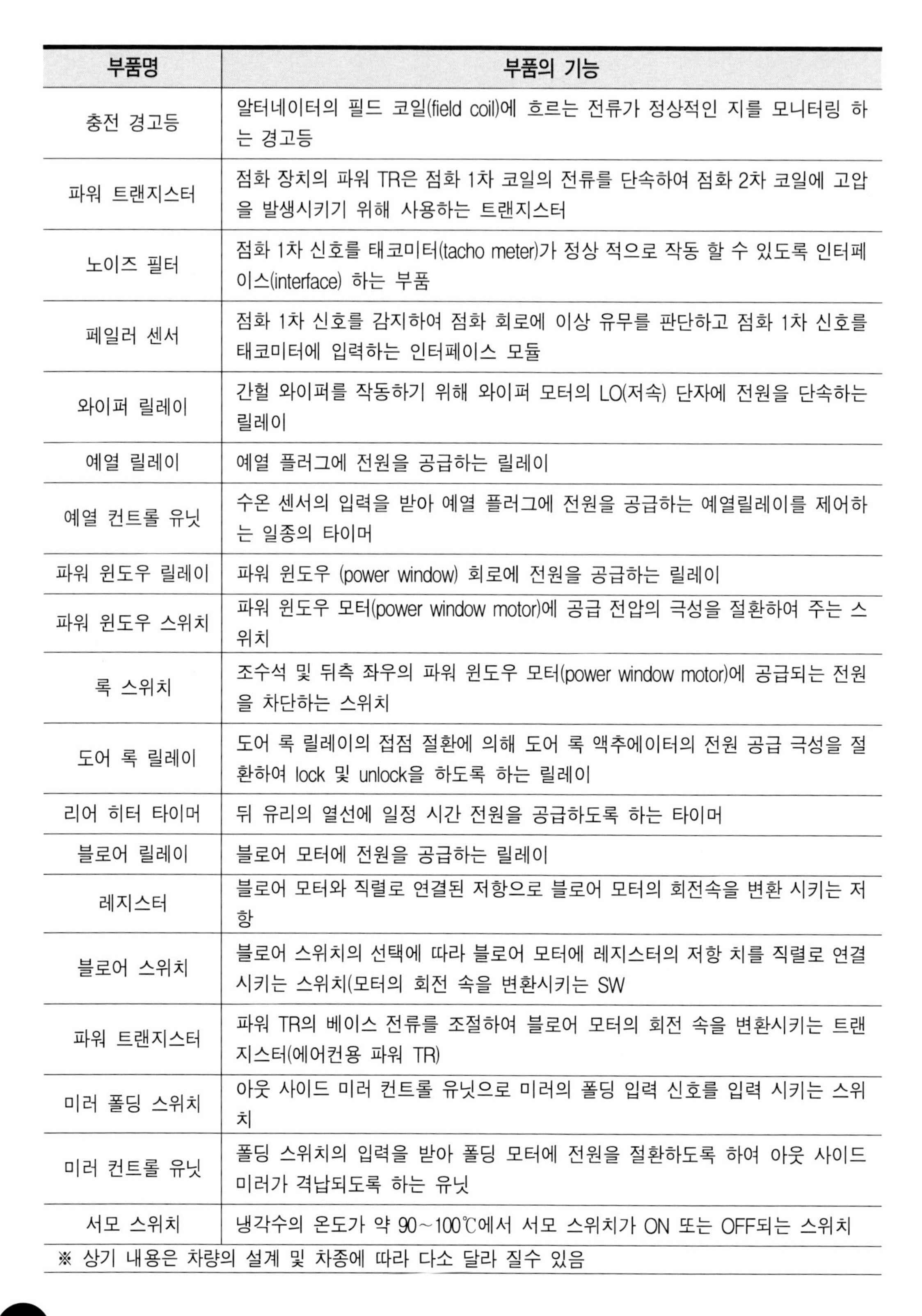

부품명	부품의 기능
충전 경고등	알터네이터의 필드 코일(field coil)에 흐르는 전류가 정상적인 지를 모니터링 하는 경고등
파워 트랜지스터	점화 장치의 파워 TR은 점화 1차 코일의 전류를 단속하여 점화 2차 코일에 고압을 발생시키기 위해 사용하는 트랜지스터
노이즈 필터	점화 1차 신호를 태코미터(tacho meter)가 정상 적으로 작동 할 수 있도록 인터페이스(interface) 하는 부품
페일러 센서	점화 1차 신호를 감지하여 점화 회로에 이상 유무를 판단하고 점화 1차 신호를 태코미터에 입력하는 인터페이스 모듈
와이퍼 릴레이	간헐 와이퍼를 작동하기 위해 와이퍼 모터의 LO(저속) 단자에 전원을 단속하는 릴레이
예열 릴레이	예열 플러그에 전원을 공급하는 릴레이
예열 컨트롤 유닛	수온 센서의 입력을 받아 예열 플러그에 전원을 공급하는 예열릴레이를 제어하는 일종의 타이머
파워 윈도우 릴레이	파워 윈도우 (power window) 회로에 전원을 공급하는 릴레이
파워 윈도우 스위치	파워 윈도우 모터(power window motor)에 공급 전압의 극성을 절환하여 주는 스위치
록 스위치	조수석 및 뒤측 좌우의 파워 윈도우 모터(power window motor)에 공급되는 전원을 차단하는 스위치
도어 록 릴레이	도어 록 릴레이의 접점 절환에 의해 도어 록 액추에이터의 전원 공급 극성을 절환하여 lock 및 unlock을 하도록 하는 릴레이
리어 히터 타이머	뒤 유리의 열선에 일정 시간 전원을 공급하도록 하는 타이머
블로어 릴레이	블로어 모터에 전원을 공급하는 릴레이
레지스터	블로어 모터와 직렬로 연결된 저항으로 블로어 모터의 회전속을 변환 시키는 저항
블로어 스위치	블로어 스위치의 선택에 따라 블로어 모터에 레지스터의 저항 치를 직렬로 연결시키는 스위치(모터의 회전 속을 변환시키는 SW
파워 트랜지스터	파워 TR의 베이스 전류를 조절하여 블로어 모터의 회전 속을 변환시키는 트랜지스터(에어컨용 파워 TR)
미러 폴딩 스위치	아웃 사이드 미러 컨트롤 유닛으로 미러의 폴딩 입력 신호를 입력 시키는 스위치
미러 컨트롤 유닛	폴딩 스위치의 입력을 받아 폴딩 모터에 전원을 절환하도록 하여 아웃 사이드 미러가 격납되도록 하는 유닛
서모 스위치	냉각수의 온도가 약 90~100℃에서 서모 스위치가 ON 또는 OFF되는 스위치

※ 상기 내용은 차량의 설계 및 차종에 따라 다소 달라 질수 있음

부품명	부품의 기능
에어컨 압력 SW-	에어컨의 냉매 순환관의 고압측 또는 컴프레서에 장착되어 순환관이 일정 압력 이상시 ON 또는 OFF되는 스위치
레지스터	회로의 냉각 팬에 부착되어 있는 경우에는 냉각 팬 모터와 직렬로 연결되어 모터의 회전 속을 감소시키는 구성 부품이다
에어컨 릴레이	컴프레서의 마그네틱 클러치에 전원을 공급하기 위해 사용되는 릴레이
쿨링 유닛	라디에이터 팬 및 콘덴서 팬 모터의 전원 공급을 제어하는 유닛
마그네틱 클러치	에어컨의 컴프레서에 사용되는 마그네틱 클러치는 엔진의 회전을 컴프레서의 회전축에 연결하여 주는 전자석 클러치
서모 스위치	이배퍼레이터에 사용되는 서모 스위치는 이배퍼레이터의 빙결을 방지하기 위해 약 4℃ 이하 이면 차단시키는 온도 감응 스위치
레오스타트	가변 저항의 조절을 통해 전류를 제어하여 실내 조명등의 밝기를 조절하는 유닛

※ 상기 내용은 차량의 설계 및 차종에 따라 다소 달라질 수 있음

1. 회로의 판독 요령(Ⅲ)

(1) 전원 회로 판독

① 전원 공급원을 분류하라(상시 전원, ACC 전원, IGN 전원)

② 공급 전원의 퓨즈를 판독하라(엔진룸 정션 박스, 실내 퓨즈 박스)

(2) 릴레이 회로 판독

① 릴레이의 접점부터 판독하라

② T-접점 릴레이의 경우에는 가동 접점을 기준으로 판독하라

③ 릴레이의 작동 조건을 파악하기 위해 릴레이의 코일 측에 릴레이의 작동 조건을 가정하여 회로를 판독하여 나가라

(3) 스위치 회로 판독

① 스위치의 접점 형태를 분류하라

- A 접점 스위치(NO 접점 스위치), B 접점 스위치(NC 접점 스위치), T 접점
- 다 접점 스위치 : single pole five through(가동 접점 하나에 5개의 고정 접점)

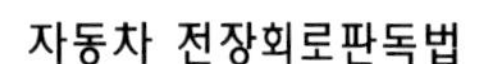

- 다 접점 스위치가 2개 이상 연동되서 작동하는 스위치는 가동 접점에 점선으로 연동되고 있는 스위치를 나타내고 있다
- 다 기능 스위치 : 선택된 기능을 하나씩 판독하여 나가라

※ 2개 이상 연동되서 작동하는 스위치 : 점선으로 연동되고 있는 것을 표시 한다

(4) 시스템 회로 판독

① 동작하는 부하부터 판독하라.

② 전원 공급원을 분류하라(상시 전원, ACC 전원, IGN 전원).

③ 릴레이는 접점부터 판독하라.

④ 구성 부품의 기능을 숙지하라.

⑤ 자동차에 사용되는 스위치의 종류별 접점의 종류를 파악하고 있어라.

⑥ 시스템의 구성 부품은 전원 과 어스부터 판독하라.

⑦ 시스템의 구성 부품의 핀 설명서를 참고하라.

⑧ 시스템의 구성 부품의 핀 설명서를 없는 경우에는 전원부터 하나씩 판독하라.

⑨ 메커트로닉스의 회로 판독은 시스템의 기본적인 동작원리를 이해하고 회로 판독에 접근하라.

⑩ 회로를 판독하기 전에 작동 조건을 미리 파악하는 것이 좋다.

⑪ 시스템의 제어 조건을 파악하라.

04
전자회로 기초

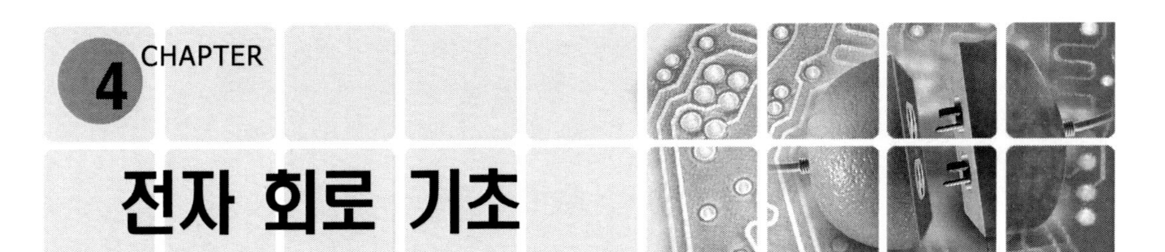

4 CHAPTER 전자 회로 기초

전자회로의 기호와 부호

지금까지 설명한 전장 회로는 저항, 코일, 콘덴서와 같은 수동 소자(passive elements)로 구성된 전기 회로를 중심으로 회로를 판독하는 방법에 대해 기술하여 왔다. 이 장에서는 다이오드(diode), 트랜지스터(transistor), IC(Integrated Circuit)와 같은 능동 소자(active elements)로 구성된 전자 회로의 기초적인 내용을 습득하여 전장 부품에 적용되는 전자 회로를 판독하는 과정을 설명하도록 하겠다. 전자 회로를 판독하기 위해서는 먼저 표(4-1)과 같이 전자 회로에 표기되는 기호 및 부호를 숙지하고 있어야 한다.

표 (4-1)에 나타낸 전자 회로에 사용되는 부호의 숙지는 전자 공학을 전문으로 하는 사람이 아니라면 굳이 모두 기호 및 부호를 숙지 할 필요는 없겠지만 자동차 전장회로에 자주 등장하는 다이오드(diode)나 제너 다이오드(zener diode), 발광 다이오드(LED), 포터 다이오드(photo diode), 트랜지스터(transistor), 연산 증폭기(OP-AMP), 서미스터(thermistor), 광도전 셀(cell), 논리 게이트와 같은 부호 정도는 숙지하고 있어야 한다. 또한 전자 회로를 판독하기 위해서는 이들 소자에 대한 기능 및 동작 원리를 이해하고 있어야 회로판독이 가능하다.

따라서 전자 회로를 처음 접근하는 분이라면 먼저 이들 부품(소자)의 명칭이 친숙해 지도록 관심을 갖고 노력하는 것이 중요하다. 전자 분야에 전문가라면 전자 부품에 대한 특성까지도 알고 있어야 하겠지만 여기서는 전자 부품에 대한 특성에 대한 설명은 제외하도록 하겠다. 전자 회로에 사용 되는 부품의 제조 물질은 반도체를 이용한 것으로 반도체에 대한 지식이 어느 정도 필요하지만 여기서는 전자 부품(소자)의 기본적인 원리를 통해 회로를 해석하는 방법을 소개 하므로 누구나 쉽게 회로 판독을 할 수 있도록 노력하였다.

[표4-1] 전자회로의 기호와 부호

명 칭	기 호	심 볼	명 칭	기 호	심 볼
다이오드	D		광전자 소자	CdS	CdS
제너다이오드	ZD		서미스터		th
발광다이오드	LED		크리스털	X-TAL	
포토 다이오드	Ph D		증폭기	AMP	
포토 트랜지스터	Ph TR		연산 증폭기	OP AMP	− +
NPN 트랜지스터	TR		A/D 컨버터	A/D	A/D
PNP 트랜지스터	TR		D/A 컨버터	D/C	D/A
SCR	SCR	G	마이컴(CPU)	μ-COM	CPU
바렉터 다이오드			논리 AND	AMD	
터널 다이오드			논리 OR	OR	
다이악			논리 NAND	NAND	
N-JFET			논리 NOR	NOR	
P-JFET			인버터	not	
N-MOSFET			동축 케이블		
P-MOSFET					

혹시 이해가 되지 않는 경우에는 기본 지식에 의한 것으로 생각이 되므로 반복하여 용어 및 부호에 친숙해 질 수 있도록 하고 이에 대한 동작 원리를 이해하기 위해 평소라도 자주 전자 회로를 접하는 노력이 필요하다.

★ 전자 회로의 판독 조건

① 전장 회로에 자주 나오는 기호 및 부호를 숙지하다.
- 소자의 명칭 및 부호에 친숙해 지도록 전자 회로를 자주 접하라.
- 최소한 소자가 갖고 있는 기능을 습득하라

② 전자 회로를 판독하기 위해 최소한 소자가 갖고 있는 기능을 습득하라
- 전자 부품(소자)의 리드(lead)의 명칭을 습득하라
- 전자 부품(소자)의 기본적인 동작 원리를 이해하라

[표4-2] 전자회로에 사용되는 소자의 기능

부품명	부품의 기능
다이오드	한 쪽 방향으로만 전류가 흐르는 특성을 이용해 정류 작용 및 회로의 역류 방지 등에 사용하는 소자
제너다이오드	역 방향으로 일정 전압이상 전압을 가하면 일순간 전류가 급격히 증가하는 현상을 이용해 정전압 회로 등에 이용하는 소자
발광 다이오드	순 방향으로 전류를 흘리면 에너지 준위가 변화하여(광전자가 발생하여) 빛을 발생하는 다이오드로 표시 장치 등에 이용하는 소자
포토 다이오드	포토 다이오드에 빛을 조사하면 역방향으로 광전류가 흘러 빛을 검출하는 장치에 사용하는 소자
트랜지스터	베이스의 전류량에 따라 컬렉터에 흐르는 전류량 증가하는 것을 이용해 스위칭 소자, 증폭용 소자 등으로 이용하고 있다.
다링톤 트랜지스터	전류 증폭율 증가시키기 위해 2개의 트랜지스터를 병렬로 연결한 트랜지스터로 주로 드라이브 소자로 이용하고 있다
전계 효과 TR	전류의 흐름을 전계에 의해 제어하는 소자로 고주파 증폭기 및저잡음 증폭기 등으로 사용되는 소자이다
포토 트랜지스터	포터 다이오드에 트랜지스터를 결합한 소자로 빛을 검출하는데 사용하는 소자이다.
SCR	게이트에 트리거 펄스를 가해 한 쪽 방향으로 흐르는 전류를 단속하는 소자로 주로 대전류 제어 회로에 사용하는 소자이다.

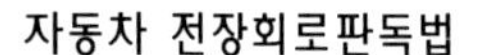

부품명	부품의 기능
서미스터	온도에 따라 저항값이 변화하는 것을 이용한 소자로 온도가 증가하면 저항값이 감소하는 NTC형 서미스터가 많이 사용되고 있다.
광도전 셀	빛을 조사하면 저항 값이 변화하는 반도체 소자로 빛을 검출하는데 사용하는 소자이다
OP-AMP	2개의 입력을 가진 소자로(2개의 입력차를 증폭하여 출력하는 소자로) 비교기, 가산기, 미분기, 펄스 발생기 등으로 사용된다.
A/D 컨버터	아날로그 신호를 디지털 신호로 변환하는 부품
RAM	플립-플롭의 회로를 이용해 1 및 0의 값을 전기적으로 일시 기억하는 소자로 전원을 제거하면 기억 내용이 지워진다.
ROM	플립-플롭의 회로를 이용해 1 및 0의 값을 전기적으로 영구 기억하는 소자로 전원을 제거하여도 기억 내용이 지워지지 않는다.
CPU	전기적으로 1 및 0의 값을 단위 바이트로 연산하는 소자

2. 다이오드 회로의 판독

다이오드(diode)는 그림 (4-1)과 같이 2개의 극성(애노드, 캐소드)을 가지고 있는 전자 부품으로 한 쪽 방향으로만 전류가 흐르는 특성을 이용해 회로의 역류 방지용으로 이용하거나 AC(교류)를 DC(직류)로 변환하는 정류 회로에 이용되며 또한 릴레이(relay)의 코일 측에서 발생하는 서지 전압을 바이 패스(by pass) 하기 위해 릴레이(relay)의 코일과 병렬로 연결하여 사용하기도 한다. 뿐만 아니라 다이오드(diode)는 다이오드의 특성을 이용해 회로의 안정을 확보하기 위한 보상 회로에 이용되기도 하며 파형(wave)의 정형회로에 이용되기도 한다.

다이오드(diode)의 기본적인 기능은 그림 (4-1)의 (a)와 같이 전구에 다이오드(diode)를 직렬로 연결하고 다이오드의 애노드(양극) 측에 배터리의 +전압을 인가하였을 때 전류는 다이오드의 애노드(양극)를 거쳐 전구로 흐르게 되어 전구는 점등하게 된다. 이와 같이 다이오드를 통해 전류가 흐르도록 공급하는 전압 극성을 순방향 전압이라 한다. 반대로 그림 (4-1)의 (b)와 같이 다이오드의 캐소드(음극)에 배터리의 −전압을 인가하였을 때 전류가 다이오드(diode)를 통해 흐르지 못하게 돼 전구는 소등하게 된다.

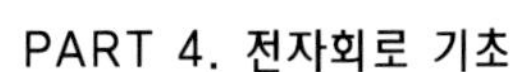

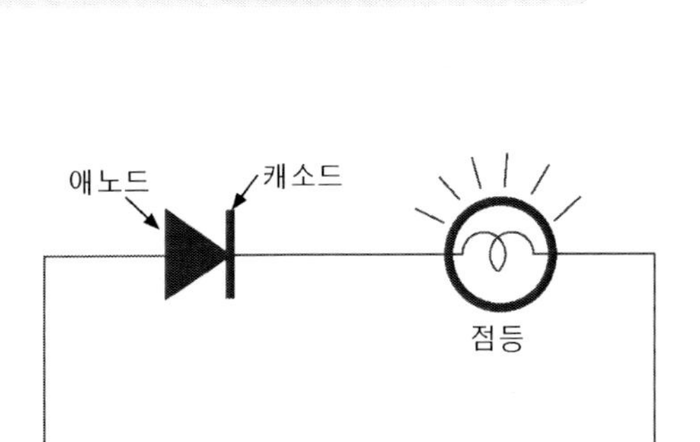

배터리의 +전압이 다이오드의 애노드(양극)를 통해 전류가 흘러 전구가 점등되는 다이오드의 순방향 전압 상태

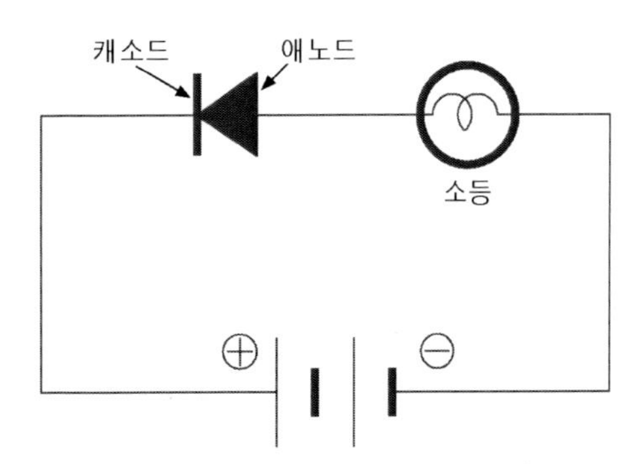

배터리의 +전압이 다이오드의 캐소드(음극)에 가해져 전류가 흐르지 못하고 전구가 소등되는 다이오드의 역방향 전압 상태

그림4-1 다이오드의 기본 기능

이와 같이 다이오드를 통해 전류가 흐르지 못하게 공급한 전압극성을 역방향 전압이라 한다. 결국 다이오드의 기본 기능은 다이오드에 순방향 전압을 걸때 전류가 흐르는 성질과 과 역방향 전압을 걸때 전류가 흐르지 못하는 성질을 이용해 회로에 활용하는 것으로 다이오드(diode)의 대표적인 회로를 예를 들면 정류 회로를 들 수 있다.

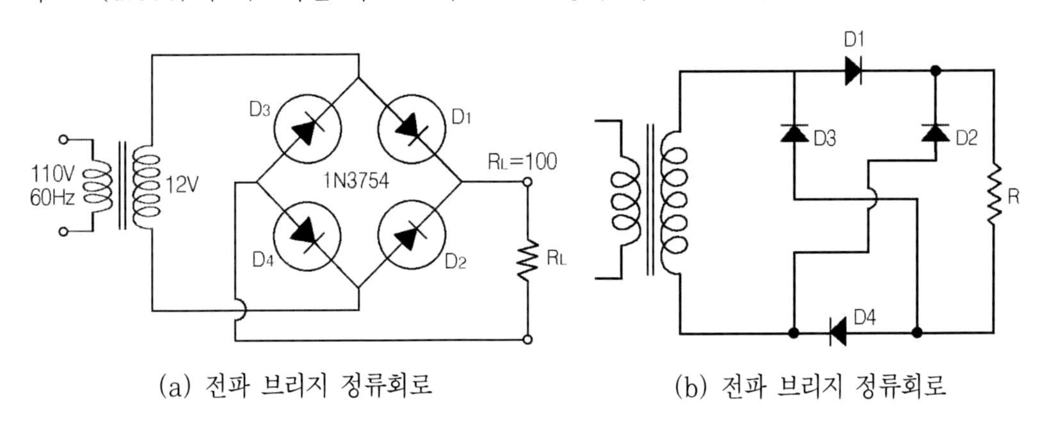

(a) 전파 브리지 정류회로

(b) 전파 브리지 정류회로

그림4-2 전파 정류 회로

그림 (4-2)의 (a)의 회로는 4개의 다이오드(diode)를 이용해 AC(교류) 입력 신호를 DC(직류)의 출력 신호로 변환하는 회로로 현재에도 가장 널리 사용되는 브리지형 전파 정류 회로이다.

그림 (4-2)의 (a)에 전파 브리지 정류 회로를 판독하기 위해서 보기 쉽게 그려 놓은 그림이 (4-2)의 (b)의 그림이다. 이 회로는 다이오드의 애노드(양극)에 +전압을 가했을 때 전류가 흐르는 다이오드 성질을 이용한 대표적이 정류 회로이다.

그림 (4-3)의 (a)회로에서 트랜스(변압기)의 1차 코일에 교류 110V를 가했을 때 2차 코일에는 교류 12V의 정현파(사인파) 교류가 출력되는 트랜스(변압기)이다. 2차 코일에서 출력되는 정현파의 +측 전압은 다이오드에 순방향 전압이 되어 D1 다이오드를 통해 저항 R를 거쳐 전류가 흐르게 된다. 이때 저항 R측에는 정현파의 + 반주기가 출력되게 되며 저항 R을 통해 흐른 전류는 다이오드 D4로 흐르게 된다.

다음은 그림 4-3의 (b)의 회로에서 정현파의 −반주기는 D1 다이오드에는 역방향 전압이 되어 흐르지 못하게 되고 D2 다이오드를 통해 저항 R로 전류가 흐르게 된다. 이때 저항 R측에는 −반주기 동안 다이오드 D2를 통해 전류가 흐르게 되어 저항 R측에는 +반주기가 나타나게 된다. 저항 R를 통해 −반주기 동안 흐른 전류는 다이오드 D3를 통해 흐르게 된다. 이와 같이 정현파(사인파)는 반복하여 저항 R에 나타나는 파형은 그림 (b)의 상측에 나타낸 +반주기만 나타나게 돼 마치 DC(직류)와 흡사하다 하여 다이오드는 정류 작용을 하는 소자라는 기능을 갖게 된 것이다. 즉 다이오드를 이용한 정류 작용은 다이오드의 한쪽 방향으로만 전류가 흐르는 성질을 이용한 것이다.

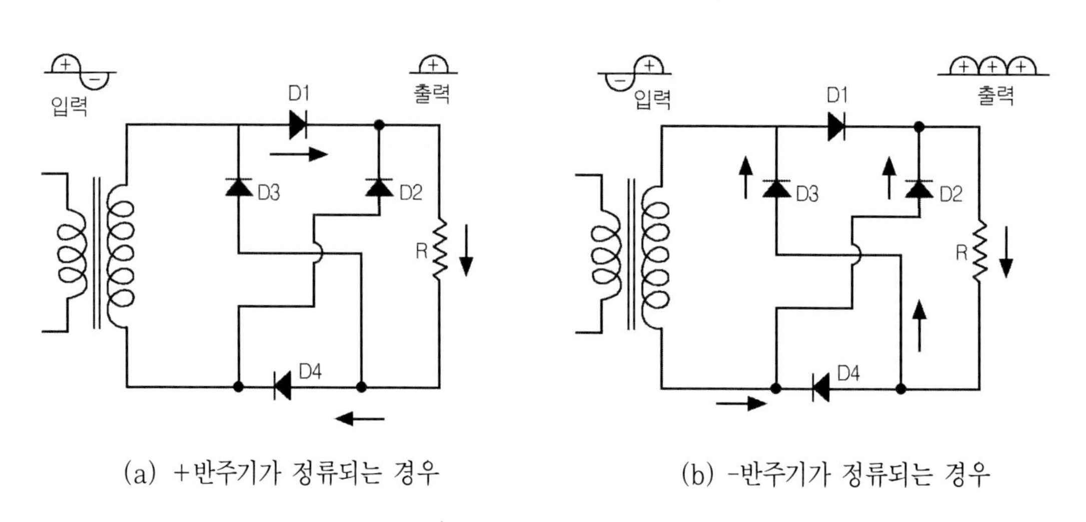

(a) +반주기가 정류되는 경우

(b) -반주기가 정류되는 경우

그림4-3 전파 정류회로의 전류 방향

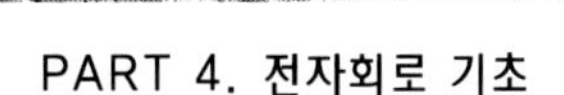

또한 다이오드는 그림(4-4)와 같은 전장회로의 릴레이(relay) 코일 양단에 병렬로 연결한 것을 자주 볼 수 있는데 이것은 코일측에서 발생하는 역기전력(서지 전압)을 바이패스(by pass)하기 위한 용도로 사용하기도 한다.

이것은 릴레이(relay)의 코일측에 전원을 차단 할 때 코일측에는 높은 역기전력이 발생하기 때문인데 이 역기전력은 코일측에 가해진 전압과 극성이 반대로 발생되어 다이오드(diode)의 애노드(양극)에서 캐소드(음극)로 역기전력 전류가 흐르도록 하기 위함이다. 코일측에서 발생한 이 역기전력은 회로를 통해 전자 구성 부품에 영향을 줄 수 있는 높은 전압이므로 주변 회로를 보호하기 위해 바이 패스(by pass)시키고 있다.

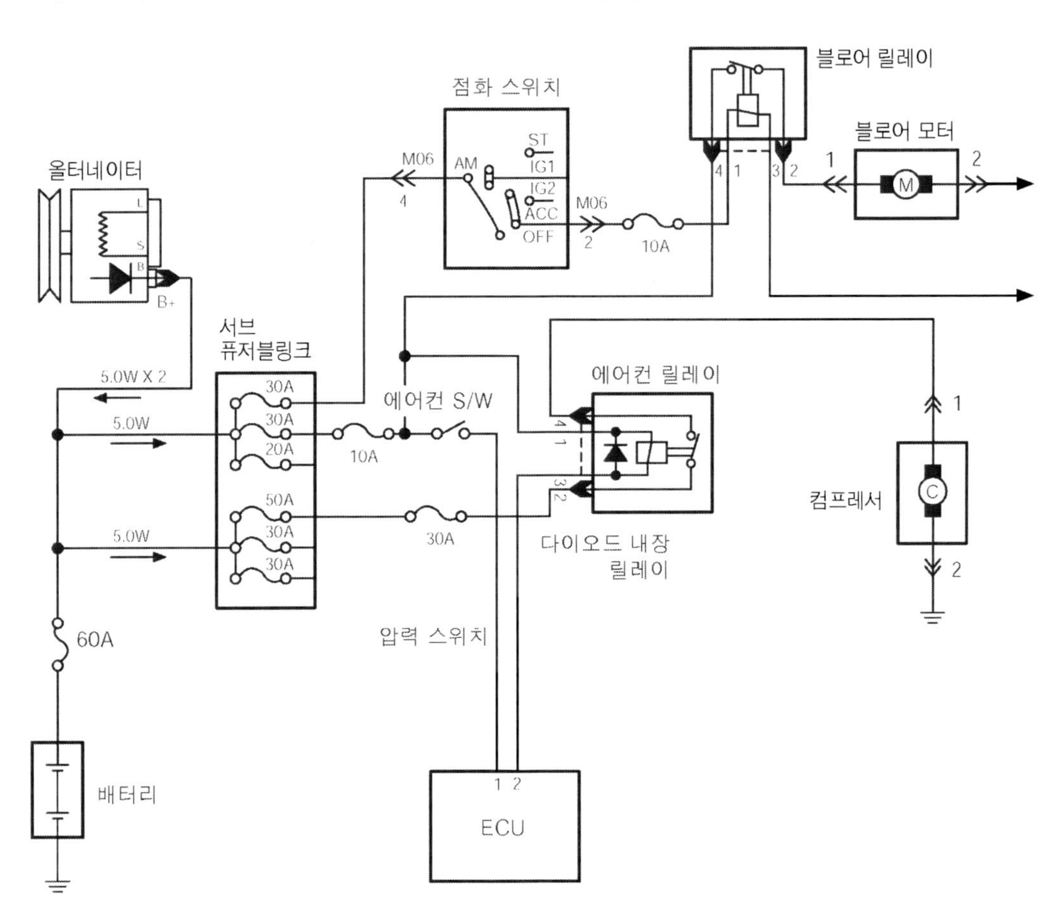

그림4-4 에어컨 회로

point

다이오드 회로판독의 핵심포인트

① 다이어드의 성질 : 한 쪽 방향으로만 전류가 흐르는 성질이 있다.
- 순방향 전압 : 에노드(양극)에 + 전압, 케소드(음극)에 −전압을 인가 할때
- 역방향 전압 : 에노드(음극)에 − 전압, 케소드(양극)에 +전압을 인가 할때

※ 참고) 다이오드의 순방향 전압 : 실리콘 다이오드의 경우 약 0.65 V이다.
즉 순방향 전압이라도 약 0.65V 이상이어야 전류가 흐른다는 것을 의미한다.

② 다이오드의 기능
- 역방향 전류 차단, 정류 작용, 파형 정형, 온도 보상, 스위칭, 회로 보호등

3. 트랜지스터 회로의 판독

트랜지스터(transistor)는 그림 (4-5)와 같이 3개의 전극을 가지고 있는 소자로서 주요 기능은 전류 증폭을 이용해 스위칭 소자 및 증폭 소자로서 널리 사용되는 전자 부품이다. 트랜지스터가 가지고 있는 3개의 전극에는 베이스(base), 이미터(emitter), 컬렉터(collector)의 명칭을 가지고 있는 전극이 있으며 트랜지스터의 종류에는 P형, N형 반도체의 접합에 따라 그림 (4-5)와 같이 PNP형 트랜지스터와 NPN형 트랜지스터로 나누어진다.

PNP형 트랜지스터는 그림 (4-5)의 (a)와 같이 이미터(emitter)의 화살표시 방향이 그림 (b)의 이미터(emitter)의 방향과 반대인 것을 볼 수 있는데 이것은 트랜지스터의 전류 방향을 나타낸 것이다. 즉 PNP형 트랜지스터가 동작하기 위해서는 이미터(emitter) 측에 +전압을 공급하여야 되며 NPN 형 트랜지스터가 동작하기 위해서는 베이스(base) 측과 컬렉터(collector) 측에 +전압을 공급하여야 동작 한다는 것을 의미한다.

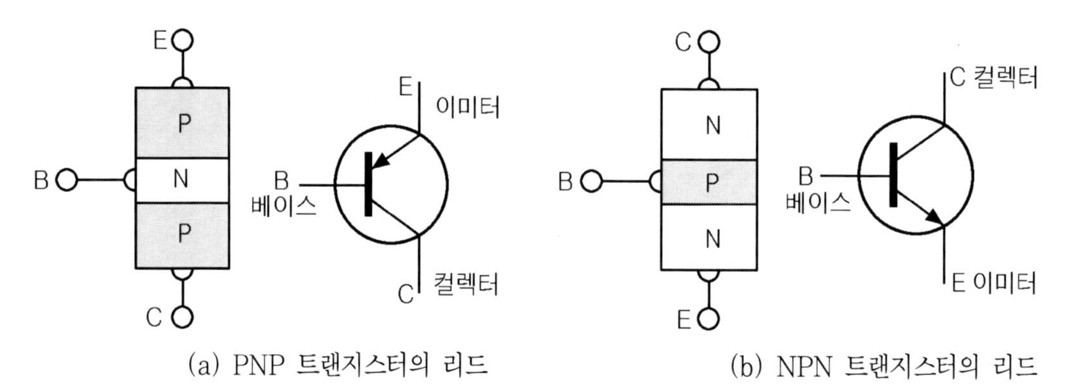

(a) PNP 트랜지스터의 리드
(b) NPN 트랜지스터의 리드

그림4-5 트랜지스터의 리드 명칭

따라서 PNP형 트랜지스터와 NPN형 트랜지스터는 공급 전압의 극성만 서로 반대 일뿐 그 기능 과 원리 동일하다. 이와 같은 트랜지스터의 기본 기능은 베이스의 전류량에 따라 컬렉터의 전류량이 변화하는 것을 이용한 것으로 베이스 전류와 컬렉터 전류의 비율을 나타낸 것을 트랜지스터의 전류 증폭율(hfe)이라고 한다.

예를 들어 전류 증폭율(hfe)가 100배인 트랜지스터에 베이스(base) 전류를 1㎃ 흘리는 경우 컬렉터 전류는 베이스(base) 전류의 100배인 100㎃ 가 흐른다는 것을 나타낸 것이다. 결국 트랜지스터는 베이스(base)의 전류량에 따라 컬렉터(collector)의 전류량이 트랜지스터의 전류 증폭율 만큼 흐르는 소자이다. 이것을 이용 스위칭 기능 및 증폭 기능을 수행하는 소자가 바로 트랜지스터(transistor)인 것이다.

그림 (4-6)의 회로는 대표적인 트랜지스터의 스위칭 회로를 나타낸 것으로 트랜지스터의 컬렉터 측에는 전구를 연결하고 베이스 측에는 저항을 연결하여 스위치를 ON 시키면 전구가 점등 되는 스위칭 회로이다.

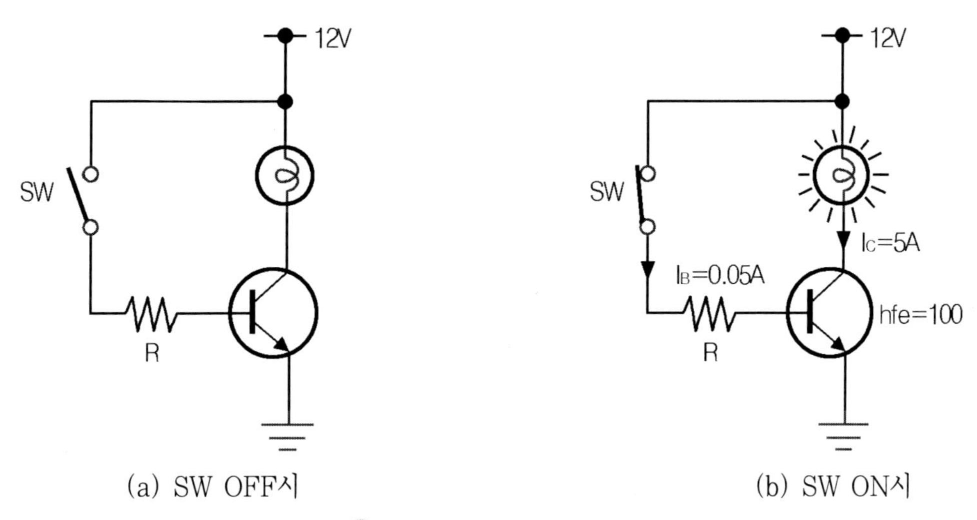

그림4-6 트랜지스터의 기본 기능

베이스 측에 저항을 연결한 것은 트랜지스터는 베이스 층이 대단히 얇아 큰 전류가 흐르면 베이스(base)층이 파손되기 때문에 전류량을 제한하기 위한 전류 제한용 저항을 연결한 것으로 그림 (4-6)의 (b)와 같이 스위치(switch)를 ON시키면 컬렉터(collector) 측에 공급되어 있던 + 12V의 전압이 베이스(base) 저항을 통해 이미터(emitter) 측으로 베이스(base) 전류가 흐르게 되고 이 베이스(base) 전류는 트랜지스터의 전류 증폭율 만큼

컬렉터(collector) 전류를 흐르게 해 전구는 점등하게 된다. 이와 같이 트랜지스터(transistor)을 스위칭 소자로 사용하는 것은 기계적인 스위치와 달리 접점이 없을 뿐만 아니라 스위칭 타임(switching time)이 수 ns ~ μs 까지 짧기 때문이다. 그러면 트랜지스터(transistor)의 회로 판독을 돕기 위해 그림 (4-7)과 같은 비안정 멀티 바이브레이터(astable multi vibrator)의 회로를 판독하여 보도록 하겠다.

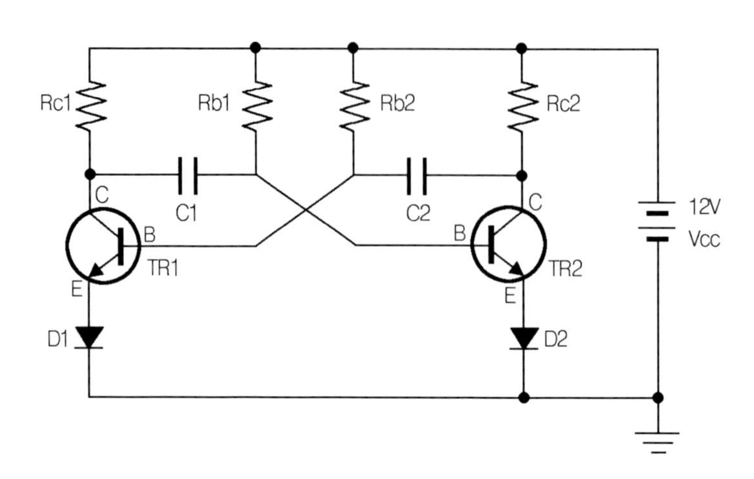

그림4-7 (비안정) 멀티 바이브레이터 회로

비안정 멀티 바이브레이터(astable multi vibrator)는 전자 회로에서 자주 사용하는 대표적인 회로로 트랜지스터의 스위칭 기능과 RC 시정수를 이용한 멀티 바이브레이터 회로이다. 먼저 이와 같은 회로를 판독하기 위해서는 TR1이 베이스(base) 전압이 0보다 커 베이스 전류가 다이오드 D1를 통해 흐른다고 가정하여 TR1은 ON 상태가 되고 TR2는 OFF 상태로 가정하고 회로를 해석 해 나가야 한다.

TR1이 베이스 전압이 0보다 큰 것은 C2의 충전 전압 때문으로 C2의 충전 전압은 TR1의 이미터를 통해 방전을 종료 할 때 까지 TR1은 ON 상태를 유지하며 그 동안 C1의 콘덴서는 저항 Rb1를 통해 충전을 시작하게 된다. C2의 충전 전압이 시간이 경과하여 방전을 종료 하면 TR1의 베이스 전압은 0(제로)에 가까워 TR1은 OFF 상태가 되며 지금 까지 저항 Rb1를 통해 충전한 충전 전압은 TR2의 베이스 전압으로 공급하게 되어 TR2의 이미터로 다이오드 D2을 거쳐 C1의 콘덴서의 방전 전류가 흐르게 되면 TR2는 ON 상태가 되고 TR1은 OFF 상태가 된다. C1의 콘덴서에 충전된 충전 전압은 TR2의 베이스에 인가되어

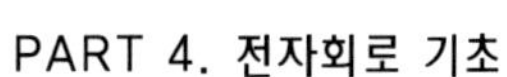

TR2의 이미터를 통해 방전하는 동안 C2의 콘덴서는 저항 Rb2를 통해 TR2의 이미터로 충전 전류가 흐르게 되어 C2에 충전전압이 충전되게 된다.

다시 콘덴서의 C1의 방전을 완료하면 TR2의 베이스 전류는 흐르지 못하게 되고 TR2는 OFF 상태가 되며 반면에 C2에 충전된 충전 전압은 TR1의 베이스에 가해지게 되어 TR1의 베이스 전류는 흐르게 되고 TR1은 ON 상태가 된다. C2의 콘덴서가 방전하는 동안 C1의 콘덴서는 저항 Rb1을 통해 TR1의 이미터로 충전 전류가 흐르게 되어 C1은 충전 하게 된다. 즉 이 회로는 저항 Rb1, 콘덴서 C1의 시정수와 저항 Rb2, 콘덴서 C2의 시정수에 의해 충·방전 타임이 결정되는 비안정 멀티 바이브레이터(astable multi vibrator) 회로이다.

회로의 판독에서 알 수 있듯이 트랜지스터의 스위칭 회로 판독은 이미터 접지의 회로의 경우 베이스(base)에 전압 약 0.5V ~0.65V인가 했을 때 베이스 전류는 이미터(emitter)를 향해 전류가 흐르게 되면 컬렉터(collector)에서 이미터(emitter)로 전류 증폭율(hfe) 만큼 전류가 흐르게 돼 이것을 우리는 트랜지스터(TR)가 ON 상태가 되었다고 한다. 반대로 트랜지스터의 베이스(base)에 전압이 약 0.2V 보다 낮을 때는 베이스에서 이미터로 흐르는 베이스 전류가 흐르지 못하게 돼 컬렉터 전류가 차단되는 것을 우리는 트랜지스터가 OFF 상태가 되었다고 한다.

point 

트랜지스터 회로판독의 핵심 포인트

① **트랜지스터의 기본 기능** : 트랜지스터는 베이스 전류량에 따라 컬렉터 전류량이 트랜지스터의 hfe(전류 증폭율)만큼 전류 증폭되는 소자이다.

② 트랜지스터의 부호의 화살 표시는 전류의 흐름 방향을 나타낸다.

- PNP형 TR의 경우에는 이미터측에 + 전압 인가
- NPN형 TR의 경우에는 베이스 측 과 컬렉터 측에 + 전압 인가

③ **트랜지스터의 활용** : 스위칭 회로, 증폭 회로, 온도 보상용 , 회로 보호용 등에 사용

④ **트랜지스터의 회로 판독** :

- 스위칭 회로 : 베이스 저항은 전류 제한용으로 사용된다.
  베이스측과 컬렉터 측에 연결된 저항은 트랜지스터의 스위칭 타임(switching time)을 향상하기 위해 사용되는 저항이다.
- 증폭 회로 : 베이스측과 이미터 측에 삽입되는 저항은 증폭 회로의 동작점을 결정하기 위한 바이어스 저항이다.

※ 참고) 동작점 : 증폭 하고자 하는 신호(파형)가 일그러짐 없이 증폭할 수 있도록 저항에 의해 설정되는 기준점을 말함.

4. OP-AMP 회로의 판독

1. OP AMP의 기능

OP AMP(operational amplifier)는 오퍼레셔널 엠프리화이어의 약자로 우리말로는 연산 증폭기로 널리 알려진 것으로 반도체의 발달로 현재에는 대부분 IC(집적화)화 되어 나오는 전자 회로에 없어서 안되는 구성 부품이다.

트랜지스터의 경우에는 하나의 입력단자를 가지고 있어 증폭기나 스위칭 회로로 구성된 회로를 판독하여 나갈 때에는 이미터(emitter)의 화살 표시 방향(전류의 흐름 방향)을 상기하여 공급 전압의 극성을 확인하고, 트랜지스터의 입력 전압이 양, 부(+, −)에 따라 트랜지스터의 전류가 흐르는 방향을 보고 트랜지스터의 회로 결성 상태에 따라 증폭기 및 스위칭 회로를 판단하여 나가지만 OP AMP의 경우는 그림 (4-8)과 같이 입력 단자가 2개인 반전(inverter), 비반전(non inverter) 단자를 가지고 있는 차동 증폭기 소자로 트랜지스터의 판독 방법과 다르다.

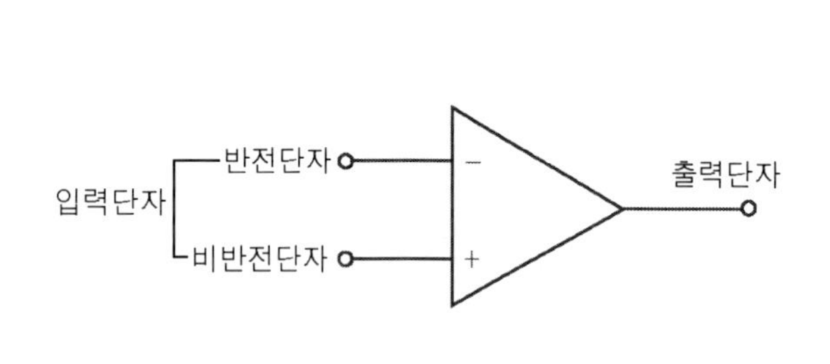

(a) OP AMP(연산 증폭기)의 심볼

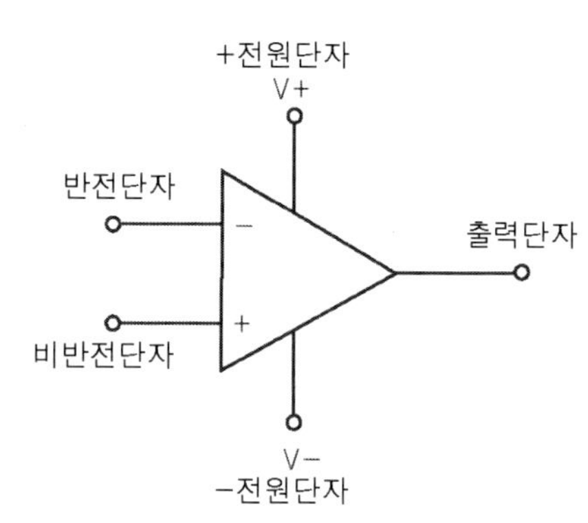

(b) 전원 공급용 단자를 나타낸 OP AMP(연산 증폭기)의 심볼

그림4-8 OP AMP의 심볼

OP AMP 내부에는 트랜지스터의 회로로 구성되어 있지만 입력 임피던스가 대단히 크고 출력 임피던스 낮으며 증폭도가 높은 특성을 가지고 있는 소자로서 OP AMP 회로 해석시 별도의 기본적인 지식 없이는 불가능하다. 또한 OP AMP를 연산 증폭기라 부르는

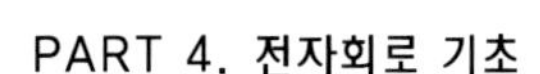

것은 OP AMP(operational amplifier)는 증폭기로서 특성이 우수하며 OP AMP의 주변 회로 구성에 따라 증폭기, 가산기, 감산기, 비교기, 미분기, 펄스 발생기, 필터 등 다양한 회로에 이용이 되어 질 뿐만 아니라 가산기, 감산기, 미분기, 적분기 등과 같이 연산 회로로 많이 이용되고 있기 때문이다. OP AMP는 그림 (4-8)의 (b)와 같이 전원 공급 단자가 2개를 가지고 있어 2개의 전원(대상 전원)을 공급하여야 하지만 최근에는 반도체의 기술 발달로 단일 전원 방식으로 IC(집적화)화 되어 보급되고 있기도 하다.

2. OP AMP의 전원 공급

이 같은 전원 공급 방식에는 그림 (4-9)의 (a)와 같이 V−(마이너스 전원 단자) 단자를 어스(earth)시켜 단일 전원으로 사용하고 있으며 그림 (b)와 같이 2개의 전원을 이용한 2전원 방식을 사용하고 있다.

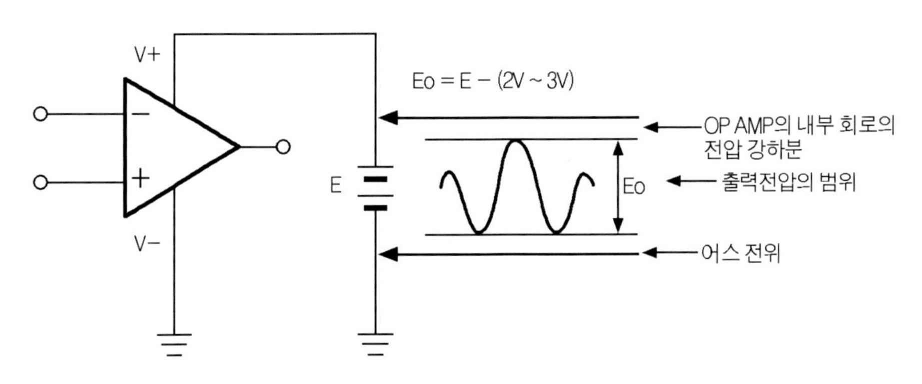

(a) 단원 전원방식일 때

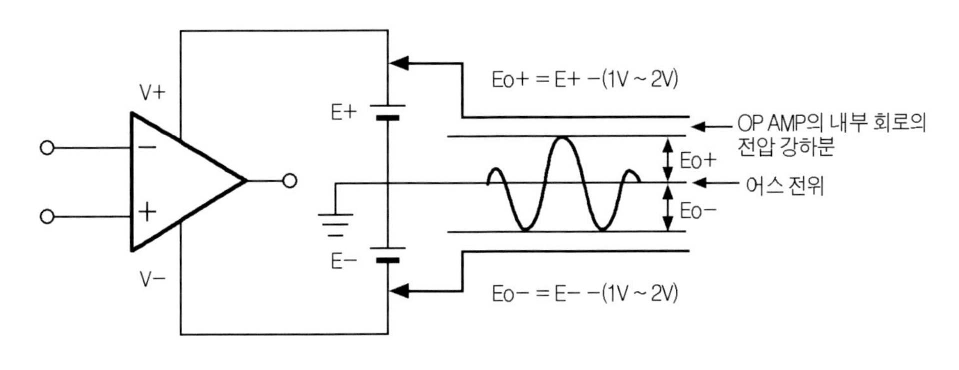

(b) 2전원 방식일 때

그림4-9 OP AMP의 전원 공급 방식

단일 전원 방식의 출력 전압은 입력 대비 출력 전압이 그림 (a)와 같이 어스(0V : 어스 전위)전위에서부터 + 전위측으로 출력 전압이 변화하게 되며 그 변동 폭(출력 전압 폭)은 OP AMP 내부의 전압 강하분을 제외한 전압이 변화하게 된다. 반대로 2전원 방식에서는 출력 전압이 그림 (b)와 같이 어스(0V : 어스 전위)를 기준으로 +측과 −측으로 변화하는 출력 전압이 발생하게 된다. 2상 전원 방식에서도 마찬 가지로 출력 전압은 OP AMP 내부 전압 강하분을 제외한 전압이 출력 전압으로 변화하게 된다. 참고로 OP AMP의 내부 전압 강하분은 단일 전원 방식에서는 약 2~3V 정도이고 2전원 방식에서는 약 1~2V 정도이다.

3. OP AMP의 기본 동작

OP AMP는 비반전 입력(non inverter input) 및 반전 입력(inverter input)을 가지고 있는 2개의 입력 과 1개의 출력을 가진 차동 증폭기로 그림 (4-10)의 (a)와 같이 비반전 입력 단자에 1V의 입력 신호가 입력되면 출력 측에는 신호의 반전 없이 OP AMP의 증폭율 만큼 증폭되어 나타나게 되어 비반전 입력(non inverrer input) 단자라 부른다. 반대로 그림 (b)와 같이 반전 입력 단자에 1V의 전압을 입력하면 출력측에는 입력 전압 신호가 반전 되어 − 10V(OP AMP의 증폭율 만큼 증폭되어)의 출력 전압이 출력측에 나나타나게 되어 반전 입력(inverter input) 단자라 부른다.

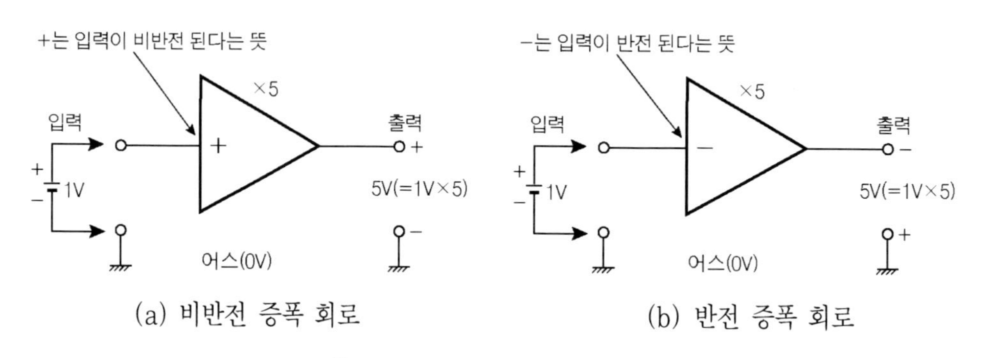

그림4-10 비반전 및 반전 입력

그림 (4-10)은 OP AMP 이해를 돕기 위해 입력 단자를 각각 설명하였지만 실제로는 2개의 입력 단자를 가지고 있는 차동 증폭기로 2개의 입력 신호 차를 증폭하여 출력 측에

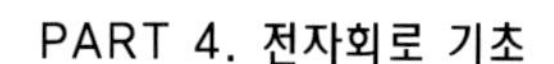

나타나게 된다.

예를 들면 그림 (4-11)의 (a)와 같이 OP AMP의 증폭율이 5배를 가지고 있는 OP AMP 라 가정하고 입력 측에는 비반전 입력(non inverter input) 단자에는 0V(어스 전위)를 인가하고 반 전 입력(inverter input) 단자에는 −1V의 전압을 인가하였을 때 입력측 의 전압의 차는 −1V 이므로 출력 측에는 입력측의 전압의 차에 5배인 +5V가 출력하게 된다. 같은 방법으로 그림 (b)의 경우도 마찬가지로 비반전 입력(non inverter input) 단자에는 −1V의 전압이 인가되고 반전 입력(inverter input) 단자에는 0V(어스 전위)가 인가 되면 2개의 입력의 차(−1V − 0V = −1V)가 OP AMP의 증폭율 만큼 증폭되어 출력측에 나타나게 된다. 그림 (c)의 경우는 비반전 입력(non inverter input) 단자에 +2V가 인가 되고 반전 입력(inverter input) 단자에 −1V가 인가 되어 2개의 입력 단자간에 전압의 차는 +1V가 되어 OP AMP의 증폭율 5배 만큼 증폭되어 출력 측에는 +5V가 출력 되는 회로이다.

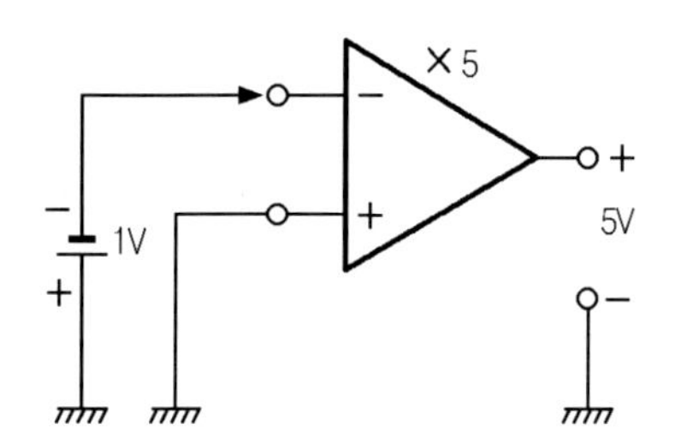

(a) OP AMP의 반전 증폭회로의 기본 개념

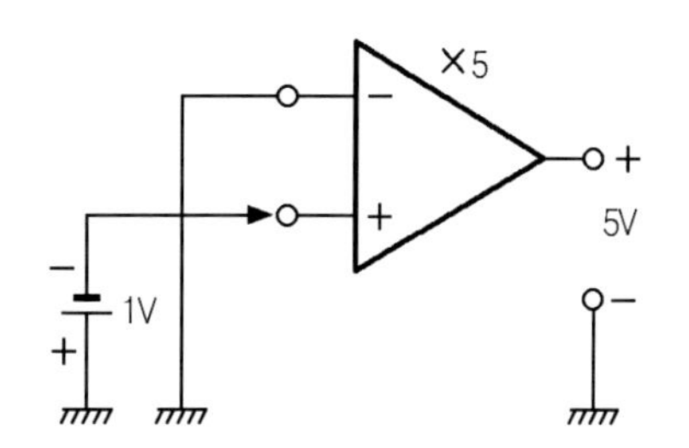

(b) OP AMP의 비반전 증폭회로의 기본 개념

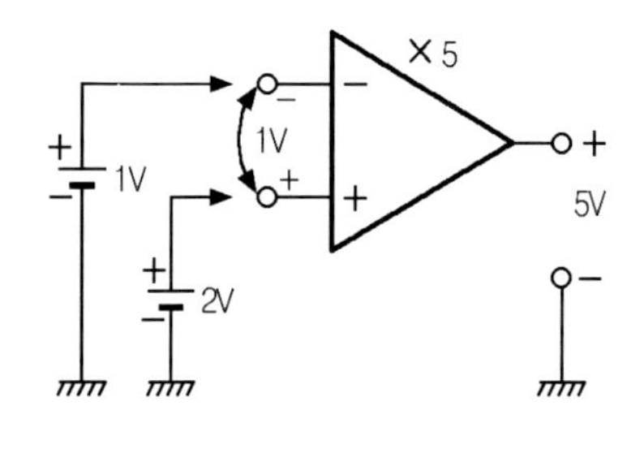

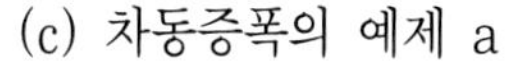
(c) 차동증폭의 예제 a

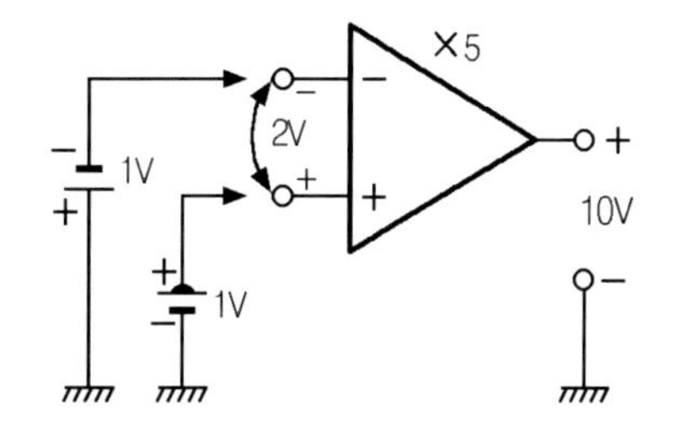

(d) 차동증폭의 예제 b

그림4-11 OP AMP의 기본 기능

그림 (d)의 경우는 비반전 입력(non inverter input) 단자에 +1V가 인가되고 반전 입력(inverter input) 단자에 −1V가 인가되어 2개의 입력 단자간에 전압의 차는 −2V

가 되어 OP AMP의 증폭율 5배 만큼 증폭되어 출력 측에는 +10V가 출력되는 회로이다. 이와 같이 OP AMP의 기본 동작은 2개의 입력에 가해지는 전압의 차가 증폭되어 출력측에 나타나는 것을 기본으로 하여 주변 회로에 따라 다양하게 활용하고 있다.

4. OP AMP의 활용

OP AMP(연산 증폭기)는 주변 회로에 따라 그림 (4-12), (4-13), (4-14)와 같이 다양하게 사용하고 있으며 그림 (4-12)의 (a)의 회로는 대표적인 비교기(comparator)의 회로를 나타낸 것으로 OP AMP의 차동 증폭을 이용한 회로이다.

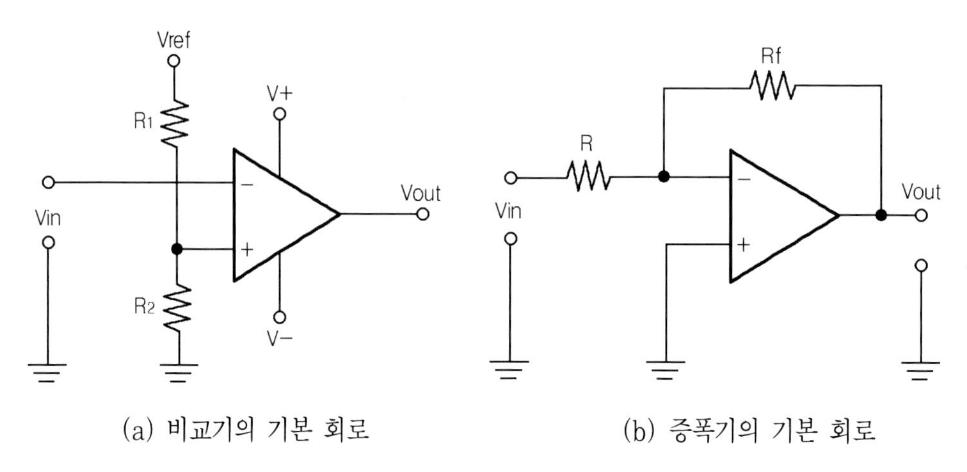

그림4-12 비교기와 증폭기(OP AMP의 응용 예)

이 회로의 동작은 비반전 입력 단자에 저항 R1 과 R2를 직렬로 연결하여 R1 저항측에 기준 전압(Vref)을 인가하여 비반전 입력 단자에 저항 비만큼 걸린 전압을 기준으로 하여 입력 전압(Vin)이 비반전 입력 전압에 걸린 기준 전압 보다 큰 경우는 반전 입력 단자에 가해진 입력 전압(Vin)이 반전 되어(OP AMP의 증폭율 만큼 증폭 되어)출력 측에 나타나게 되고 반대로 입력 전압(Vin)이 비반전 입력 전압에 걸린 기준 전압 보다 작은 경우에는 비반전 입력 단자에 걸린 기준 전압이 차가 OP AMP의 증폭율 만큼 증폭되어 출력 측에 나타나는 회로이다. 즉 이 회로는 2개의 입력 단자 중 하나를 기준 전압을 설정하고 이 기준 전압 보다 조금이라도 크면 출력 전압으로 나타나게 하는 회로로 어떤 전압의 레벨을 판단 할 때 자주 사용하는 회로이다.

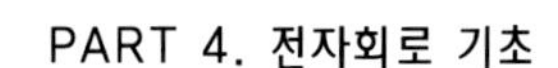

그림 (4-12)의 (b)의 회로는 연산 증폭기(OP AMP)에서 대표적으로 사용되는 전압 증폭 회로로서 반전 입력 단자와 출력측에 저항 Rf(피드 백 저항)을 두어 출력 측에 나타나는 전압값을 피드 백(feed back) 시키는(부궤환) 구조를 가지고 있다. OP AMP는 대단히 큰 전압 증폭도를 가지고 있어 입력 측에 신호 전압을 가하면 출력 측에는 이론적으로는 대단히 큰 신호가 증폭 되어 나타나지만 실제 회로는 불안정한 상태로 놓이게 되므로 이것을 방지하기 위해 저항 Rf를 통해 부궤환(feed back) 시키고 있다.

따라서 입력 측에 가해진 Vin 신호 전압은 대단히 크게 증폭되지만 Rf(피드백 저항)을 통해 정(+)의 전압이 부궤환(feed back)되어 OP AMP의 반전 입력 단자에 걸린 전압과 상쇄하는 점에 다다르면 점에서 반전 입력전압이 고정되게 된다. 이와 같은 회로의 해석은 반전 입력 단자에서 들어가고 나오는 전류의 합에 따라 결정되어 지는 전압을 노덜(nodal) 분석법을 통해 해석하면 편리하다.

노덜(nodal) 분석법을 간단히 소개하면 그림 (4-12)의 (b)와 같은 회로에서 반전 입력 단자와 같이 전류가 입력측에서 들어오는 것과 출력측에서 피드 백(feed back)저항 Rf를 통해 들어오는 점을 기준 노드(reference node)로 결정 하면 피드 백(feed back) 저항 양단에 걸리는 전압은 (기준 노드 − Vout)전압이 되며 저항 R에 걸리는 전압은 (기준 노드 − Vin) 전압이 된다는 것이다.

그러나 이 회로에서는 비반전 입력(non inverter input) 단자가 어스(earth)가 되어 있어 출력 전압 Vout은 피드백(feed back) 저항을 통해 거의 0V (어스 전위) 까지 떨어지게 돼 반전 입력(inverter input) 단자(기준 노드)는 가장 접지(virtual ground)라고 불리운다. 따라서 저항 R를 통해 기준 노드로 흐르는 전류를 I 이라하고 피드 백(feed back)저항을 통해 기준 노드로 흐르는 전류를 If라 하면 I + If = 0 가 된다.

여기서 I = Vin /R 이며 If = Vout/Rf 이 되므로 OP AMP의 증폭율 G = Vout/ Vin 은 G = Rf/R로 결정 되어 진다. 즉 그림 (4-12)의 (b) 회로의 증폭율은 입력 저항과 피드 벡(feed back) 저항으로 결정되는 것을 알 수 있다.

그림 (4-13)의 회로는 연산 증폭기(OP AMP)의 대표적인 가산 회로를 나타낸 것으로 가산 회로는 2개 이상의 입력단자를 가지고 각각의 입력 전압을 가하면 그 결과가 더해져 출력 측에 나타나는 회로로 그림 (4-13)의 회로에는 반전 입력(inverter input) 단자에 저항 R1 과 R2를 통해 E1과 E2의 가해져 있는 회로로 비반전 입력(non inverter input)단자

가 어스(earth)가 되어 있어 반전 입력 단자는 가상 접지(virtuall ground) 단자가 된다.

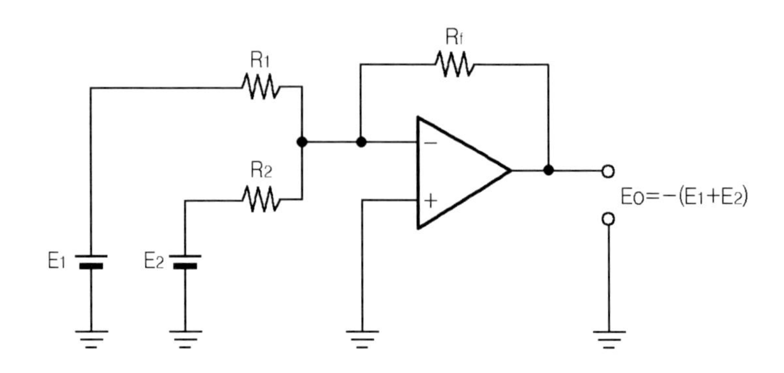

그림4-13 가산기의 기본 회로(OP AMP의 응용 예)

따라서 R1에 흐르는 전류를 I1이라 하면 I1 = E1/R1이 되며 R2에 흐르는 전류를 I2라 하면 I2 = E2/R2가 된다. 이때 출력측에는 E1를 Rf/R1배 한 전압 과 E2를 Rf/R2 배한 전압값이 출력 측에 가해져 나타나므로 결국 Eo = −(E1 + E2)가 되어 나타나게 된다. 만일 Rf 값을 2배로 하는 경우에는 출력 전압 Eo = −2(E1 + E2)가 되어 출력 측에 나타나게 되므로 이 같이 2개 이상의 입력 전압을 가하면 출력 측에는 전압 증폭율 G = Rf/Rin배가 되어 더해진 값이 출력 측에 나타나게 된다. 즉 이 회로는 입력이 E1 전압 한 개만 있다고 가정하면 Eo의 출력 값이 E1의 − Rf/R1 배한 값이 출력에 나타나게 되지만 E2의 입력이 가해지는 경우에 출력은 Eo는 E1의 − Rf/R1 배한 값과 E2의 −Rf/R2 배한 값이 더해져 출력에 나타나게 된다.

그림 (4-14)의 (a)의 회로는 구형파를 발생하는 펄스 제너레이터(pulse generator) 회로를 나타낸 것으로 회로의 구성을 살펴보면 출력 단자를 통해 저항 R1이 비반전 입력(non inverter input) 단자와 연결되어 있어 저항 R1을 통해 정궤환 되어 있다는 것을 알 수 있다 . 부궤환 회로의 경우에는 출력 측의 전압이 입력측에 상쇄하는 쪽으로 작용하게 되어 전압 이득이 감소하게 되지만 정궤환의 경우에는 출력 측의 전압이 입력 측에 상쇄하는 쪽으로 작용하지 않기 때문에 입력측이 전압이 증폭되고 증폭된 출력 전압이 다시 증폭되어 무한정 출력 전압이 상승하지 않고 어느 일정 선에서 증폭은 멈추게 되고 출력 전압은 정궤환에 의해 불안정하게 되어 회로는 발진을 하게 된다.

따라서 그림 (a)의 회로는 전원을 넣는 순간 저항 R1 과 R2에 의해 전압 증폭된 전압

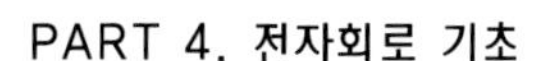

값이 출력측에 출력 되었다고 가정하면 그 순간 출력 전압 Vout은 저항 R3를 통해 콘덴서 C에 충전을 개시하면 콘덴서의 충전 전압을 상승하여 반전 입력 단자(inverter input) 단자의 전압은 상승하게 된다. 여기서 충전 전압이 상승하여 정궤환이 걸린 비반전 입력 단자 전압 보다 높게 되면 어느 순간 콘덴서의 충전 전압은 반전하여 출력 전압측에 출력하게 되고 출력 전압은 다시 정궤환 저항 R1를 통해 반전 전압이 가해지게 되고 반전된 출력 전압은 다시 저항 R3를 통해 콘덴서(condenser) C를 통해 반전된 전압이 충전을 개시한다.

반전된 콘덴서(condenser)의 충전 전압이 −측으로 상승하게 된다. 여기서 −측으로 반전된 충전 전압이 상승하여 정궤환이 걸린 비반전 입력(non inverter input) 단자 전압 보다 높게 되면 어느 순간 콘덴서의 충전 전압은 다시 반전하여 출력 전압측에 출력하게 되고 출력 전압은 다시 정궤환 저항 R1을 통해 반전된 전압이 가해지게 되어 출력 측에는 구형파 펄스가 발생하게 되는 회로이다.

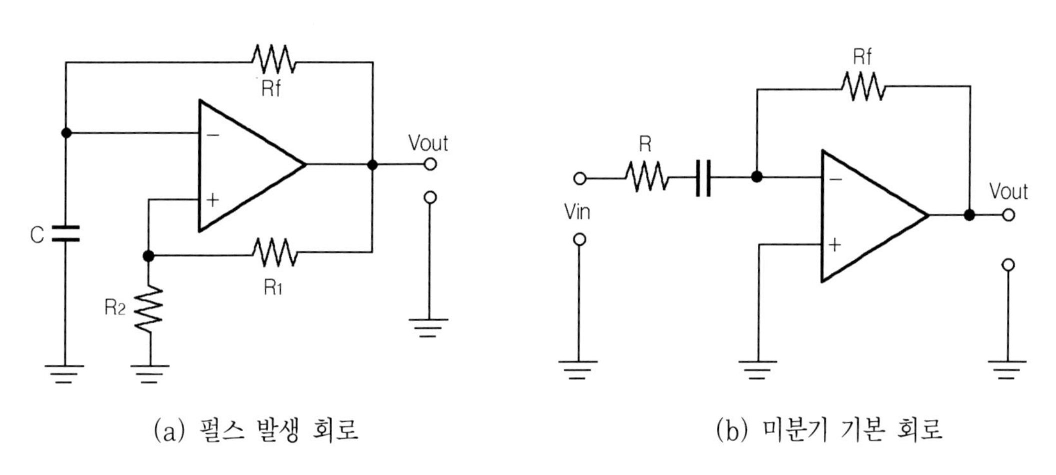

(a) 펄스 발생 회로 (b) 미분기 기본 회로

그림4-14 펄스 발생회로와 미분기(OP AMP의 응용 예)

전기 회로에서 미분 회로라는 것은 전류나 전압의 크기에 관계 없이 단위 시간에 얼마만큼의 전류나 전압이 증감 했는지 그 변화율을 +측의 전압 과 −측의 전압 값(+측의 전류와 −측의 전류 값)으로 나타내는 회로를 미분 회로라 한다. 전기 회로에서는 대표적으로 RC(저항과 콘덴서)를 이용한 회로가 있으며 그림 (4-14)의 (b)와 같이 OP AMP(연산 증폭기)를 이용한 회로 등이 있다.

OP AMP(연산 증폭기)를 이용한 미분 회로의 경우는 충실도가 요구되는 OP AMP를

사용하여야 보다 정확한 변화율을 검출할 수 있다. 회로의 동작은 입력 측에 구형파(펄스파)를 가하면 구형파가 +측으로 증가하는 동안 콘덴서 C 에는 초기 충전 전류가 흐르게 되고 이 충전 전압은 반전 입력 단자에 가해져 출력 전압 Vout 값으로 출력 하게 되고 출력 전압은 피드 백(feed back) 저항 Rf를 통해 반전 입력 단자에 피드 백(feed back)되어 안착된다.

이때 다시 입력 전압이 +측에서 −측으로 하강하게 되면 반전 입력(inverter input)의 단자 전압은 콘덴서의 충전이 입력측 전압(Vin) 전위 보다 높게 되어 출력 측에는 −측으로 반전된 출력 전압이 출력하게 된다. 즉 이 회로는 콘덴서의 초기 충전 전류에 의한 충전 전압이 OP AMP의 반전 입력 단자를 통해 입력 전압의 증감에 따라 출력 전압의 +, −전압으로 반전한다.

point

OP AMP회로 판독의 핵심 포인트

① **OP AMP의 입력 단자**
- 비반전 입력 단자 : 입력 전압의 위상이 반전되지 않는 단자
- 반전 입력 단자 : 입력 전압의 위상이 반전되는 단자

② **OP AMP 회로의 기본 기능**

※ OP AMP의 기본 동작은 2개의 입력 단자 전압의 차가 증폭되어 출력되는 높은 증폭도를 가지고 있는 연산 증폭기 이다

③ **OP AMP의 활용**
- 비교기, 증폭기, 가산기, 감산기, 적분기, 미분기, 드라이버 회로, 필터 등

④ **OP AMP 회로의 판독**
- 먼저 OP AMP 회로를 판독하기 위해서는 OP AMP의 기본적인 모델을 몇 가지 머리 속에 기억해 두어야 좋다.
- OP AMP 의 기본 동작은 차동 입력 전압을 증폭하는 것을 이용한 것이다.

(차동 입력 전압은 키르히호프의 전압 법칙에 의해 쉽게 구 할 수 있다.)
- 부궤환 저항이 연결된 회로의 경우는 주로 증폭 회로로 사용되며
- 정궤환 저항이 연결된 회로의 경우는 주로 발진 회로로 사용된다.

※ OP AMP 회로 해석은 노덜(nodal) 분석법을 활용하는 것이 편리하다.

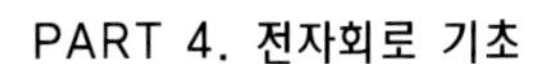

5. 디지털 회로의 판독

컴퓨터(computer)의 발달은 산업 사회의 발달뿐만 아니라 사회의 변화를 획기적으로 변화 시켜온 컴퓨터(computer)는 과학의 대표적인 예술품이라 말할 수 있다. 이러한 컴퓨터(computer)는 1과 0이라는 2진수(기계어)를 가지고 연산하고 처리하는 기계적인 메커니즘(mechanism)를 가지고 있는 기계 장치이다.

1과 0이라는 2진수를 전기적인 신호로 처리하기 위해서는 그림 (4-15)와 같은 전기적인 신호를 컴퓨터(computer)가 인식하고 처리 할 수 있는 1과 0라는 2진수를 전기적인 신호로 대응하기 위해서는 그림(b)와 같은 디지털(digital) 신호로 변환하지 않으면 안된다.

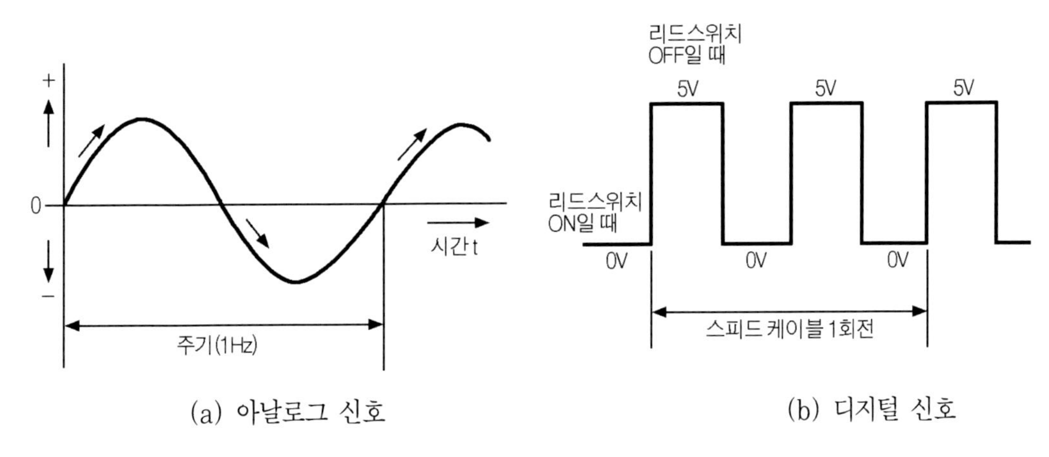

그림4-15 아날로그 신호와 디지털 신호

즉 컴퓨터는 예를 들면 1이라는 숫자를 전기적인 신호로 5V 로 치환하고 0이라는 숫자를 0V로 치환하여 연산하고 처리하도록 설계되어 있기 때문이다. 이와 같은 1과 0이라는 2진수를 연산하고 처리하기 위해서는 그림 (4-16)과 같이 단위 논리 게이트로부터 이루어지므로 디지털 회로의 판독은 기본적인 논리 게이트(소자) 판독으로부터 출발한다.

그림 (4-16)의 (a)와 (b)는 AND 게이트의 심볼과 진리표를 나타낸 것으로 2개의 입력 신호 중 1나 만 0(제 로)가 입력되어도 출력에는 0(제로)이 출력 되어지는 논리 소자 이며 그림 (c)와 (d)는 OR 게이트의 심볼과 진리표를 나타낸 것으로 2개의 입력 신호 중 1나 만 1이 입력되어도 출력에는 1이 출력 되어지는 논리 소자이다. 그림 (e)와 (f)는

논리 부정(not) NOT 게이트의 심볼과 진리표를 나타낸 것으로 입력이 1이면 출력은 0 가, 입력이 0이면 출력에는 1이 출력 되는 논리 게이트이다. 또한 AND 게이트의 출력에 NOT 게이트를 연결하면 NAND 게이트가 되며 OR 게이트 출력에 NOT 게이트를 연결하면 NOR 게이트가 된다. 실제 논리 게이트에는 기계어인 1, 0의 2진수 대신 그림 (4-17)과 같이 전기적인 신호(디지털 신호)로 입력되어져 출력 신호를 얻게 된다.

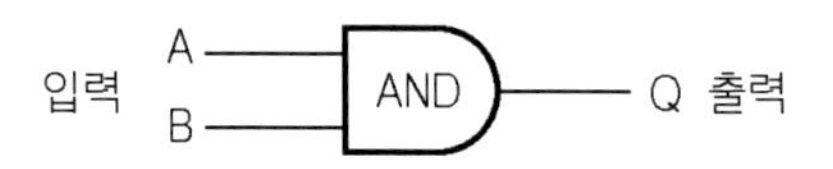

(a) 논리 AND 게이트 심볼

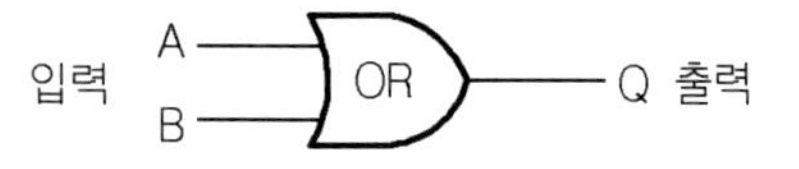

(c) 논리 OR 게이트 심볼

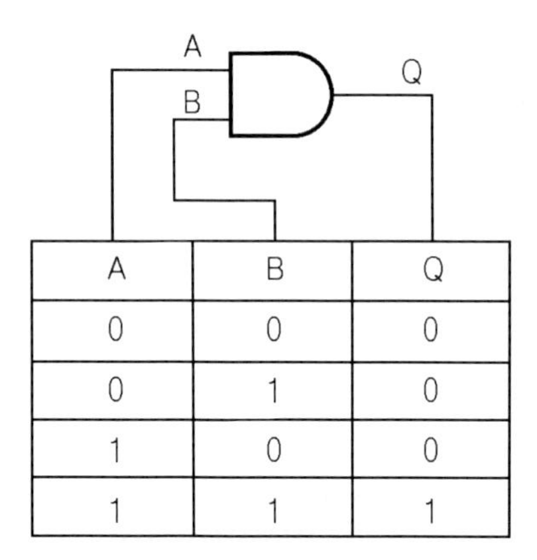

A	B	Q
0	0	0
0	1	0
1	0	0
1	1	1

(b) 논리 AND 게이트 진리표

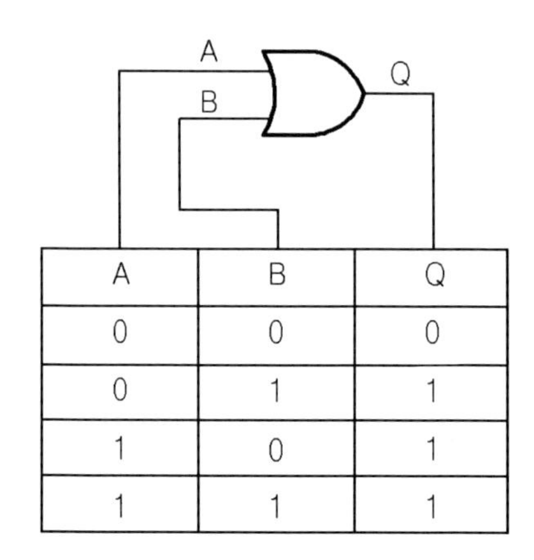

A	B	Q
0	0	0
0	1	1
1	0	1
1	1	1

(d) 논리 OR 게이트 진리표

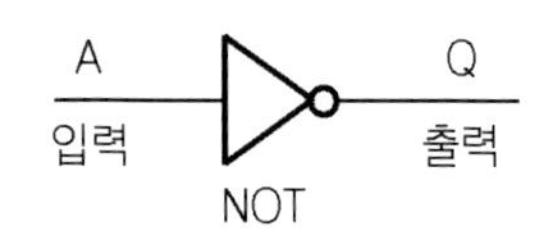

(e) 논리 NOT 게이트 심볼

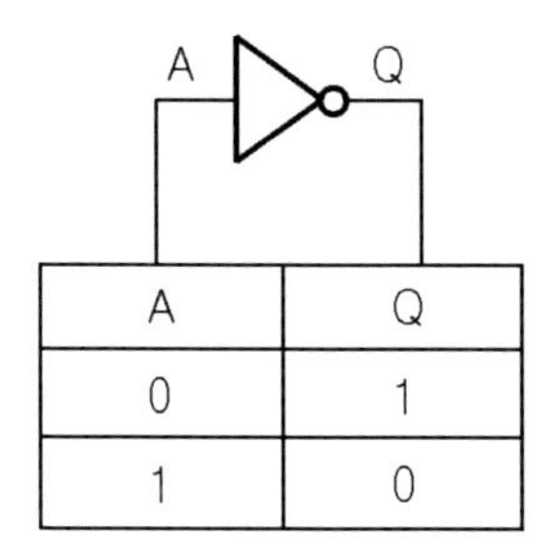

A	Q
0	1
1	0

(f) 논리 NOT 게이트 진리표

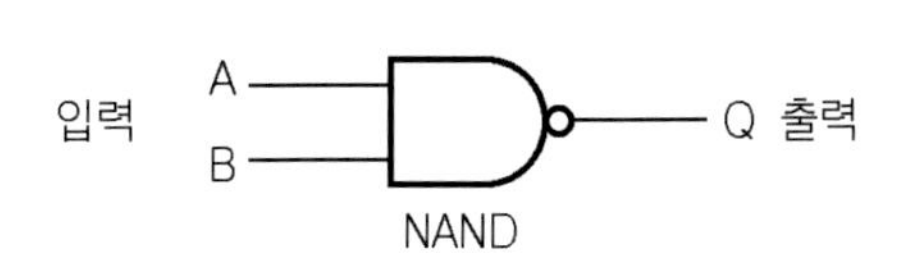

(g) 논리 NAND 게이트 심볼

A	B	Q
0	0	1
0	1	0
1	0	0
1	1	0

(h) 논리 NAND 게이트 진리표

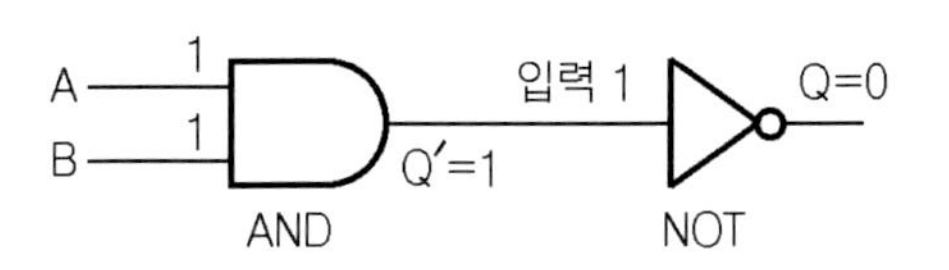

(i) 논리 NAND 게이트의 등가회로

그림4-16 디지털 논리회로의 심볼과 진리표

예컨대 그림 (4-17)은 논리 OR 게이트로 그림과 같이 2개의 입력 단자 A와 B 중에 1개의 입력 단자라도 5V의 전기전인 신호가 입력되면 출력 측에는 5V가 출력 되게 된다. 따라서 그림 (4-17)과 같은 디지털 신호가 입력 단자 A와 B에 입력되어 지면 출력측에는 그림과 같이 항상 5V가 출력 되게 된다.

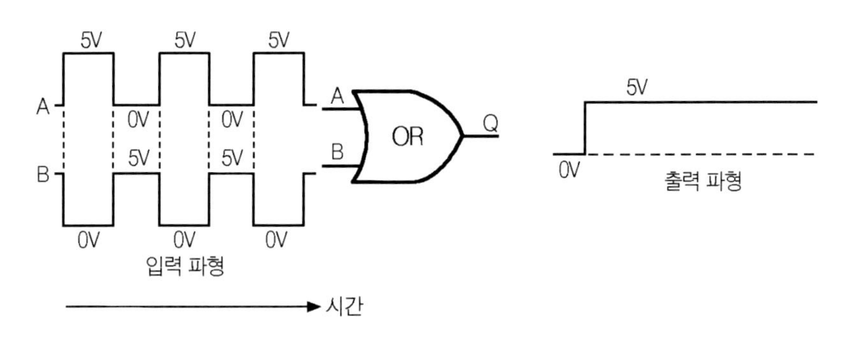

그림4-17 논리 OR게이트에 구형파 A, B가 입력될 때

point

논리회로판독의 핵심 포인트

① **논리 게이트**

- 논리 AND 게이트 : 2개의 입력 중 하나로도 0 이면 출력은 0
- 논리 OR 게이트 : 2개의 입력 중 하나로도 1 이면 출력은 1
- 논리 NOT 게이트 : 입력이 0 이면 출력은 1, 입력이 1이면 출력은 0

② **논리 처리 기준**

- negative logic : 0 = 5V, 1 = 0V
- positive logic : 0 = 0V, 1 = 5V

05 전자회로 판독

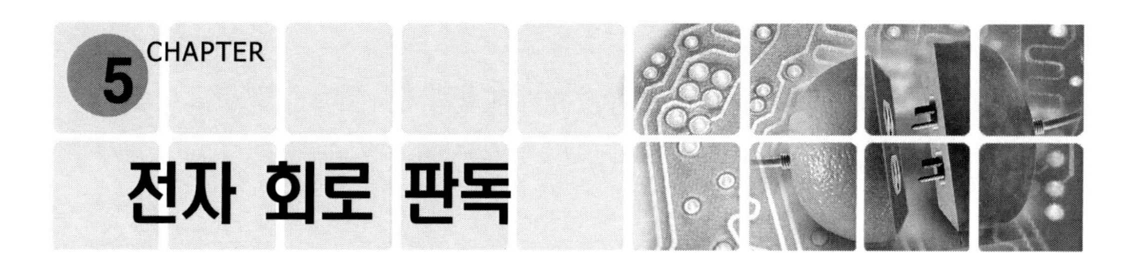

5 CHAPTER 전자 회로 판독

1. 플래셔 유닛 회로 판독

전자 회로를 판독하기 위해서는 전자 회로에 사용되는 대표적인 능동 소자인 트랜지스터(transistor), 연산 증폭기(OP AMP), 디지털 논리 게이트에 대한 기능을 정확히 이해하고 있지 못하면 판독 자체가 불가능하다(앞장 참조).

따라서 그림 (5-1)과 같이 트랜지스터(transistor)로 구성된 스위칭 회로를 판독하기 위해서는 먼저 트랜지스터의 이미터 화살 표시 방향(전류의 흐름 방향)을 상기하자. NPN TR(NPN 트랜지스터)인 경우에는 베이스(base)에 +(양)의 전압이 가해질 때 베이스 전류에 의해 컬렉터(collector)의 전류가 트랜지스터의 전류 증폭율(hfe) 만큼 흐르게 되는 것을 트랜지스터는 ON 상태라 하고, 반대로 베이스(base)에 −(부)의 전압이 가해질 때 베이스 전류의 차단에 의해 컬렉터(collector) 전류가 차단되는 것을 트랜지스터는 OFF 상태라 한다. 또한 트랜지스터가 PNP TR(PNP 트랜지스터)인 경우에는 베이스(base)에 +(양)의 전압이 가해 질 때 이미터에서 컬렉터로 흐르는 전류는 차단되어 트랜지스터는 턴-오프(turn off)상태가 되고 반대로 베이스(base)에 −(부)의 전압이 가해질 때 이미터(emitter)에서 컬렉터로 흐르는 전류는 트랜지스터의 전류 증폭율(hfe) 만큼 흐르게 되어 트랜지스터는 턴-온(turn on) 상태가 된다는 것을 상기하여 회로 판독에 들어간다.

그림 (5-1)과 같은 전자 회로를 판독하기 위해서는 먼저 회로의 구성 상태를 파악하여야 한다. 회로의 구성 상태를 파악하기 위한 것은 회로의 판독을 어디서부터 접근하는 것이 좋은 지를 파악하는 의미가 내포 되어 있다.

그림 (5-1) 회로의 구성 상태를 살펴보면 플래셔 유닛(flasher unit)에 다기능 스위치와 턴 시그널 램프(방향 지시등)가 연결되어 있는 것을 알 수가 있다. 둘째 회로를 어디서부

터 판독하는 것이 좋은 지는 앞서 전장 회로에서도 기술하여 왔지만 회로가 동작하고자 하는 부하부터 판독하는 것이 좋다. 셋째는 부하 회로 판독이 끝나면 회로의 판독을 연결하기 위해 부하가 작동하기 위한 조건을 주어 판독하여 나가도록 한다.

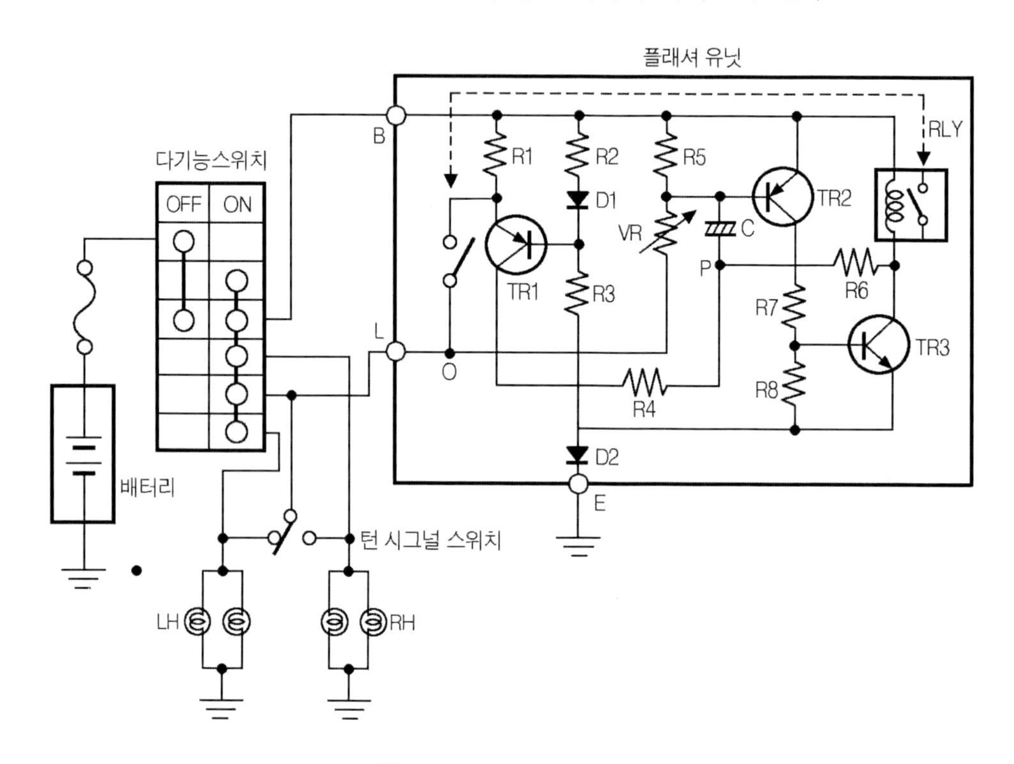

그림5-1 플래셔 유닛 회로

그러면 그림 (5-1)의 플래셔 유닛 회로를 판독하여 보자 부하인 턴 시그널 램프(방향 지시등)은 좌, 우측 병렬로 연결되어 있고 턴 시그널 램프(방향 지시등)를 작동시키기 위해 다기능 스위치가 ON 상태에서 턴 시그널 스위치(방향 지시등 스위치)를 좌측(LH)으로 ON 시키면 배터리(battery)의 공급 전원은 다기능 스위치의 ON 접점을 통해 플래셔 유닛(flasher unit)의 B 단자에 공급하게 되고 이 전원은 플래셔 유닛(flasher unit)의 내부 릴레이(relay) 접점을 통해 L 단자에 공급 되어야 LH 턴 시그널 램프(좌측 방향 지시등)가 점등 되는 것을 알 수 있다. 즉 이 회로는 플래셔 유닛(flasher unit)의 내부 릴레이 접점의 단속에 의해 배터리의 전원이 L-단자를 통해 공급 및 차단을 하는 것을 알 수 있는 회로이다.

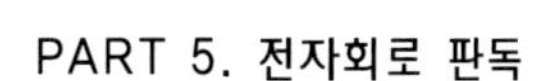

(1) 방향 지시등 점등시

턴 시그털 스위치(방향 지시등 스위치)를 LH(좌측)으로 절환하면 플래셔 유닛의 B 단자에 공급되어 있던 배터리(battery)의 전원이 TR2의 이미터(emitter)에서 TR2의 베이스에 연결된 VR(가변 저항)을 거쳐 플래셔 유닛의 L-단자를 통해 턴 시그널 스위치를 거쳐 LH(좌측) 방향 지시등으로 흐르게 된다. TR2의 이미터(emitter) 전류는 L-단자를 통해 LH(좌측) 방향 지시등이 접지(어스) 회로가 구성되어 있어 TR2의 이미터 전류는 흐르게 되고 TR2는 ON 상태가 된다. TR2의 ON 상태는 저항 R7, R8에 TR2의 컬렉터(collector) 전류가 흐르게 되어 TR3의 베이스(base)에 전압을 인가하게 되고 TR3 또는 ON 상태가 되게 된다. TR3의 ON 상태는 TR3의 컬렉터(collector)에 연결된 릴레이 코일(relay coil)을 여자하게 되고 릴레이(relay)의 접점은 연결(ON) 상태가 된다.

릴레이의 접점 연결은 플래셔 유닛(flasher unit)의 B-단자에 공급되고 있던 배터리(battery)의 전원은 릴레이(relay)의 접점을 통해 L-단자에 가해지게 되고 이 전압은 턴 시그널 스위치 LH(좌측) 연결 접점을 통해 LH(좌측) 방향 지시등에 공급하게 돼 LH(좌측) 방향 지시등은 점등하게 된다. LH(좌측) 방향지시등이 점등되는 동안 릴레이(relay)의 접점은 닫혀 있어 L-단자 O점의 전위는 상승하게 되고 TR3는 ON상태가 되어 P점의 전위는 낮아진다. 이 때 콘덴서(condenser) C에는 충전 전류가 흐르게 되고 릴레이(relay)의 접점이 ON상태가 된 이후에는 TR2의 베이스 전류는 콘덴서의 충전 전류에 의해서만 흐르게 된다.

(2) 방향 지시등 소등시

콘덴서(condenser) C에 충전이 완료되면 TR2에 흐르던 베이스(base)의 전류는 멈추게 되고 TR2은 OFF 상태가 된다. TR2의 OFF는 R7. R8에 흐르던 TR2의 컬렉터 전류가 차단하게 되어 TR3에 흐르던 베이스(base) 전류도 차단하게 된다. 결국 TR3는 OFF 상태가 되어 TR3의 컬렉터(collector)에 흐르던 전류는 차단하게 되고 릴레이의 코일에 흐르던 전류는 차단되어 릴레이(relay)의 접점은 열리게(OFF)되며 LH의 방향 지시등은 소등하게 된다. 이렇게 릴레이(relay)의 접점이 열리게(OFF) 되는 동안 콘덴서에 만충전된 충전 전류는 저항 R5를 통해 릴레이 코일(relay coil)을 거쳐 저항 R6를 통해 방전을 개시한다. 콘덴서 C가 방전을 개시하는 동안 TR1은 저항 R2와 R3에 의해 분압된 전압에 의해 TR1은 ON 상태가 되고 TR1의 컬렉터(collector) 전류는 저항 R1을 통해 저항 R4로 흐르게 되므

로 P점의 전위는 배터리(battery) 전위 가까이 상승하게 되고 콘덴서 (condenser) C는 방전에 의해 전하량이 점점 감소하게 돼 플래셔 유닛은 초기 동작을 반복하게 된다.

(3) 방향 지시등 단선시

방향 지시등은 병렬로 연결되어 있어 방향 지시등이 단선이 되면 전구의 합성 저항은 증가하게 된다. 전구의 합성 저항의 증가는 결과적으로 TR1의 이미터(emitter) 전위를 상승하게 해 플래셔 유닛(flasher unit)의 L-단자의 전위를 상승 시키게 된다. 이렇게 방향 지시등이 단선 되어 TR1의 이미터(emitter) 전위가 상승하게 되면 TR1의 베이스(base) 전류는 흐르게 되고 TR1은 ON 상태가 된다. TR1의 ON 상태가 되면 P 점의 전위는 상승하게 되고 콘덴서(condenser) C에 흐르는 충전 전류는 P점의 전위가 상승한 분만큼 감소하게 되어 콘덴서의 충전 시간은 짧아지게 된다. 이렇게 충전 시간이 짧아지면 콘덴서(condenser)의 방전 시간도 짧아지게 돼 방향 지시등의 점멸 횟수는 빨라지게 된다.

결국 방향 지시등의 점멸 속도는 전구의 병렬 저항 과 콘덴서의 시정수를 이용한 것으로 방향 지시등이 2개가 단선이 되는 경우도 마찬 가지로 병렬 저항은 더욱 증가하게 되고 TR1의 이미터(emitter) 전위는 더 높게 상승하여 TR1의 컬렉터 전류는 증가하게 돼 P점의 전위는 더욱 높게 상승하게 된다. 따라서 콘덴서 C에 흐르는 충전 전류는 더욱 감소하게 되고 콘덴서에 충전시간은 더욱 짧아지게 되어 콘덴서(condenser)의 방전 시간도 빨라지게 되는 회로로 결국 방향 지시등은 더욱 빨리 점멸하게 된다.

point

플래셔 유닛회로 판독의 핵심 포인트

① **트랜지스터의 스위칭 조건**
- NPN TR : 베이스 전압이 +(양)전압 일 때 트랜지스터는 ON 상태
- PNP TR : 베이스 전압이 -(부)전압 일 때 트랜지스터는 ON 상태

※ TR의 공급 전압은 이미터의 화살표(전류 흐름 방향)를 기준으로 한다.

② **전자 회로 판독법**
- 회로가 갖고 있는 기능을 파악한다.
- 회로의 구성 상태를 파악한다(전체 회로의 개략적인 흐름 파악).
- 회로에 의해 작동하는 부하부터 판독하여 나간다.
- 부하가 작동하기 위한 조건을 주어 판독하여 나간다.

③ **플래셔 유닛 회로**

- 플래셔 유닛 회로는 기본 원리는 RC 시정수를 이용한 멀티 바이브레터의 회로를 이용한 회로이다.
- 병렬 연결된 방향 지시등의 저항 값에 의해 콘덴서의 충전 전류를 결정하게 되므로 방향 지시등의 단선은 방향 지시등의 점멸 횟수의 증가로 이어진다.

④ **방향 지시등 회로의 핵심 점검 포인트**

- 플래셔 유닛의 L-단자의 전압은 방향 지시등의 점멸 횟수와 비례하므로 L-단자는 중요한 점검 포인트가 된다.(전장 시스템의 전원 공급 과 어스의 점검은 기본)

2. IC 레귤레이터 회로 판독

발전기의 기본 원리는 로터 코일(rotor coil)에 전류를 흘려 전자석을 만들고 전자석에서 발생하는 자력선에 변화를 주어 스테이터 코일(stator coil)에 전자 유도 기전력을 유도하는 것이 발전기의 기본 원리이다. 이때 발생하는 유도 기전력은 AC(교류) 기전력으로서 로터 코일(rotor coil)의 회전 속도가 빠를수록 태코미터 코일에 발생되는 AC(교류) 유도 기전력의 크기는 증가하게 된다.

만일 올터네이터(alternator) 내에 IC화(집적화)된 IC 레귤레이터(regulator)가 없다고 가정하면 스테이터 코일(stator coil)에서 발생하는 AC (교류)유도 기전력은 엔진의 회전수에 따라 배터리 전압(약 12.6V)를 훨씬 초과하여 자동차에 적용된 전장품은 모두 파손하고 말 것이다.

따라서 올터네이터(alternator) 내에는 그림 (5-2)와 같이 올터네이터의 태코미터 코일(stator coil)에서 발생하는 3상 AC(교류) 유도 기전력을 정류 다이오드를 통해 DC(직류)화 하고 DC(직류)화 된 정류 전압이 로터 코일(rotor coil)의 회전 상승에 따라 증가하는 것을 방지하고 배터리(battery)에 일정한 충전 전압(약 14±0.5V)이 공급될 수 있도록 IC 레귤레이터(regulator)를 내장하고 있다. 이러한 올터네이터(alternator)는 방전된 배터리(battery)를 충전하고 주행시 전장품에 전력을 공급하는 자동차의 중요한 구성 부품이다.

그림 (5-2)의 올터네이터 내부 회로의 구성을 살펴보자. 발전기인 로터 코일(rotor coil) 및 태코미터 코일(stator coil)이 있으며 3상 AC(교류)를 DC(직류)로 변환하는 다이오드(diode) 정류 회로와 로터 코일(rotor coil)의 회전에 따라 출력 전압이 일정하게 발생 할 수 있도록 IC 레귤레이터(regulator) 회로로 구성 되어 있다.

따라서 그림 (5-2)의 IC 레귤레이터 회로를 판독하기 위해서는 먼저 IC 레귤레이터(regulator) 회로가 동작하기 위한 주변 회로를 살펴보아야 한다. 로터 코일(rotor coil)은 IC 레귤레이터 회로의 다링톤 트랜지스터(darlington transistor)의 컬렉터 측(F-단자)과 이미터 측(E-단자)에 연결되어 있는 것을 확인 할 수 있고 태코미터 코일에서 발생된 3상 AC(교류) 전압은 정류 다이오드를 거쳐 올터네이터의 B-단자를 통해 배터리(battery)에 연결되어 있는 것을 확인할 수 있다.

또한 태코미터 코일(stator coil)에서 발생한 AC(교류) 전압은 트리오 다이오드(trio-diode)를 통해 로터 코일(rotor coil) 과 L-단자에 연결되어 있고 배터리의 전압은 점화 스위치(ignition switch)를 통해 IC 레귤레이터의 S-단자와 연결 되어 있는 것을 확인 할 수 있다.

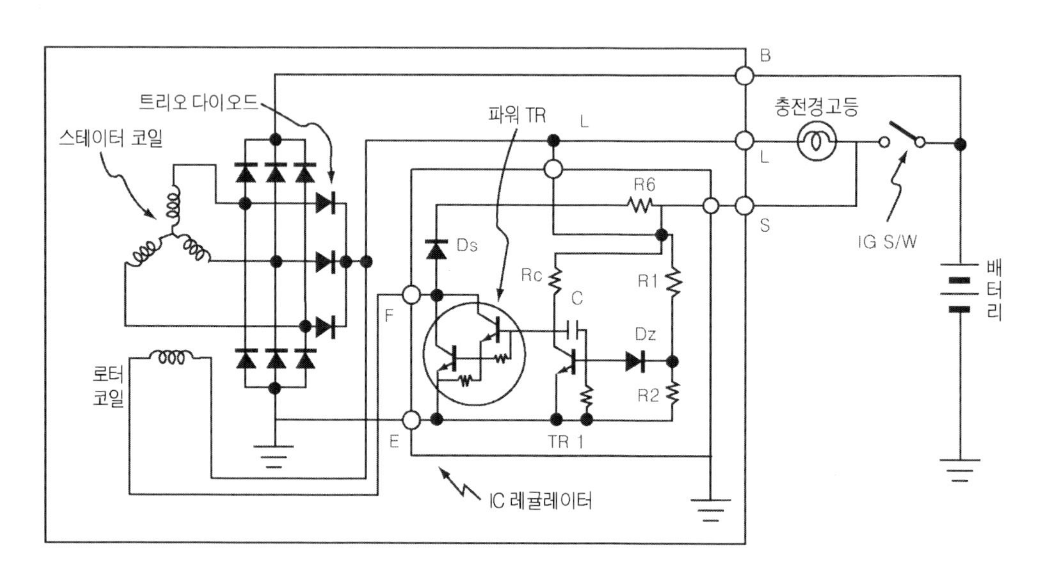

그림5-2 IC 레귤레이터 회로(알터네이터)

로터 코일(rotor coil)이 F-단자를 통해 IC 레귤레이터의 다링톤 트랜지스터(darlingtor transistor)의 컬렉터와 연결 되어 있다는 것은 로터 코일의 여자를 다링톤 트랜지스터(darlingtor transistor)가 구동한다는 것이며 트리오 다이오드(trio diode)가 L-단자와 로터 코일(rotor coil)과 연결되어 있다는 것은 로터 코일(rotor coil)이 회전 중에 트리오 다이오드를 통해 정류된 정류 전압은 L-단 자를 통해 충전 경고등에 가해져 배터리(battery)로부터 가해진 전압이 서로 등전위가 돼 충전 경고등은 소등한다는 것이다.

또한 트리오 다이오드(trio diode)를 통해 공급되는 정류 전압은 로터 코일(rotor coil)에 가해져 엔진이 회전 중에는 로터 코일의 전원 공급은 트리오 다이오드를 통해 정류된 전압이 공급되는 것을 나타낸다. 배터리(battery)의 전원이 점화 스위치(IG S/W)를 통해 IC 레귤레이터의 S-단자와 연결되어 있다는 것은 IC 레귤레이터의 주변 회로만 가지고는 판단하기 어렵다.

IC 레귤레이터(regulator) 회로의 판독 없이 주변 회로만 가지고 S-단자가 IC 레귤레이터 회로의 전원 공급 단자인지, 전원을 확인하기 위한 입력 단자인지 알 수가 없다는 얘기이다. 따라서 S-단자의 기능을 알기 위해서는 IC 레귤레이터 회로의 판독이 수행 되어야 한다. IC 레귤레이터 회로의 구성은 로터 코일(rotor coil)에 전원을 단속하는 다링톤 트랜지스터(darlington transistor)가 있으며 S-단자에 공급되는 전압이 일정한 크기를 감지하는 제너 다이오드(zener diode)와 제너 다이오드에 의해 감지된 일정 크기의 전압이 다링톤 트랜지스터의 출력 전류를 제어하는 TR1 트랜지스터로 구성되어 있다.

따라서 IC 레귤레이터 회로의 동작은 로터 코일(rotor coil)이 회전이 상승하여 B-단자를 통해 공급되는 충전 전압(약 14±0.5V) 이상이 되면 이 전압은 IC 레귤레이터 S-단자에 입력되어 충전 전압(약 14±0.5V) 이상이 된 전압은 저항 R1과 R2를 통해 a 점에는 전압이 분압된다. 이렇게 분압된 a 점의 전압은 제너 다이오드(zener diode)의 제너 전압보다도 크기 때문에 a점의 전압은 제너 전압으로 일정하게 유지되고 제너 전류에 의해 TR1의 베이스(base)에는 베이스 전압이 가해지게 된다. 제너 전류에 의해 TR1의 베이스 전압이 가해지면 TR1은 ON 상태가 되고 TR1의 컬렉터(collector)의 전위는 0전위(어스 전위)에 가까워지게 되므로 다링톤 TR(파워 TR)의 베이스(base) 전류는 흐르지 못하게 돼 다링톤 TR(파워 TR)은 OFF 상태가 된다.

동시에 TR1의 컬렉터에 연결 된 콘덴서(condenser) C에는 제너 전류가 흘러 충전하게 된다. 다링톤 트랜지스터 (파워 트랜지스터)의 OFF 상태는 트리오 다이오드에서 공급되는 로터 코일(rotor coil)의 전류를 차단하게 하여 로터 코일의 회전 상승에 의한 충전 전압(약 14±0.5V)상승을 억제하고 반대로 충전 전압(약 14±0.5V) 이하가 되면 S-단자를 통해 가해진 전압은 저항 R1 과 R2를 통해 분압되고 a 점의 전위는 제너 전압을 초과하지 않게 되어 TR1의 베이스 전류는 흐르지 못하게 된다. 이 때 콘덴서 C에 충전된 충전 전압은 제너 다이오드 Dz와 저항을 통해 방전하게 되는데 a 점의 전위가 콘덴서 C에 충전된

전압이 상이 되지 않으면 제어 다이오드로 전류는 흐를 수 없게 된다. 즉 a 점의 전위가 일정 레벨 이상이 되지 않으면 제너 전류는 흐를 수 없게 하기 위한 보완 장치인 셈이다. TR1의 베이스 전류가 차단되면 TR1은 OFF 상태가 되고 트리오 다이오드(trio diode)를 통해 공급되는 정류 전압은 L-단자를 통해 TR1의 Rc 저항에 공급하게 되므로 다링톤 TR(파워 TR)의 베이스에는 L-단자의 공급 전압이 저항 Rc를 거쳐 가해지게 되므로 다링톤 TR(파워 TR)은 ON 상태가 된다. 다링톤 TR(파워 TR)의 ON 상태는 트리오 다이오드를 통해 로터 코일에 전원을 공급하게 되어 충전 전압(약 14V ± 0.5V)이하가 될 때에는 충전 전압은 약 14V ± 0.5V 범위 까지 상승하게 된다.

여기서 다이오드(diode) Ds은 다링톤 TR(파워 TR)이 OFF 될 때 로터 코일(rotor coil)에서 발생하는 역기전력(서지 전압)을 바이 패스(by pass)하기 위해 삽입하여 놓은 것이다. 다링톤 TR(파워 트랜지스터)가 OFF되어 로터 코일에 역기전력이 발생하면 역기전력은 IC 레귤레이터의 F-단자를 통해 다이오드 Ds를 거쳐 L-단자로 흐르게 하기 위해서이다. 결국 IC레귤레이터의 핵심은 S-단자를 통해 감지되는 충전 전압(약 14V ± 0.5V)의 레벨에 따라 제너 다이오드(zener diode)가 감지하게 되고 충전 전압 이상이면 로터 코일(rotor coil)의 전원을 차단하도록 다링톤 TR(파워 TR)은 스위칭 되고 충전 전압 이하 이면 로터 코일(rotor coil)을 여자하도록 다링톤 TR(파워 TR)을 스위칭하는 회로임을 알 수가 있다

특히 충전 경고등이 엔진 회전 중에 소등 된다는 것은 올터네이터(alternator)의 태코미터 코일(stator coil)에서 출력하는 발전 기능은 정상임을 의미하는 것도 알 수가 있다.

point

IC레귤레이터 회로판독의 핵심 포인트

① **올터네이터 단자의 기능**
- B 단자 : 정류 다이오드를 통해 공급되는 올터네이터의 출력 단자
- L 단자 : 트리오 다이오드를 통해 로터 코일에 공급되는 여자 전원 단자
- S 단자 : 올터네이터의 출력 전압(충전 전압)을 감지하는 하는 단자

② **IC 레귤레이터 회로 판독법**
- 제너 다이오드의 기능 : 제너 전압 이상시 급격히 역방향 전류가 증가하는 특성을 가지고 있어 대표적으로 정전압 회로에 이용되는 소자
- 다링톤 TR(파워 TR의 기능) : 트랜지스터의 전류 증폭율을 향상하기 위해 출력측

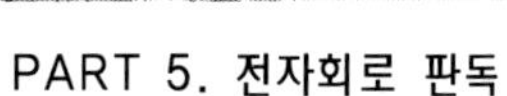

을 병렬로 연결한 결합 트랜지스터

※ 올터네이터의 출력 전류 제어 : 부하에 의한 출력 전류의 증가는 일정 범위 내에서는 가능하지만 어느 범위를 초과하는 경우에는 엔진의 회전수 상승 없이는 불가능하다.

③ **올터네이터의 동작 조건**

- 충전 경고등 점등 : 엔진 회전시 소등 된다는 것은 유도 기전력이 태코미터 코일을 통해 정상적으로 발생하고 있음을 의미한다.

④ **IC 레귤레이터의 핵심 점검 포인트**

- 충전 경고등 : 엔진 회전시 체크
- IC 레귤레이터 체크 : 엔진 rpm이 약 2500 rpm시 충전 전압(14V ± 0.5V) 체크

3. 와이퍼 유닛 회로 판독

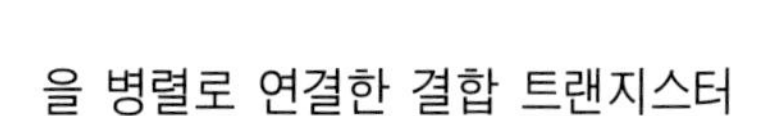

그림 (5-3)과 같은 와이퍼 유닛(wiper unit)회로를 판독하기 위해서는 트랜지스터의 스위칭(transistor switching) 동작만을 이해하고서 회로를 정확히 판독하기란 쉽지 않다. 이것은 와이퍼 유닛(wiper unit)이 갖고 있는 기능적 요소 때문인데 회로만 보고 와이퍼 유닛(wiper unit)이 갖고 있는 기능을 알아낸다는 것은 마치 목적지를 나침반 없이 지도만 보고 찾아가는 것과 같다. 목적지를 찾아가기 위해 방향과 지형을 사전에 알고 있는 상태라면 지도만으로도 목적지를 찾아가는 것은 큰 어려움이 없겠지 만은 방향과 지형을 전혀 모르는 상태에서 지도만 보고 목적지를 찾아가는 것은 쉬운 일이 아닌 것처럼 회로에서도 와이퍼 유닛(wiper unit)이 갖고 있는 기능적 요소를 미리 알고 회로를 접근 한다면 쉽게 회로를 판독 할 수 있는 이점이 있다. 따라서 그림 (5-3)과 같은 회로를 판독하기 위해서는 와이퍼 유닛의 기능을 사전에 알고 접근하면 좋다.

이 와이퍼 유닛(wiper unit)의 기능은 와셔 스위치(washer switch) ON시 와셔 모터는 작동하고 약 0.5초 후 와이퍼 모터(wiper motor)가 2회 ~ 3회 작동하는 기능을 가지고 있다. 또한 간헐 와이퍼 스위치(INT wiper switch) ON시 와이퍼 모터는 작동하고 약 4초 후 와이퍼 모터가 동작하는 기능을 가지고 있는 유닛(unit)이다. 와이퍼 모터(wipwr motor)는 회전 중에 와이퍼 스위치를 OFF 하여도 와이퍼 블레이드(wiper blade)의 위치가 정위치에 올 수 있도록 와이퍼 모터의 내부에는 캠 플레이트(cam plate)의 접점이 있어서 와이퍼 모터의 회전 중에 전원을 OFF하여도 와이퍼 모터는 정위치에서 정지하게 되어 있다.

와이퍼 모터가 회전 중이라도 와이퍼 스위치를 OFF 하면 바로 정지하지 않고 캠 플레이트(cam plate)의 접점을 통해 와이퍼 모터가 정위치에 올 때 까지 전원을 공급되도록 되어 있다. 그림 (5-3)의 회로 구성을 살펴보면 점선 좌측에는 와이퍼 유닛(wiper unit)가 있으며 와이퍼 유닛에는 와이퍼 스위치(wiper switch)와 와셔 모터, 그리고 와이퍼 모터(wiper motor)가 연결되어 있는 것을 확인할 수 있다.

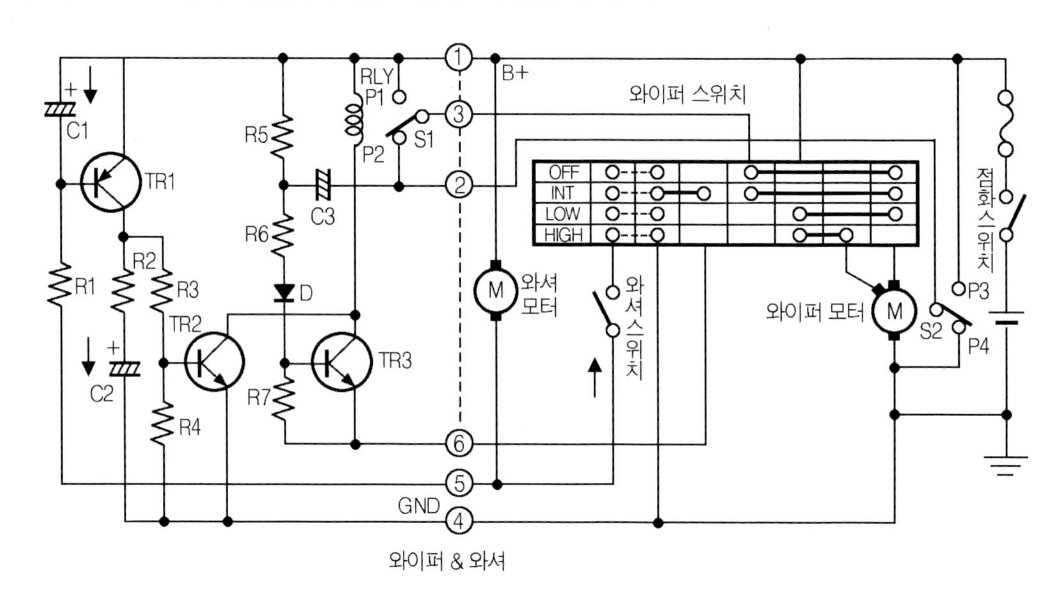

그림5-3 와이퍼 유닛회로

회로의 구성상으로만 보면 와셔 모터와 와이퍼 모터는 와이퍼 유닛(wiper unit)에 의해 동작되는 것을 예상 할 수 있다. 따라서 부하인 와셔 모터 및 와이퍼 모터의 주변 회로부터 판독하여 보면 와셔 모터(washer motor)의 한쪽 단자에는 점화 스위치를 통해 공급되는 배터리 전원 B+가 연결되어 있고 다른 한쪽 단자에는 와이퍼 유닛 ⑤번 단자와 연결되어 있는 것을 확인할 수 있다. 와셔 스위치는 와이퍼 스위치와 연결되어 있어 와이퍼 스위치와 관련이 있는 것을 알 수가 있다

(1) 와셔 스위치 ON시

와셔 모터를 작동시키기 위해 와셔 스위치(washer switch)를 ON 시키면 와이퍼 유닛의 ⑤번 단자는 와셔 스위치(washer switch)를 거쳐 와이퍼 유닛 ④번 단자와 연결하게 돼 ⑤번 단자는 어스(earth)와 연결하게 되며 콘덴서(condenser) C1의 충전 전류는 저항 R1

를 통해 흐르게 되고 콘덴서 C1이 충전을 개시하여 TR1의 베이스(base) 전위가 어느 이상 상승하게 되면 TR1의 베이스 전류는 흐르게 되어 TR1은 ON 상태가 되고 TR1이 ON 상태가 되면 저항 R2를 통해 콘덴서(condenser) C2는 충전을 개시함과 동시에 TR2는 ON 상태가 된다. TR2의 ON 상태에 의해 TR2의 컬렉터(collector)에 연결되어 있던 릴레이 코일(relay coil)은 여자되고 릴레이의 가동 접점 S2는 고정 접점 P2에서 P1으로 절환하게 되고 와이퍼 유닛 ①번 단자에 공급되고 있던 배터리(battery) 전원 B+는 ③번 단자를 통해 와이퍼 모터의 저속 모드와 연결하게 되어 와이퍼는 저속으로 작동하게 된다.

따라서 와셔 스위치를 ON시키면 와셔 모터는 작동하게 되고 콘덴서(condenser) C1이 충전 될 때까지 즉 TR1이 ON될 때 까지 와이퍼 모터는 지연하게 되는 회로이다. 또한 와셔 스위치(washer switch)를 OFF 하면 와이퍼 유닛의 ⑤번 단자는 ④번 단자와 연결이 차단되어 TR1은 OFF 상태가 되고 TR2는 C2의 충전량 만큼 저항 R2와 R3를 통해 방전 전류가 지속 할 때 까지 TR2는 ON 상태를 지속하게 되어 와이퍼 모터의 회전은 2회 ~ 3회간 작동하게 된다.

따라서 와셔 회로는 와셔 모터가 작동 후 와이퍼 모터의 작동 지연 시간은 콘덴서 C1과 저항 R1에 의해 결정되어 지면 와셔 모터 작동 후 와이퍼 모터의 회전수는 콘덴서 C2의 충전량에 의해 결정되어 지게 되는 회로이다. 이와 같은 회로의 판독은 정해진 수순은 없지만 부하 회로를 판독하고 부하에 작동 조건을 주어 부하를 동작시키는 회로를 판독 하여 나가는 것이 논리적으로 회로 이해에 도움이 주기 때문이다.

(2) 와이퍼 스위치 HIGH & LOW 선택시

다음은 와이퍼 모터(wiper motor) 회로를 판독하여 보자. 먼저 부하인 와이퍼 모터의 주변 회로를 보면 와이퍼 모터(wiper motor)에는 3개의 단자가 있고 그 중 한 단자는 와이퍼 유닛(wiper unit)의 ④번 단자와 연결되어 어스(earth) 되어 있으며 2개의 단자는 와이퍼 스위치(wiper switch)와 연결 되어 있는 것을 확인할 수 있다.

와이퍼 모터의 내부에 연결되어 있는 캠 플레이트(cam plate) 접점의 경우 가동 접점 S2은 와이퍼 유닛의 ②번 접점과 연결되어 있고 P3 접점은 점화 스위치를 통한 배터리의 B+ 전압과 연결 되어 있으며 P4 접점은 어스(earth)와 연결 되어 있는 것을 확인 할 수가 있다. 여기서 와이퍼 스위치를 HIGH(고속) 위치로 선택하면 점화 스위치(IGN S/W)를 통해 공급하고 있던 B+ 전원이 와이퍼 모터의 고속 단자와 연결되어 고속으로 회전하게 되

고 와이퍼 스위치를 LOW(저속)으로 위치 선택하면 점화 스위치를 통해 공급하고 있던 B + 전원이 와이퍼 모터의 저속 단자와 연결되어 저속으로 회전하게 되는 회로임을 확인할 수가 있다.

(3) 와이퍼 스위치 INT 선택 시

와이퍼 스위치(wiper switch)를 OFF시에는 콘덴서 C3는 저항 R5를 통해 콘덴서의 충전 전류가 와이퍼 유닛(wiper unit)의 ②번 단자를 거쳐 와이퍼 모터의 캠 플레이트 접점 P4를 통해 어스(earth)로 흐르게 되어 콘덴서(condenser) C3는 만충전 상태가 된다. 여기서 와이퍼 스위치(wiper switch)를 INT(간헐 와이퍼 모드) 위치로 선택하면 와이퍼 모터(wiper motor)는 저속 단자와 와이퍼 유닛(wiper unit)의 ③번 단자와 연결되는 것을 확인할 수가 있다. 한편 와이퍼 유닛 ④번 단자(어스 단자)와 ⑥번 단자가 연결되어 TR3의 이미터(emitter) 단자는 어스(earth)와 연결되게 된다.

따라서 TR3의 베이스(base)에는 저항 R5, R6, R7를 통해 전압은 분압되어 공급하게 되어 TR3는 ON 상태가 된다. TR3의 ON 상태는 TR3의 컬렉터(collector)에 연결된 릴레이 코일이 여자되어 가동 접점 S1은 절환되어 접점 P1과 접촉하게 되고 P1접점측에 대기 중인 B+ 전원은 와이퍼 유닛 ③번 단자를 통해 와이퍼 모터의 저속단자에 공급하게 돼 와이퍼 모터는 저속으로 회전하게 된다.

와이퍼 모터가 저속으로 회전을 개시하면 캠 플레이트의 가동접점 S2는 P3로 절환되어 완충된 콘덴서 C3의 충전 전류는 저항 R6과 다이오드 D를 거쳐 TR3의 베이스(base)를 통해 어스(earth)로 방전을 하게 되며 콘덴서 C3가 방전하는 동안 TR3는 ON 상태를 유지하게 된다. 이때 와이퍼 모터의 회전이 정지 위치에 오게 되면 캠 플레이트의 가동 접점 S2는 절환되어 P4와 접촉하게 되어 와이퍼 유닛의 ②번 단자는 어스(earth)가 되고 저항 R5를 통해 콘덴서 C3에는 다시 충전 전류가 흐르기 시작하면 저항 R6 과 R7를 통해 흐르는 전류는 감소하여 TR3는 OFF 상태가 된다.

이 같은 과정을 반복하여 콘덴서 C3에 완충되면 콘덴서 C3의 전위는 높게 되어 TR3는 ON상태가 되고 릴레이의 S1 접점은 절환되어 P1 접점과 연결되는 동작을 반복한다.

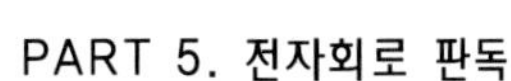

point

와이퍼 유닛 회로판독의 핵심 포인트

① **전자 회로 판독법**
- 구성 부품이 갖고 있는 기능을 사전에 파악한다.
- 회로의 구성 상태를 파악 한다. (전체 회로의 개략적인 흐름 파악)
- 회로에 의해 작동하는 부하부터 판독하여 나간다.

  와이퍼 모터의 컴 플레이트 접점 : 와이퍼 모터는 일단 회전을 개시하면 S2의 가동 접점은 절환되어 P3 접점과 연결하게 되어 전원을 OFF 하여도 정위치로 가기까지 전원을 공급하게 된다.
- 부하가 작동하기 위한 조건을 주어 판독하여 나간다.

② **와이퍼 유닛 회로**
- 와셔 회로의 핵심은 저항 R 과 콘덴서 C에 의한 RC 시정수 값에 의해 와이퍼 모터 작동이 일정 시간 지연되는 회로이다
- 그림 (5-3)과 같은 와이퍼 유닛 회로의 핵심은 콘덴서 C의 충전 전압 상승에 의해 TR3의 베이스 전위가 상승하는 것이 이 회로의 핵심이다.

③ **와이퍼 회로의 핵심 점검 포인트**
- INT 와이퍼의 작동은 와이퍼 유닛의 ②번 단자를 통해 콘덴서의 충전을 개시하고 ③번 단자를 통해 와이퍼 모터의 전원이 공급되므로 ②번 과 ③번 단자는 중요한 점검 포인트가 된다.
- 또한 ⑥번 단자는 와이퍼 스위치의 INT 선택시 접지(어스)가 되어 와이퍼 모터 회전이 개시 되므로 중요한 점검 포인트가 된다.

4 파워 윈도우 회로 판독

파워 윈도우(power window)의 기능은 전동 모터를 이용하여 윈도우를 개폐하고 윈도우(window)가 상한선 또는 하한선에 다다르면 자동으로 멈추는 기능을 가지고 있는 장치이다. 그림 (5-4)와 같은 파워 윈도우(power window) 회로의 구성을 살펴보면 운전석에 장착되어 있는 파워 윈도우 메인 스위치(power window main switch)와 각 윈도우의 개폐를 하기 위한 4개의 파워 윈도우 모터가 연결되어 있으며 4개의 각 파워 윈도우 모터(power window motor)에 전원을 공급하기 위한 파워 윈도우 릴레이로 구성되어 있다.

파워 윈도우 릴레이(power window relay)의 코일 측에는 점화 스위치와 연결되어 있어서 점화 스위치에 의해 배터리(battery)의 상시 전원이 파워 윈도우 릴레이의 접점을 통해

공급 된다. 파워 윈도우 메인 스위치의 내부에는 4개의 윈도우(window)를 개폐하는 4개의 T-접점 스위치가 연결되어 있는 것을 확인할 수가 있다.

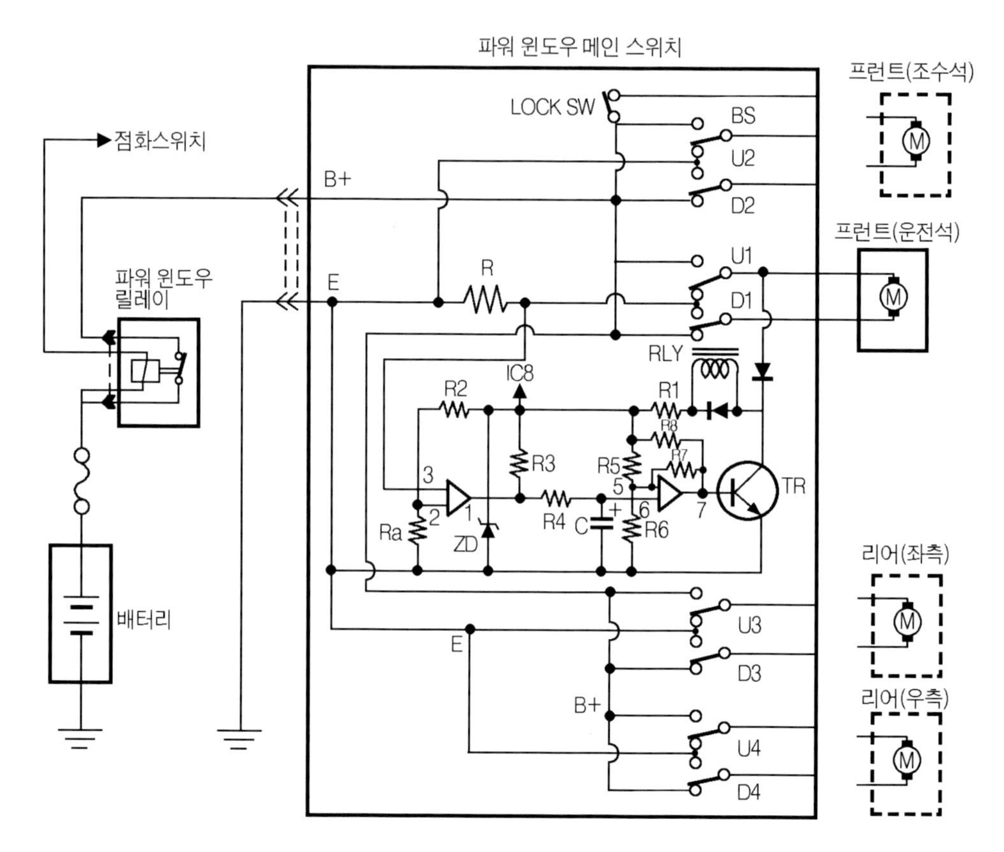

그림5-4 파워 윈도우 유닛 회로

(1) UP/DOWN 스위치를 DOWN으로 누를 때(운전석)

4개의 각 윈도우를 개폐하는 T-접점 스위치는 UP/DOWN시 가동 접점이 연동해서 작동하는 T-접점 스위치이다. 운전석 윈도우를 DOWN 시키기 위해 UP/DOWN 스위치를 DOWN으로 누르면 U1, D1의 가동 접점은 하측으로 연결되고 파워 윈도우 릴레이의 접점을 통해 공급되고 있던 B+ 전원은 D1의 가동 접점을 통해 프런트(운전석)의 파워 윈도우(power window motor)에 공급되고 전류는 프런트 파워 윈도우 경유하여 U1 접점을 통해 저항 R를 거쳐 어스(earth)로 흐르게 돼 프런트 윈도우 모터(front window motor)는 하강으로 구동하게 된다.

여기서 IC8 단자에는 전압 변동에 영향이 없는 정전압 전원이 항시 공급되고 있는 회로의 전원 공급 단자이다. 이 정전압 전원은 저항 R2, Ra와 저항 R5, R6을 통해 분압되어 OP AMP(연산 증폭기)의 입력 단자에 기준 전압으로 이용되게 된다. 좌측의 OP AMP(연산 증폭기)는 반전 입력 단자(−)에 저항 R2와 Ra를 통해 기준 전압을 설정하고, 우측의 OP AMP(연산 증폭기)는 비반전 입력 단자(+)에 저항 R5와 R6를 통해 기준 전압을 설정하고 있다. 여기서 제너 다이오드 ZD는 전원 전압에 의한 변동을 일정히 유지하기 위한 정전압 기능을 하고 있다.

프런트 파워 윈도우 모터에 흐르는 전류는 가동 접점 U1을 통해 저항 R을 거쳐 어스(earth)로 흐르게 돼 저항 R에 흐르는 전류는 작아지게 되고, 결국 좌측에 있는 OP AMP의 비반전 입력 단자에 걸리는 전압은 기준 전압 보다 작아지게 돼 OP AMP의 출력 전압은 낮아지게 된다. OP AMP의 출력이 낮아지면 우측에 있는 OP AMP의 반전 입력 단자의 전압은 기준 전압보다 낮아지게 되므로 출력 전압은 높게 되고, 결국 트랜지스터의 베이스 전류는 흐르게 돼 TR은 ON 상태가 된다. 따라서 파워 윈도우 메인 스위치의 내부 릴레이의 코일을 여자 시켜 프런트 윈도우 모터(front window motor)는 계속 구동되어 윈도우는 DOWN를 지속하게 된다.

(2) 윈도우의 멈춤 감지

윈도우(window)가 완전히 열리면 윈도우 모터(window motor)는 멈춰지게 되는 것은 프런트 윈도우 모터를 경유해 흐르는 전류는 저항 R을 통해 흐르게 하기 때문이다.

이것은 윈도우가 완전히 열려 모터의 회전이 정지하게 되면 윈도우 모터에는 부하가 걸려 저항 R에 흐르는 전류는 증가하게 된다. 저항 R에 전류가 증가하면 좌측에 있는 OP AMP의 비반전 입력 단자 전압은 증가하게 되고 기준 전압 보다 높게 입력 되게 된다. 따라서 좌측의 OP AMP(연산 증폭기)의 출력 전압은 높게 된다.

여기서 저항 R4와 콘덴서 C는 지연 회로로 R4와 C의 시정수에 의해 약 0.7초간 지연된 후 우측에 있는 OP AMP(연산 증폭기)의 반전 입력 단자에 입력되게 한다. 반전 입력 단자에 입력된 전압은 OP AMP의 기준 전압보다 높게 되어 우측에 있는 OP AMP의 출력 전압은 낮아지게 된다. 이렇게 낮아진 출력 전압은 TR의 베이스(base) 전류를 통해 흐르지 못하게 돼 결국 TR은 OFF 상태가 되고 만다. 따라서 릴레이 코일을 여자하고 있던 전류는 차단되게 되고 UP/DOWN 스위치의 접점은 원래 상퇴로 회복 돼 윈도우 모터

(window motor)의 회전은 정지하게 된다.

(3) UP/DOWN 스위치를 UP으로 누를 때(운전석)

UP/DOWN 스위치를 UP으로 누르면 가동 접점 U1 과 D1은 상측으로 접촉하게 되고 파워 윈도우 릴레이(power window relay)의 접점를 통해 공급하고 있던 상시 전원 B+는 U1 접점을 통해 프런트 모터(front motor)에 공급하게 된다. 이렇게 공급된 전원은 프런트 모터를 경유하여 가동 접점 D1을 통해 저항 R을 거쳐 어스(earth)로 흐르게 되고 저항 R에 흐르는 전류는 작아지게 된다.

결국 좌측에 있는 OP AMP의 비반전 입력 단자에 걸리는 전압은 기준 전압 보다 작아지게 되고 OP AMP(연산 증폭기)의 출력 전압은 낮아지게 된다. OP AMP의 출력이 낮아지면 우측에 있는 OP AMP의 반전 입력 단자의 전압은 저항 R5와 R6를 통해 분압된 기준 전압 보다 낮아지게 되므로 출력 전압은 높게 된다. 따라서 이 출력 전압에 의해 트랜지스터의 베이스 전류는 흐르게 되고 TR은 ON 상태가 된다. 트랜지스터의 스위칭 ON 상태가 되면 파워 윈도우 메인 스위치의 내부 릴레이의 코일에는 여자 전류가 흘러 릴레이(relay)의 접점은 상측으로 유지하여 지금까지 구동하고 있던 프런트 윈도우 모터(front window motor)를 계속 구동하게 하여 윈도우는 닫힘을 지속하게 된다.

이 회로는 파워 윈도우 메인 스위치의 내부 회로에 있는 저항을 R을 통해 윈도우 모터에 흐르는 전류를 감지하게 하고 윈도우 모터에 부하가 걸리면 저항 R을 통해 흐르는 전류가 증가하는 것을 이용한 회로로 OP AMP의 비교기 회로를 응용하고 있는 회로이다.

또한 윈도우 스위치(window switch)로는 T-접점 스위치를 사용해 접점의 절환시 윈도우 모터의 전원 공급 극성을 절환하여 주도록 회로가 구성되어 있는 회로이다.

point

파워 윈도우 회로판독의 핵심포인트

① **OP AMP의 비교기 회로**
- 비반전 입력 : 입력 된 전압이 기준 전압 보다 클 때 출력은 비반전 되어 출력
- 반전 입력 : 입력 된 전압이 기준 전압 보다 클 때 출력은 반전되어 출력

② **파워 윈도우 회로**
- 파워 윈도우 회로는 기본적으로 T-접점 스위치를 이용하여 파워 윈도우모터의 공급 전원을 절환하는 회로이다.

※ 윈도우의 개폐 상 · 하한선 감지

파워 윈도우 모터의 흐르는 전류를 저항 R을 통해 전압 강하분을 감지하는 방식을 채택하고 있다.

③ **파워 윈도우 회로 판독법**

- 파워 윈도우의 기능 파악 : 예) 윈도우의 부하시 자동 멈춤 기능, 반전 기능
- 부하 부터 접근 한다 : T-접점 스위치의 절환에 의한 모터의 공급 전원 파악
- OP AMP의 비교기 회로를 독립시켜 판독하여 본다.
- 모터를 구동하기 위해 스위치에 조건을 주어 회로를 판독하여 나간다.

④ **파워 윈도우 회로의 핵심 점검 포인트**

- 파워 윈도우 모터의 동작은 T-접점 스위치의 절환에 의해 모터에 공급되는 전원을 공급하게 되므로 T-접점 스위치의 가동 접점은 중요한 점검 포인트가 된다 (파워 윈도우 릴레이를 통해 공급 되는 전원 체크는 기본 점검)

5. 파워 트랜지스터 회로 판독

전자 제어 점화 장치에 사용되는 트랜지스터(transistor) 식 점화 장치 회로에는 그림(5-5)와 같이 파워 트랜지스터(power transistor)를 사용하여 점화 1차 코일에 흐르는 전류를 단속하고 있다. 점화 1차 코일에 흐르는 전류는 일반적으로 약 4A ~ 6A 정도 흐르게 되어 있어 파워 TR(power transistor)은 대전류에 충분히 견딜 수 있는 트랜지스터(transistor)를 사용하지 않으면 안된다.

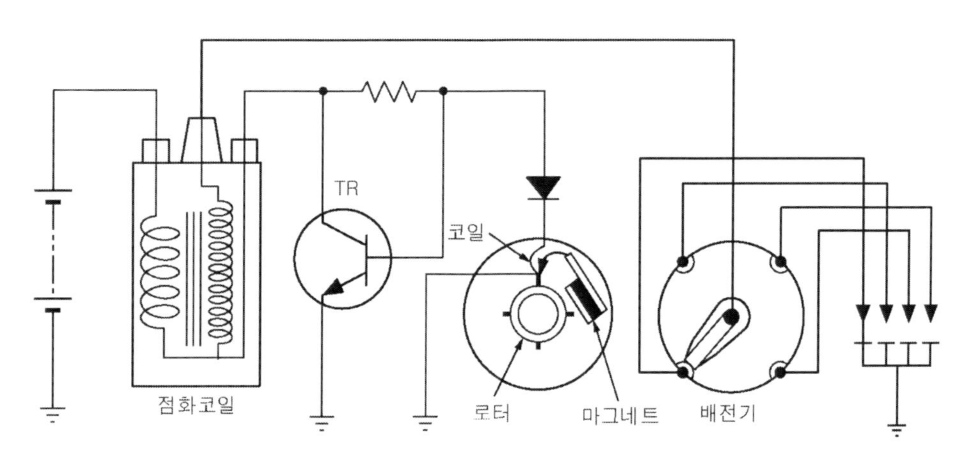

그림5-5 파워 트랜지스터식 점화 회로

따라서 점화 회로에 사용되는 파워 TR은 전류 증폭율(hfe) 및 컬렉터 전류(Ic)가 큰 파워 트랜지스터(power transistor)를 사용하고 있어 약칭 파워 TR이라 부른다. 또한 점화장치에 사용되는 파워 TR(파워 트랜지스터)는 내적인 환경(대전류, 고온)과 차량의 외적인 환경(높은 서지 전압, 고온, 차량의 진동 등)이 좋지 않은 곳에 사용되고 있어 이에 대해 신뢰성이 요구되고 있는 부품이다.

점화 회로의 조건에 맞는 파워 TR을 적용하기 위해 실제 파워 TR의 내부에는 하이브리드 IC화 된 그림 (5-6)과 같은 회로로 되어 있어 일반 트랜지스터(power transistor)와 달리 조금 복잡하다 파워 TR의 내부 회로를 살펴보면 Q1 과 Q2의 트랜지스터의 출력이 병렬로 연결된 다링톤(darlington) 결선 방식의 트랜지스터가 있고 그 아래에는 다링톤 TR(Q1 & Q2)의 컬렉터 전류가 저항 R3와 R4에 의해 트랜지스터 TR2의 베이스(base)에 연결되어 있는 것을 확인할 수가 있다.

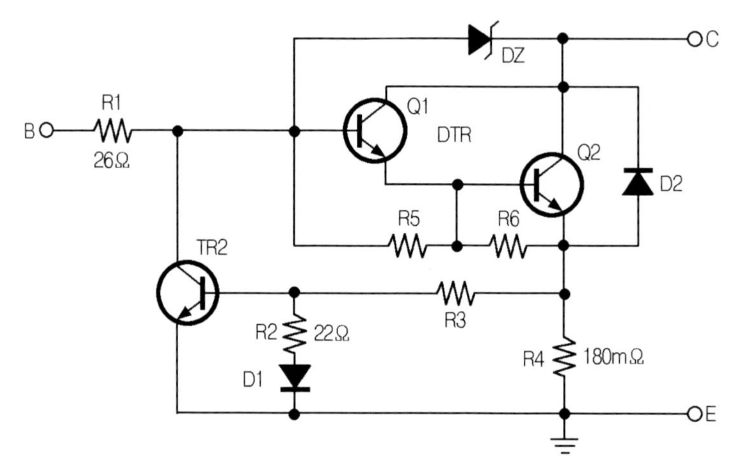

그림5-6 파워 트랜지스터의 회로

회로를 판독하기 위해 엔진 ECU(전자 제어 장치)에서 출력되는 구형파 신호 전압이 그림 (5-6)의 파워 TR 베이스에 입력되었다고 가정하고 컬렉터 측에는 점화 1차 코일이 연결되어 있다고 가정하여 회로를 판독 한다. 그림 (5-6)의 파워 TR 베이스에 엔진ECU에서 출력되는 구형파 신호 전압이 입력되면 저항 R1를 통해 TR2의 컬렉터 및 트랜지스터 Q1의 베이스(base)에 가해지게 되고 Q1의 트랜지스터는 ON 상태가 된다.

트랜지스터 Q1의 컬렉터(collector) 전류는 트랜지스터 Q2의 베이스(base)로 흐르게 돼 트랜지스터 Q2도 ON 상태가 된다. 파워 TR의 컬렉터 측에는 점화 1차 코일이 연결되어

있어 Q2의 컬렉터 전류는 저항 R4를 통해 흐르게 된다.

한편 Q2의 컬렉터 전류는 저항 R3와 저항 R2를 거쳐 다이오드 D1으로 흐르게 되어 Q2의 컬렉터 전류가 증가하게 되면 저항 R3에 걸리는 전압이 증가하게 되고 결국 TR2의 베이스 전압은 증가하게 돼 TR2의 컬렉터(collector) 전류 또한 증가하게 된다. TR2는 점화 1차 코일에 흐르는 전류가 증가하게 되면 저항 R3의 전압 강하분은 증가하게 되고 R3의 전압 강하분 증가는 TR2의 베이스 전압을 증가하게 해, TR2의 컬렉터 전류를 증가하게 하므로 파워 TR의 베이스(base)에 흐르는 전류를 감소하여 다링톤(darlington) TR의 컬렉터 전류를 감소시키는 전류 제어 회로이다. 즉 이 회로는 다링톤 TR에 의해 점화 1차 코일에 흐르는 전류를 단속하고 점화 1차 코일에 흐르는 전류량에 따라 TR2는 파워 TR의 베이스를 전류 제어하므로서 안정화 시킨 회로이다.

여기서 사용된 다이오드(diode) D1은 다이오드의 온도 특성을 이용한 온도 보상용 다이오드이다. D1의 온도가 상승하면 다이오드 양단에 걸린 전압은 감소하게 되고 TR2의 베이스 전압은 감소하게 돼 트랜지스터 TR2의 컬렉터(collector) 전류는 감소하게 되는 온도 보상용 다이오드로 사용되고 있다. 다이오드 D2는 역방향 서지 전압을 바이패스(by pass)하기 위해 달아 둔 다이오드이다. 또한 제너 다이오드 DZ는 점화 1차 코일에서 발생하는 점화 1차 전압을 일정한 전압으로 흡수하기 위해 삽입 되어 있다. 파워 TR의 회로 판독은 소자의 정확한 특성을 알고 있는 전문가가 아니면 쉽게 판독하기 어려운 회로 이지만 다양한 회로를 판독하여 봄으로서 회로에 대한 친근감을 향상하기 위해 소개한 회로이다.

point

파워TR 회로판독의 핵심 포인트

① **파워 TR 회로**
- 다링통 TR : 입력 된 전압이 기준 전압 보다 클 때 출력은 비반전 되어 출력
- TR2 : 트랜지스터의 베이스 전류에 의한 컬렉터 전류의 증감을 이용한 대표적인 전류 제어 회로이다.

② **파워 TR 회로 판독**
- 소자의 전기적인 특성을 이해한다. – 구성 부품의 기능을 이해한다.
- 점화 회로를 이해하고 파워 TR 회로를 판독하는 것이 좋다
- 파워 TR의 입력 조건을 가정하여 판독하여 나간다.

③ **파워 TR 회로의 핵심 점검 포인트**
- 일반 트랜지스터와 마찬가지로 TR의 베이스 단자가 중요한 점검 포인트가 된다.

6. 타코미터 회로 판독

태코미터(tacho meter)의 동작은 그림 (5-7)과 같이 점화 1차 코일의 신호를 받아 엔진 rpm을 표시 하는 것과 크랭크 각 센서(crank angle sensor)의 신호를 받아 rpm 표시하는 방식이 사용되고 있으며 전자의 것이 후자의 것 보다 일반적으로 많이 사용하고 있다.

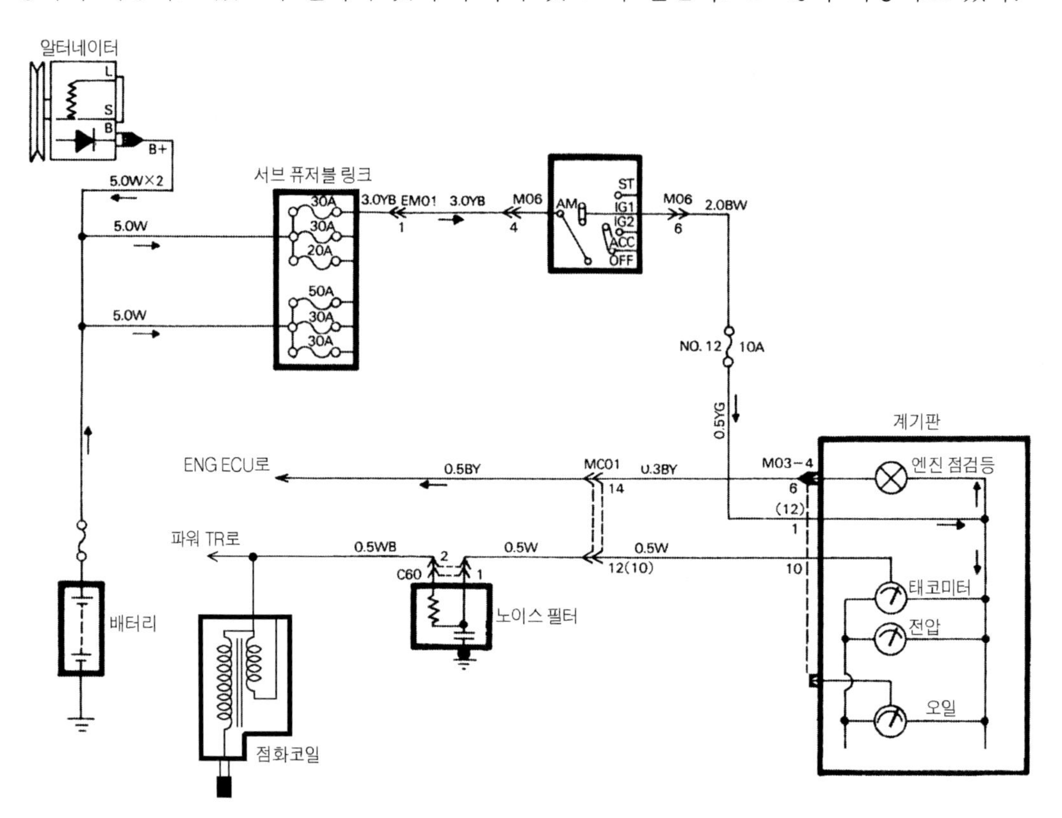

그림5-7 태코미터 회로

또한 태코미터로 사용하는 방식은 가동 코일 방식과 교차 코일 방식이 주류를 이루고 있으며 최근에는 컴퓨터(computer) 제어 방식인 스텝 모터(step motor) 방식이 사용되고 있기도 하다. 이들 미터(meter)를 작동하기 위해서는 별도의 태코미터(tacho meter)의 구동 회로가 필요하게 되는데 그 중에서도 점화 1차 코일의 신호를 받아 작동하는 태코미터(tacho meter)의 구동 회로는 그림 (5-8)과 같은 회로를 적용하고 있다. 먼저 태코미터(tacho meter)의 회로를 판독하기 전에 태코미터의 주변 회로를 살펴보자.

점화 1차 코일로부터 노이즈 필터(noise filter)를 통해 태코미터 신호를 입력 하는 것을 알 수가 있고 태코미터(tacho meter)의 전원 공급은 점화 스위치를 통해 공급하고 있는 것을 알 수가 있다. 여기서 노이즈 필터(noise filter)를 사용하는 것은 점화 1차 코일에서 발생하는 높은 서지 전압 때문이다. 이 전압은 파워 TR(power transistor)의 단속에 의해 약 300V~ 700V 정도의 높은 전압을 가지고 있어 별도의 매칭 회로를 가지고 있지 않으면 태코미터에 직접 입력할 수 없기 때문이다.

따라서 노이즈 필터(noise filter)를 통해 일정 전압을 태코미터에 입력하도록 하고 있다.

그림 (5-8)과 같이 입력 신호원에 의해 작동하는 태코미터(tacho meter)의 회로의 경우에는 부하인 태코미터 회로부터 판독하는 것 보다 신호원을 공급하는 입력 회로부터 판독하는 것이 편리하다. 먼저 입력 신호원이 차단되었을 때 즉 점화 1차 코일의 전류가 차단되었을 때는 트랜지스터 TR의 베이스(base) 신호가 입력되지 않기 때문에 TR은 OFF 상태가 되고 이때 다이오드(diode) D1을 거쳐 콘덴서 C1에는 충전 전류가 흘러 충전하기 시작한다. 점화 1차 코일에 전류가 흐르기 시작하면 트랜지스터의 베이스에는 전류가 흘러 TR은 ON 상태가 되게 된다.

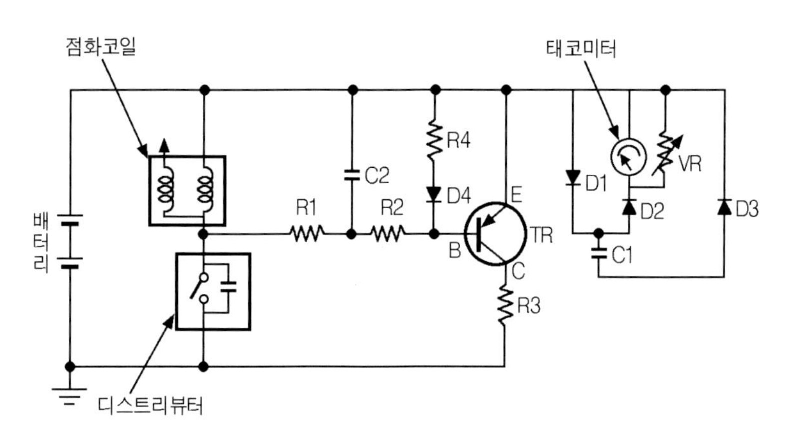

그림5-8 태코미터 회로(rpm 미터 회로)

트랜지스터 TR이 ON 상태가 되면 지금 까지 충전하였던 콘덴서 C1의 충전 전류는 다이오드 D1를 통2를 통해 태코미터를 경유하여 트랜지스터의 이미터(emitter)에서 컬렉터(collector)로 흐르기 시작한다. 이렇게 콘덴서의 충전 전류가 태코미터(tacho meter)를 통해 흐르기 시작하면 미터의 지침은 이동하게 된다. 이때 지침에 흐르는 콘덴서 C1의 방전

전류의 크기는 점화 1차 코일을 단속 하는 수에 비례하여 태코미터로 방전 전류가 흐르기 때문에 엔진의 회전수에 따라 태코미터(tacho meter)의 지침이 이동은 커지게 된다. 여기서 저항 R1 과 R2는 트랜지스터의 베이스 전류 제한 저항으로 사용되고 있으며 콘덴서 C2는 점화 1차 코일에서 발생하는 서지 전압을 흡수하기 위해 설치하여 놓은 것이다. 또한 태코미터와 병렬로 연결된 VR(variable resistor)은 태코미터(tacho meter)의 영점을 조정하기 위한 것이다.

결국 태코미터(tacho meter)에 흐르는 전류의 크기는 점화 1차 코일의 단속 횟수에 비례하기 때문에 점화 1차 신호 전압의 평균치로 태코미터의 지침이 작동하게 되는 회로이다.

point

태코미터 회로판독의 핵심 포인트

① **태코미터 회로의 판독**
- 회로의 구성 상태를 파악 한다(전체 회로의 개략적인 흐름 파악).
- 입력 신호원에 의해 작동되는 태코미터와 같은 회로는 입력 회로부터 판독하여 나가는 것이 회로 이해에 도움이 된다.

② **태코미터 회로**
- 가동 코일형 및 교차 코일형 태코미터는 점화 1차 신호의 평균값에 의해 가동된다.

③ **태코미터 회로의 핵심 점검 포인트**
- 점화 1차 신호에 의해 동작되는 태코미터의 핵심 점검 포인트는 노이즈 필터를 거친 태코 입력 단자가 핵심 점검 포인트가 된다(전원 체크는 기본 점검).

06 마이크로컴퓨터

6 CHAPTER 마이크로컴퓨터

1 디지털 IC

전기적으로 2진수의 신호 레벨을 처리하는 디지털 IC(Integrated Circuit)에는 반도체의 구조에 따라 여러 가지 IC로 구분되어 진다 이 중 그림 (6-1)과 같이 트랜지스터와 다이오드를 주 구성 부품으로 회로를 구성한 DTL(Diode Transistor Logic) IC, HTL(High Threshold Logic) IC, TTL(Transistor Transistor Logic) IC 등과 같은 IC (Integrated Circuit)를 바이폴러형 IC라 하고 금속 산화물 반도체를 이용한 MOS FET(Metal Oxide Semiconductor Field Effect Transistor) 소자를 주 구성 부품으로 만든 디지털 IC를 유니폴러형 MOS IC라 한다. 디지털 IC 중에 TTL과 같은 바이폴러(bipolor) IC는 표(6-1)과 같이 MOS IC에 비교 소비 전력이 크고 집적도가 낮아 마이크로 컴퓨터와 같은 고밀도의 집적 회로에는 적합하지 않아 직접도가 높은 MOS형 IC를 사용하고 있다

그림 (6-1)의 (a)는 DTL(Diode Transistor Logic) IC의 논리 NAND 게이트 회로를 나타낸 것으로 다이오드(diode) D1과 D2는 논리 AND 게이트 기능을 하고 트랜지스터는 인버터(inverter) 기능을 하는 회로이다. 논리 AND 게이트는 2개의 입력 중 1개의 입력이라도 0(제로)이면 출력에도 0(제로)이 출력되는 논리 회로를 말하는 것으로 A의 입력에는 0V가 입력되고 B의 입력에는 5V가 입력된다고 가정하면 P점의 전위는 B의 입력에 관계없이 항상 0V(실제로는 약 0.7V가 됨)가 된다. 반대로 A의 입력에는 5V가 입력되고 B의 입력에는 0V가 입력된다고 가정하면 P점의 전위는 A의 입력에 관계없이 항상 0V(실제로는 약 0.7V가 됨)가 된다.

또한 A의 입력에 5V가 입력되고 B의 입력에도 5V가 입력되는 경우에는 P점의 전위는

거의 Vcc 전압이 걸리게 되어 다이오드 D1과 D2가 논리 AND 게이트 역할을 하는 것을 알 수 있다. 이렇게 입력된 P점의 전압은 다이오드 D3와 D4를 통해 TR1의 베이스에 가해지게 된다. 여기서 사용한 다이오드(diode) D3와 D4는 레벨 시프트 다이오드로 입력 신호 전압이 0V가 입력 될 때 다이오드 D1 과 D2가 턴-온(turn on)되면 P점의 전위는 실제 약 0.7V가 되게 되므로 이 전압은 충분히 TR1를 턴-온(turn on) 시킬 수 있는 전압으로 이것을 방지하기 위해 레벨 시프트 다이오드 D3와 D4를 두고 있다.

따라서 A및 B의 입력이 0V가 입력되면 P점의 전압은 약 0.7V가 되며 TR1은 OFF 상태가 돼 Q의 출력에는 Vcc 전압이 출력하게 된다. 또한 A의 입력이 5V, B의 입력이 5V가 입력되면 P점의 전압은 Vcc 전압이 저항 R1을 경유하여 다이오드 D3와 D4를 통해 TR1의 베이스 인가하게 되므로 TR1은 ON상태가 되고 TR1의 출력 Q는 Vcc 전압이 되어 TR1은 위상이 반전되는 인버터(inverter) 기능을 하는 것을 알 수 있다. 이러한 DTL 디지털 IC는 비교적 간단하고 소비전력이 적으며 스위칭 속도가 빠른 이점을 가지고 있다.

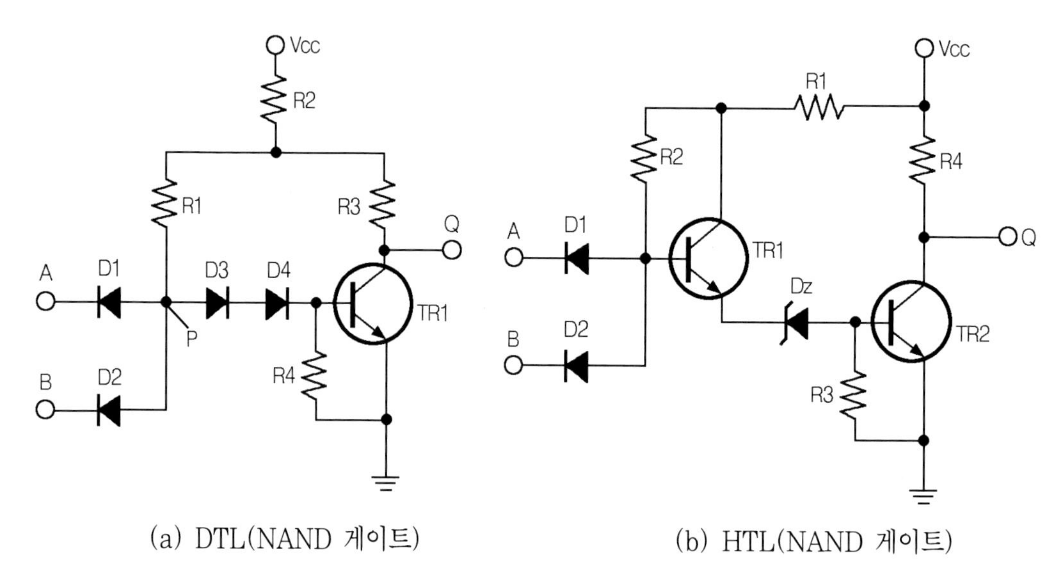

(a) DTL(NAND 게이트)　　(b) HTL(NAND 게이트)

그림6-1 디지털 IC 게이트 회로

그림 (6-1)의 (b)의 회로는 HTL(High Threshold Logic) IC의 논리 NAND 게이트의 회로를 나타낸 것으로 입력측 다이오드 D1 과 D2는 논리 AND 기능을 가지고 있고 트랜지스터 TR1 및 TR2는 인버터 기능을 가지고 있는 논리 NAND 게이트 회로이다. HTL IC는 레벨 시프트 다이오드(level shift diode) 대신 제어 다이오드(zencr diode)를 사용하

고 있어 전원 전압(Vcc) 전압이 높은 대신 노이즈 마진(noise margin)이 크다는 이점이 있다. 다이오드 D1과 D2는 DTL IC와 같이 AND 게이트로 작용하는 것으로 A의 입력이 0V, B의 입력이 15V가 입력되면 TR1은 OFF 상태가 된다. 결국 TR2도 OFF 상태가 되어 출력 측에는 전원 전압 Vcc가 출력되게 된다.

반대로 A의 입력이 15V, B의 입력이 0V가 입력 되면 TR1은 마찬가지로 OFF 상태가 되고 TR2도 OFF 상태가 되어 출력측 Q단자에는 Vcc 전압이 출력되게 된다. 또한 A의 입력이 15V와 B의 입력이 15V가 입력되면 TR1은 Vcc전압에 의해 저항 R2을 거쳐 TR1의 베이스(base)에 가해지게 되므로 TR1은 ON상태가 되고 TR1의 컬렉터 전압은 제너 다이오드(제너 전압이 약 6V용 사용) 통해 TR2의 베이스 전압에 인가하게 돼 TR2은 ON 상태가 된다.

따라서 TR2의 출력측 Q단자에는 0V가 출력하게 된다. 결국 이 회로는 다이오드 D1과 D2는 논리 AND 게이트 기능을 하는 것을 알 수 있고 TR1과 TR2는 인버터(inverter) 기능을 하는 회로임을 알 수 있다. 이와 같은 HTL IC는 DTL에 비해 논리 진폭이 크고 노이즈 마진이 큰 이점은 있지만 출력이 저항이 증가하며 배선에 의한 포유 용량 과 출력 저항이 증가로 인해 시정수 커지게 돼 트랜지스터(transistor)의 스위칭 시간이 증가하는 결점이 있어 거의 사용을 하지 않고 있다.

바이폴러(bipolor)형 디지털 IC 중에 대표적으로 TTL IC를 예를 들 수 있는데 그림 (6-2)는 대표적인 TTL IC의 논리 NAND 게이트의 회로를 나타낸 것이다.

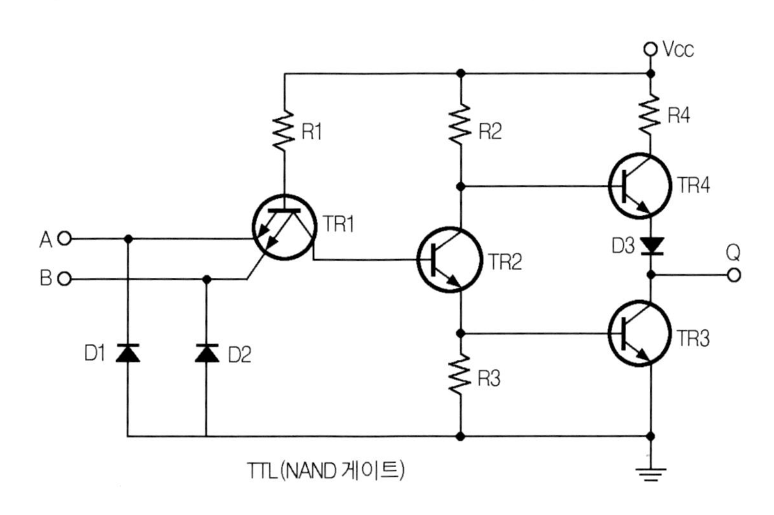

그림6-2 디지털 IC 게이트 회로

TTL IC는 포화형 논리 회로를 사용한 디지털 IC 중에 가장 스위칭 속도가 빠른 것으로 DTL의 입력 다이오드 D1과 D2 대신에 TR1의 멀티 이미터(multi emitter)를 사용한 것으로 보면 된다. 또한 DTL의 출력 트랜지스터 TR1의 베이스(base)에 사용했던 풀-다운(pull down)저항이 불필요하다. 풀 다운(pull down) 저항은 트랜지스터 TR2의 베이스(base) 입력이 0V로 떨어지면 TR2가 OFF 되는 것을 보증하기 위한 것이며 TR2가 OFF 상태일 때 역방향 베이스 전류를 흐르게 하여 턴-오프(turn off) 시간을 단축하기 위한 것이다.

입력 전압 A와 B가 5V가 입력 될 때 DTL은 구동측 TR1이 분리되는 데 반해 TTL은 구동측 TR3 OFF 상태가 되어 5V가 출력 되면 전류 소스(source)로 작용하게 되고 반대로 TR3가 ON 상태가 되어 0V가 출력 되면 전류 싱크(sink) 역할을 하게 된다. 이와 같은 이유로 TTL은 그림 (6-2)와 같이 TR3와 TR4에 의한 토오템 폴(totem pole) 회로를 구성하고 있다. 즉 A의 입력이 5V, B의 입력이 5V가 입력 되면 TR1은 역 방향 베이스 전압에 의해 TR2는 ON상태가 되고 TR4는 OFF 상태가 된다.

한편 TR3는 TR2의 컬렉터 전류에 의해 ON상태가 되어 부하측으로부터 TR3로 전류는 싱크(sink) 되게 된다. 반대로 A의 입력 전압이 0V 이고 B의 입력이 5V가 입력되면 TR1은 ON 상태가 되어 TR2는 OFF 상태가 된다. TR2의 OFF 상태는 TR3를 OFF 시키고 전원 Vcc는 저항 R2를 통해 TR4의 베이스에 인가되어 TR4는 ON 상태가 된다.

TR4의 ON 상태는 출력 측 부하에 전류의 소스(source)원으로 작용하게 된다.

이와 같은 이유로 TTL은 소비 전력이 다른 디지털 IC에 비해 크며 출력측에 다수의 논리 게이트 회로를 연결하여 사용 할 때는 별도의 구동 회로가 필요하게 된다. 따라서 TTL은 동작 속도가 빠른 대신 소비 전력이 크기 때문에 현재에는 그다지 많이 사용하고 있지 않고 있다. 대신 동작 속도는 다소 떨어지지만 직접도가 대단히 높고 소비 전력이 작은 MOS IC가 주류를 이루고 있다. MOS(Metal Oxide Semiconductor) IC는 P형과 N형 반도체 위에 절연층인 산화 실리콘 기판을 접착하고 그 위에 대단히 얇은 금속판을 접착하여 만든 것으로 구조가 간단하여 직접도가 대단히 높다는 이점을 가지고 있다.

디지털 IC에 사용하는 MOS(Metal Oxide Semiconductor)형 FET(Field Effect Transistor)는 디플레션(depletion)형 과 언헨스먼트(enhencement)형 FET로 구분 되어지는데 스위칭 회로에 사용하는 MOS FET는 주로 언헨스먼트(enhencement)형 FET를 많

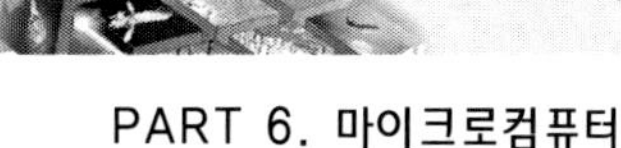

이 사용하고 있다. 디지털 IC에 사용하는 MOS형 IC에는 P-MOS, N-MOS, CMOS가 사용되며 P-MOS와 N-MOS는 CMOS에 비해 집적도 크며 스위칭 속도는 N-MOS가 P-MOS 보다 약 2배 빠르고 CMOS 보다 빠르므로 마이크로컴퓨터와 같은 고밀도 집적회로에 주로 N-MOS을 사용하고 있다.

반면 CMOS는 P-MOS나 N-MOS에 비해 소비 전력이 작은 이점은 있으나 집적도가 떨어져 고밀도의 집적 회로에는 부적합하다. 디지털 스위칭 회로에 주로 사용되는 언헨스먼트(enhencement)형 MOS FET의 심볼은 그림 (6-3)과 같다. MOS FET의 심볼 리드는 입력측을 게이트(gate)라 하고 출력측은 드레인(drain) 및 소스(source)로 구분하고 드레인 과 소스 사이의 점선과 같이 나타낸 것은 평상시에는 이 두 전극 간에 채널(channel)이 형성되지 않는 다는 것을 의미하고 심볼에 나타낸 화살표시는 트랜지스터(transistor)와 같이 전류 방향을 나타낸 것이 아니고 MOS FET의 채널(channel)의 극성을 나타낸 서브스테이트(substate)이다.

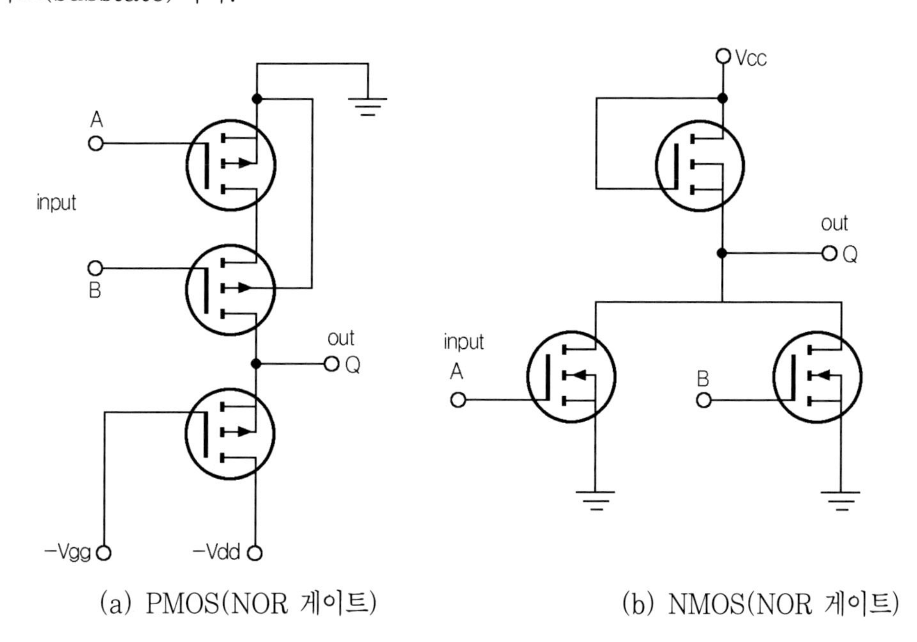

(a) PMOS(NOR 게이트) (b) NMOS(NOR 게이트)

그림6-3 MOS 디지털 게이트 회로

그림 (6-3)과 같이 화살표 방향이 밖으로 나가는 서브스테이트는 P채널 MOS FET를 나타낸 것이고 화살표 방향이 안으로 들어오는 서브스테이트는 N채널 MOS FET를 나타낸 것이다. 따라서 이들 MOS FET의 스위칭 동작을 살펴보면 P채널 MOS FET의 경

우에는 소스(source)측에는 접지하고 드레인(drain)측에는 −전압(+15V)을 공급하면 입력측 게이트에는 −전압이 입력되면 P-MOS FET는 채널(channel)이 열려 ON상태가 되어 출력측 전압은 −Vdd가 되고 반대로 입력측 게이트에 +전압이 입력되면 P-MOS FET는 채널(channel)이 닫혀 OFF 상태가 돼 0V가 된다.

이때 입력 전압(게이트와 소스 사이 전압)은 문지방(threshold) 전압 이상이 되어야 체널(channel)이 열리기 시작한다. 이 와는 반대로 공급 전원이 극성이 반대인 N-채널 MOS FET의 경우에는 소스(source)측에는 접지하고 드레인(drain)측에는 +전압의 공급 전압을 공급하고 입력측 게이트에 −전압을 입력하면 N-MOS FET는 채널이 닫혀 OFF 상태가 되며 출력 측 전압은 Vcc가 된다. 반대로 입력측 게이트에 +전압이 입력되면 N-MOS FET는 채널(channel)이 열려 ON 상태가 되고 출력측에는 0V가 된다.

이와 같은 기본 지식을 토대로 그림 (6-3)의 MOS FET의 회로를 판독하여 보자 먼저 그림 (6-3)의 (a)의 회로를 살펴보면 하측 MOS FET의 드레인 단자를 통해 −Vdd의 전원이 공급되어 있고 입력 게이트에는 −Vgg 전압이 입력 되어 있어 ON상태가 되고 출력이 차단되는 동안은 언제나 −Vdd가 됨을 알 수가 있다 따라서 2개의 입력 단자 중에 하나라도 +전압(high level)이 입력되면 MOS FET의 채널은 닫히게 되어 OFF상태가 되고 출력은 −Vdd 전압이 출력하게 된다. 반면 입력 A와 B에 −전압(low level)이 입력되면 MOS FET 의 채널(channel)은 모두 열려 출력 Q에는 Vss 전위에 가까운 0V의 전위가 된다. 따라서 그림 (6-3)의 (a)의 회로는 논리 NOR 게이트 회로임을 알 수 있다. 그림 (6-3)의 (b)의 회로는 NMOS FET를 이용한 논리 게이트 회로로 상측 NMOS FET의 드레인에는 Vcc 전원이 연결되어 있고 게이트에는 Vcc 전압을 입력하여 출력측에는 2개의 NMOS FET 가 모두 OFF 되어 있는 한 출력에는 항상 Vcc가 출력하게 된다. 2개의 입력 단자 중에 하나라도 +전압(high level)이 입력되면 NMOS FET의 체널은 열려 ON 상태가 되고 출력 Q에는 Vss 전위인 0V가 출력하게 된다.

반면 2개의 입력 단자 A와 B에 −전압(low level)이 입력되면 NMOS FET의 채널은 닫혀 OFF 상태가 되고 출력 Q에는 Vcc 전압이 출력하게 된다. 따라서 그림 (6-3)의 (b)는 NMOS FET로 구성된 NOR 게이트 임을 알 수가 있다.

이러한 디지털 논리 게이트 들은 디지털 IC에 따라 신호를 받아들이는 전압 레벨이 달라 그 중 대표적인 TTL IC와 CMOS IC에 대해 알아보기로 한다.

그림 (6-3)의 (a)는 TTL 논리 게이트의 입력 신호 레벨을 나타낸 것으로 논리 게이트에 입력되는 신호 레벨로 1(2진수)이 입력되려면 최소한 2.0V 이상이 되어야 TTL은 1(2진수)로 입력 될 수 있으며 0(2진수)이 입력되려면 최소한 0.8V이하가 보증 되어야 TTL 논리 게이트는 0(2진수)으로 입력 될 수 있다.

이에 반해 CMOS형 논리 게이트는 입력되는 신호 레벨이 1(2진수)로 입력되려면 2/3Vcc 이상이 되어야 CMOS형 논리 게이트는 1(2진수)로 입력 될 수 있으며 0(2진수)이 입력되려면 최소한 1/3Vcc 이하가 보증 되어야 0(2진수)으로 입력 될 수 있다. 또한 TTL IC의 공급 전압은 5V인데 반해 CMOS IC의 공급 전압은 3~15V정도로 이들 IC에 공통으로 전원을 적용하려면 5V 전원을 사용하는데 마이크로컴퓨터의 전원을 5V를 사용하는 이유도 이 때문이다.

그림 (6-4)의 (a)는 노이즈 마진(noise margin)을 설명하기 위한 그림으로 입력 게이트의 신호에 비해 출력 신호 레벨 차를 노이즈 마진이라 하며 이 폭이 크면 클수록 1과 0의 영역이 확실히 구분이 된다. 지금 까지 대표적인 디지털 IC에 대해 알아보았는데 이러한 디지털 IC의 기본 소자는 논리 게이트로서 이러한 논리 게이트의 조합에 의해 메모리(memory) 소자나 컴퓨터의 하드웨어(hard ware)를 구성하게 된다.

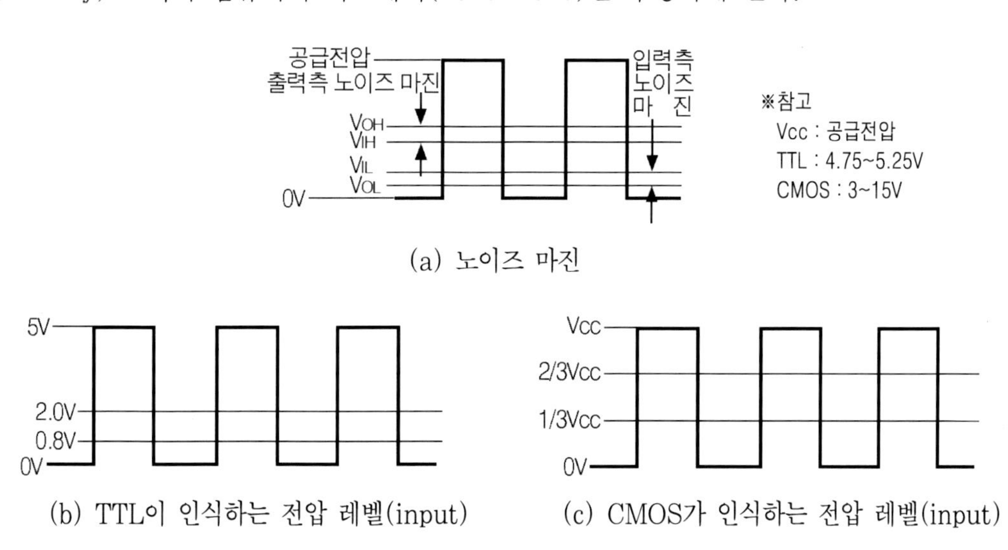

그림6-4 디지털 IC의 논리게이트가 인식하는 신호 레벨

디지털 IC의 핵심 포인트

① **디지털 IC**

- TTL 논리 게이트 : 동작 속도가 빠른 대신 소비 전력이 크고 집적도가 낮음
- MOS 논리 게이트 : 동작 속도가 떨어지는 대신 소비 전력이 작고 집적도 높아 고밀도 논리 게이트 회로에 적합하다. 또한 금속막을 게이트로 활용하고 있어 정전기 취약하다.

※ 참조) 바이폴러형 IC : TR(트랜지스터)와 같이 전자와 정공이 이동하며 전자 전류와 정공 전류가 흐르는 것을 이용한 소자

유니폴러형 IC : FET(전계 효과 트랜지스터)와 같이 채널의 형성에 의해 다수 케리어에 의한 전류가 흐르는 소자

② **TR(트랜지스터)와 FET(전게 효과 트랜지스터)의 동작**

- TR(트랜지스터)의 동작 : 베이스의 바이어스 전압에 의해 컬렉터 전류가 트랜지스터의 전류 증폭율(hfe) 만큼 흐르는 것을 이용한 소자
- FET(전계 효과 트랜지스터)의 동작 : 게이트의 전계에 따라 드레인 과 소스에 체널이 열리고 닫히는 것을 이용한 소자

※ 참조) FET에는 디플레이션 형과 언헨스먼트형 FET가 있는데 스위칭 소자로는 언헨스먼트 형이 많이 사용

③ **MOS FET의 스위칭 동작**

- P-MOS FET : 게이트에 −전압 입력시 …… 채널 열림(OFF 상태)
  게이트에 +전압 입력시 …… 채널 열림(ON 상태)
- N-MOS FET : 게이트에 −전압 입력시 …… 채널 열림(OFF 상태)
  게이트에 +전압 입력시 …… 채널 열림(OFF 상태)

※ 참조) TTL IC의 공급 전압 : 5V
MOS IC의 공급 전압 : 3V ~ 18V

④ **TTL과 MOS의 문지방 전압(threshold voltage)**

- TTL 논리 게이트 : 1 = 2.0V 이상, 0 = 0.8V 이하
- CMOS 논리 게이트 : 1 = 2/3Vcc 이상, 0 = 1/3Vcc 이하

※ 참조) 노이즈 마진 : 논리 게이트에 입력되는 신호 대비 출력 되는 신호의 전압차를 노이즈 마진이라 하며 이 차가 클수록 1과 0 구분이 명확하다.

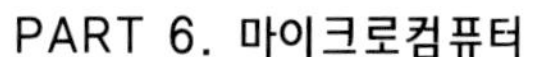

카운터와 레지스트

1. 플립플롭 회로

디지털 논리 회로는 입력 신호의 상태(1, 0)에 따라 출력 신호가 변화하는 논리 회로와 입력 신호의 시간적 순서에 의해 출력 신호가 변화하는 sequential logic circuit(순차 논리 회로)가 있는데 이 순차 논리 회로에 대표적인 것이 플립플롭(flip flop) 회로이다.

플립플롭(flip flop)의 대표적인 논리 회로가 그림 (6-5)에 나타낸 RS 플립플롭 회로이다. 플립플롭(flip flop) 회로는 2개의 안정 상태(1, 0)를 가지고 있어 1은 세트(set), 0은 리셋(reset)으로 명칭을 붙여 사용하고 있으며 플립플롭(flip flop)의 종류에는 RS 플립플롭, JK 플립플롭, D 플립플롭, T 플립플롭 등이 있다. 이와 같은 플립플롭의 논리 회로는 2진 카운터 회로, 시프트 레지스터 회로, 디코더 회로, 기억 소자 등에 이용되고 있다.

그림 (6-5)의 (a)에 있는 RS 플립플롭 회로를 살펴보면 논리 NOR 게이트가 2개 연결되어 있는 것을 확인 할 수 있는데 RS 플립플롭 회로를 해석하기 전에 논리 NOR 게이트의 입, 출력 관계를 살펴보면 NOR 게이트는 2개의 모든 입력이 0일 때에만 출력은 1로 되는 것을 염두에 두고 해석 한다.

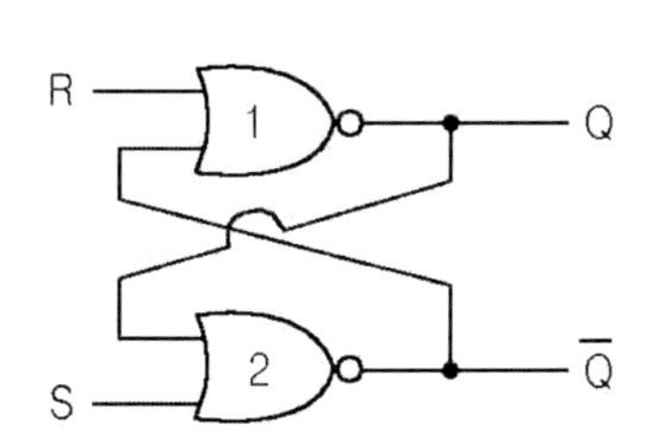

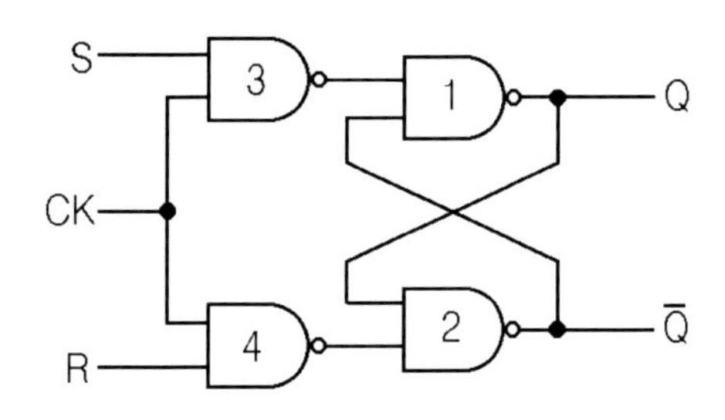

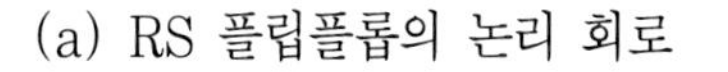
(a) RS 플립플롭의 논리 회로

(b) 동기식 RS 플립플롭의 논리 회로

그림6-5 RS 플립 플롭 회로

① **홀드 모드** : 출력 Q = 1, 이고 Q바 = 0라고 가정하고 R = 0. S = 0가 입력되면 출력 Q = 1 상태가 된다. 반대로
출력 Q = 0, 이고 Q바 = 1 라고 가정하고 R = 0. S = 0가 입력되면

출력 Q = 0 상태 되어 R = 0, S = 0 상태가 입력되면 전 상태를 유지 한다 하여 일명 래치(latch) 상태라고 한다.

② **리 셋** : R = 1. S = 0이 입력되면 출력 Q는 전 상태와 관계없이 항상 Q = 0 상태가 되어 리셋 모드(reset mode)라고 한다.

③ **세 트** : R = 0. S = 1이 입력되면 출력 Q바는 전상태와 관계없이 항상 Q바=0 상태가 되고 출력 Q = 1 상태가 되어 세트 모드(set mode)라고 한다.

[표6-2] RS & JK 플립플롭의 진리치표

RS 플립플롭				JK 플립플롭			
동작	S	R	Q	동작	K	J	Q
홀드	0	0	전 상태	홀드	0	0	전 상태
리셋	0	1	0	리셋	1	0	0
세트	1	0	1	세트	0	1	1
금지	1	1	사용 금지	toggle	1	1	전환

④ **금지 모드** : R = 1. S = 1이 입력되면 출력 Q = 0 , Q바 = 0 상태가 되어야 하므로 2개의 안정 상태(1, 0)를 갖지 못하므로 RS 플립플롭 회로가 성립되지 않는다.

이와 같이 금지 상태를 방지하기 위해 RS 플립플롭 회로의 보완형인 그림 (6-6)과 같은 JK 플립플롭 회로를 고안하게 되었다. JK 플립플롭 출력 Q는 입력 K와 클럭 신호CK입력과 AND 되어 RS 플립플롭의 R에 입력되어 있고 출력 Q바는 입력 J와 클럭 신호CK 입력과 AND 되어 RS 플립플롭의 S에 입력되어 있어 있다.

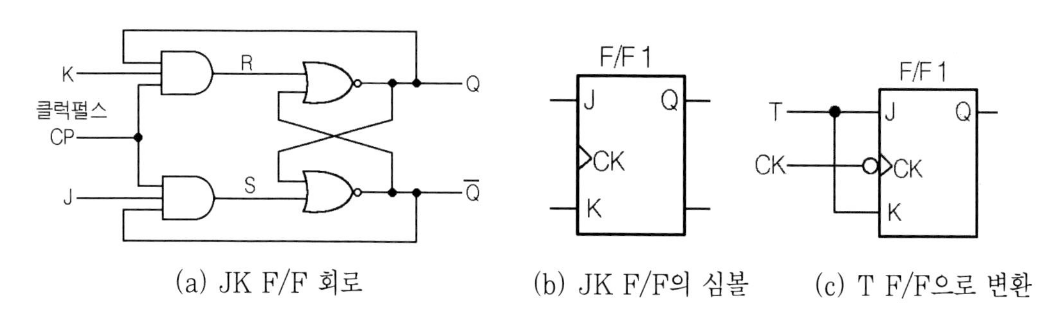

그림6-6 JK 플립플롭

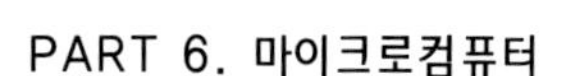

따라서,

① **리셋 모드** : Q = 1에서 입력 K = 1, J = 0 입력되고 CK = 1로 입력되면 출력 Q = 0로 클리어(clear) 된다.

② **세트 모드** : Q바 = 1에서 입력 K = 0, J = 1 입력되고 CK = 1로 입력되면 출력 Q = 1로 세트(set) 된다.

③ **토글 모드** : 입력 K = 1, J = 1 일 때 CK 신호가 입력되면 출력 Q는 토글된다

JK 플립플롭 회로는 입력 K = 1, J = 1 일 때 CK 신호가 남아 있는 동안 계속 토글 상태로 되기 때문에 클럭 펄스(clock pulse)의 폭이 플립플롭의 전파 지연 시간보다 짧아야 한다. 따라서 JK 플립플롭 회로는 에지 트리거(edge trigger)의 플립플롭을 구성하고 있다.

그림 (6-7)은 플립플롭(flip flop) 회로의 펄스파의 트리거링(triggering)을 나타낸 것으로 클럭 신호가 상승할 때 플립플롭의 출력 Q가 high level로 출력되는 것을 포지티브 에지 트리거(positive edge trigger)라 하고 클럭 신호가 하강할 때 출력 Q가 high level로 출력 되는 것을 네거티브 에지 트리거(negative edge trigger)라 한다.

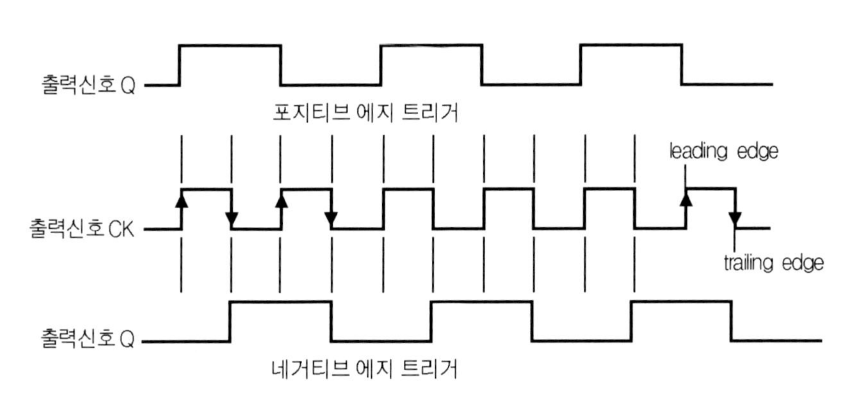

그림6-7 플립플롭의 트리거링

그림 (6-8)은 JK 플립플롭 회로를 이용하여 클럭 펄스(clock pulse) 신호를 카운트 하는 4비트 리플 카운터 회로이다. JK 플립플롭은 J = 0, K = 0 일 때 출력 Q의 신호는 전상태에서 클럭 신호가 반전 할 때 마다 출력 신호도 반전되어 출력되어 지므로 출력신호는 클럭 신호 한 주기 마다 토글 되어 출력하게 된다. 따라서 이 내용을 상기하며 4비트 리플 카운터 회로를 살펴보면 쉽게 이해가 갈 수 있는 회로이다.

그림 (6-8)의 나타낸 JK 플립플롭의 심볼에는 클럭 신호를 입력 하는 단자에는 배꼽 모양을 한 둥근 원형이 붙어 있는데 이것은 클럭 신호가 네거티브 에지(negative edge)에서 출력 신호가 토글(toggle) 된다는 것을 나타낸 것으로 심볼상으로는 인버터(inverter)를 나타낸 것이다.

따라서 JK F/F-1(JK 플립플롭 1)의 클럭 단자에 클럭 신호가 입력되면 출력 단자에는 클럭 신호가 네거티브 에지(negative edge)에서 출력이 되고 다음 JK F/F-2는 클럭 신호의 2주기의 네거티브 에지에서 출력이 되어 순차적으로 각 플립플롭의 출력에는 그림 (6-8)의 (b)와 같은 타이밍 다이어그램(timing diagram)이 출력 되게 된다. 결국 플립플롭(flip flop)의 출력에서 순차적으로 출력된 펄스 신호는 2진화 된 것과 같이 되어 이러한 카운터(counter)를 4비트 리플 카운터(4bit ripple counter)라 한다. 여기서 사용된 플립플롭(flip flop)의 수에 따라 비트 수는 증가해 카운트가 가능하다. 예를 들어 플립플롭을 3개 사용한 경우에는 2^3 비트 까지 카운트를 하게 돼 카운터는 2^n 개의 자연 계수를 가질 수 있다.

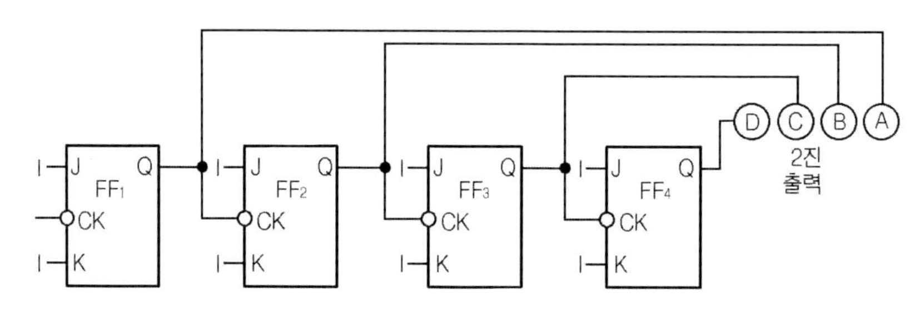

(a) 4비트 리플 카운터

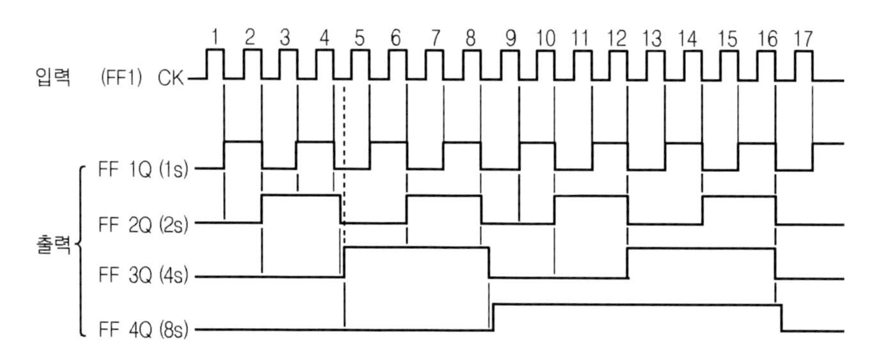

(b) 리플 카운터의 타이밍 다이어그램

그림6-8 4비트 리플 카운터 회로

2. 카운터 회로

플립플롭(flip flop)은 카운터뿐만 아니라 1개의 2진수 비트를 기억할 수 있는 메모리 소자로 사용할 수 있다. 그 중에서도 2진 데이터를 기억시켰다 필요시 데이터를 출력할 수 있는 레지스터로 사용되고 있다. 레지스터는 플립플롭을 그림 (6-9)와 같이 종속으로 접속하여 출력 데이터가 순차적으로 이동 해 가도록 만든 것이 시프트 레지스터(shift register)이며 이는 디코더 및 엔 코더 등의 신호 처리시 일시적인 기억 회로로 사용하는 중요한 회로이다.

3. 레지스터 회로

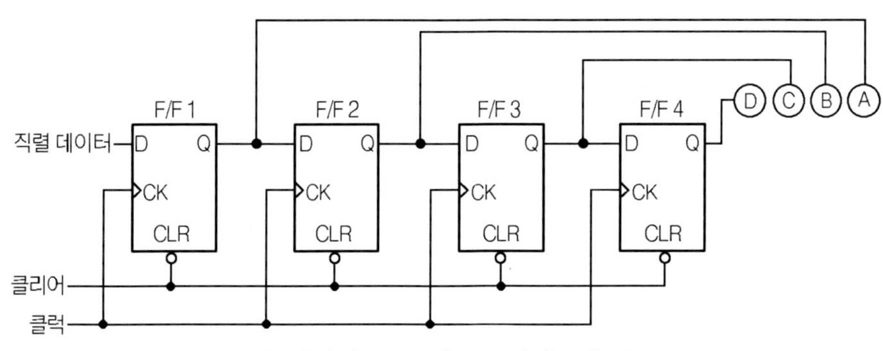

(a) 시리얼 로드 시프트 레지스터 회로

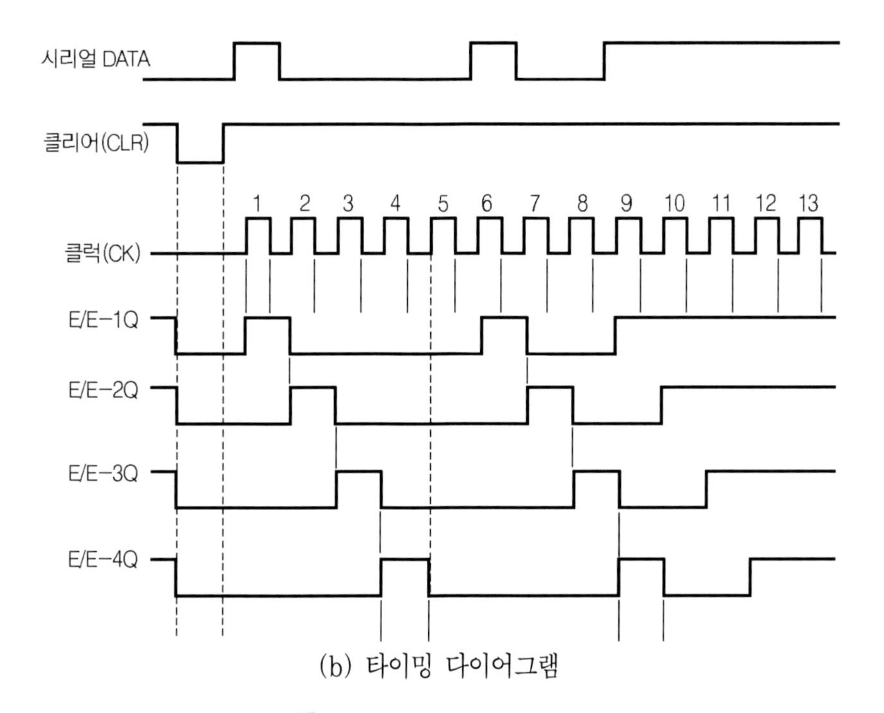

(b) 타이밍 다이어그램

그림6-9 직렬 로드 시프트 레지스터

point

카운터 및 레지스터의 핵심 포인트

① **플립플롭 회로**

- 플립플롭 회로는 입력 신호의 시간적 순서에 의해 출력의 상태가 변화하는 논리 소자 회로로 2개의 안정 상태(1, 0)를 가지고 있다.
- 플립플롭 회로는 기억 소자의 기본 셀(cell)이다

※ RS 플립플롭의 기능 : R = 0, S= 0시 전 상태를 유지하는 latch 기능을 가지고 있는 소자이다

- R(reset) 단자로 : 입력 R = 1 일 때 출력은 0로 세트 된다
- S(set) 단자로 : 입력 S = 1 일 때 출력은 1로 세트 된다

② **트리거 에지**

- 네가티브 트리거 에지 : 클럭 신호가 리딩 에지에서 출력 신호가 출력될 때
- 포지티브 트리거 에지 : 클럭 신호가 트레일링 에지에서 출력 신호가 출력될 때

③ **카운터 회로**

- 플립플롭을 이용하여 클럭 신호를 2진수로서 계수하는 회로로 시간 계수 및 수치 제어, 디지털 전압계 등에 이용되고 있다.

④ **레지스터 회로** : 플립플롭의 레치(latch)기능을 이용하여 2진 데이터을 일시적으로 기억했다 필요시 출력하여 사용하고 있는 회로이다

- 디코터의 출력 데이터나 디코딩 중인 데이터를 일시 기억하였다 필요시 디지털 시스템의 입출력 회로에 채널 기능을 하는 레지스터이다
- 또한 곱셈 및 나눗셈 등의 연산에도 이용하고 있는 일시 기억 소자 회로이다

3. 기억 소자

기억 소자로 활용되기 위해서는 다량의 정보를 필요시 필요한 정보를 저장 또는 불러 낼 수 있는 능력을 가져야 하는 것은 기억소자가 갖추어야 할 조건으로 이러한 능력을 해결 할 수 있는 것이 반도체 기억 소자로 플립플롭(flip flop)을 예를 들 수 있다.

플립플롭은 2개의 안정 상태(1, 0)를 가지고 있는 기억 소자로 MOS FET를 이용하여 회로를 규칙적으로 배열하여 2개의 안정 상태(1, 0)를 필요시 필요한 량의 데이터를 저장 할 수도 있고 불러 올 수 있어야 메모리 소자(기억 소자)라 할 수 있다. 이러한 메모리 소자에 는 임의의 어드레스(address)를 지정하여 데이터를 저장 할 수도 있고 불러 올 수도 있는 RAM(Radom Access Memory) 가 있으며 지정된 장소에 어드레스(address)를 지정

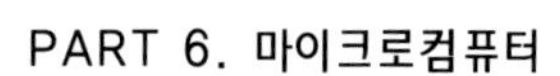

하여 저장시키는 ROM(Read Only Memory) 메모리가 있다.

1. 디코더와 엔코더

엔코더(encoder)라는 것은 그림 (6-10)의 (a)와 같이 어떤 수나 명령을 2진 데이터로 변환하는 것을 말하며 디코더(decoder)라는 것은 반대로 그림 (b)와 같이 2진 데이터를 어떤 수 또는 명령으로 해독하는 것을 말한다. 그림 (a)의 엔코더 회로는 입력 신호가 동시에 들어오는 경우 들어 온 데이터(data)를 처리하기 위해서는 우선 순위가 높은 데이터부터 처리하도록 우선 순위 엔코더(priority encoder)를 채택하고 있다. 그림 (b)의 스트로브(strobe) 펄스는 스트로브 펄스시에만 출력이 래치(latch)하도록 하고 있다.

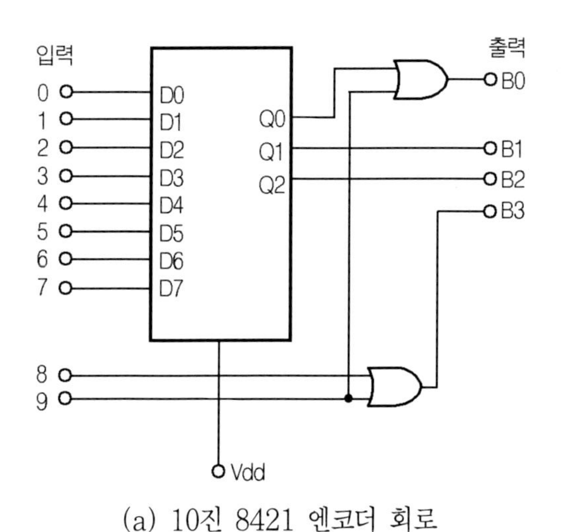

(a) 10진 8421 엔코더 회로

10진수	B3	B2	B1	B0
1	0	0	0	0
0	0	0	0	0
1	0	0	0	1
2	0	0	1	0
3	0	0	1	1
4	0	1	0	0
5	0	1	0	1
6	0	1	1	0
7	0	1	1	1
8	1	0	0	0
9	1	0	0	1

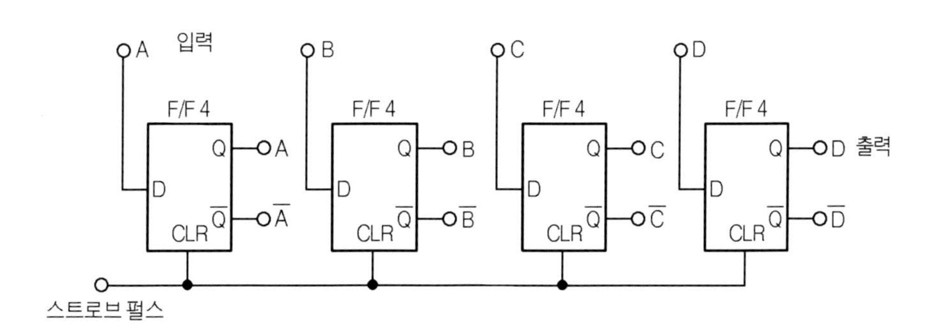

(b) 래치회로를 이용한 BCD 10진 디코더 회로

그림6-10 엔코더와 디코더

2. ROM(읽기 전용 메모리)

ROM(Read Only Memory)는 읽기 전용 메모리로 전원을 OFF 하여도 기억 내용이 날아가지 않는다 하여 이러한 메모리를 비휘발성 메모리(nonvolatile memory)라 부르며 ROM는 MOS FET의 게이트(gate)에 형성되는 포유 용량에 데이터를 축적하기 위해 드레인 층과 소스 층 사이에 산화막의 두께를 제조 과정에서 1비트(2진수의 1)를 기억하기 위해 기억하고자 하는 셀(cell)의 산화막을 엷게 하여 만든다. 이렇게 만든 ROM을 마스크 ROM이라 하며 마스크 ROM은 동일한 데이터를 다량으로 마스크 ROM에 기억시키고자 할 때에는 편리 하지만 사용자가 데이터(data)를 저장하고 싶은 경우 불편하므로 그 내용의 데이터를 쉽게 저장 할 수도 있고 필요시 삭제할 수도 있는 메모리(memory)가 요구되는데 이것이 EPROM이다.

EPROM(Electrically Erasable Read Only Memory)은 드레인(drain)과 산화막 기판 사이에 역 바이어스 전압을 주어 PN 접합의 브레이크 다운을 일으키면 PN 접합면에 생긴 높은 전자의 에너지가 플로팅(floating) 상태가 되어 게이트의 포유 용량에 축적이 되는 것을 이용한 것으로 기억된 데이터를 삭제 할 때 자외선을 약 8 ~ 20분 정도 가해야 지워지는 불편함이 있다. 이것을 보완하기 위한 ROM(Read Only Memory)가 EEROM이다.

EEROM은 전기적으로 데이터(data)를 삭제 할 수가 있어서 EPROM과 같이 자외선에 의한 데이터의 삭제 시간을 단축 할 수 있다.

2. RAM(임시 저장 메모리)

ROM(Read Only Memory)는 그림 (6-11)의 (a)의 같이 다량의 정보를 기억하기 위해 cell(1비트를 저장할 수 있는 flip flop에 해당)을 매트릭스(matrix) 화하여 정보를 저장하고 어드레스 버퍼를 통해 지정된 정보를 읽어 낼 수 있도록 되어 있는 일종의 셀의 그룹이다.

RAM(Random Access Memory)은 데이터를 임시 저장하기도 하고 불러내기도 할 수 있는 임시 저장 메모리(memory)로 전원을 차단하면 기억된 내용이 날라 가버린다 하여 휘발성 메모리(volatile memory)라 부르기도 하는 메모리(memory)이다. RAM 메모리에는 정보를 셀(cell)의 콘덴서에 저장하여 두는 다이내믹 RAM(DRAM) 과 MOS FET를 토대로 플립플롭(flip flop)을 이용한 스태틱 RAM(SRAM)이 사용되고 있는데 DRAM (Dynamic Random Access Memory)의 경우는 콘덴서에 저장된 정보가 방전에 의해 삭제

되지 않도록 리프레시(refresh) 신호를 주어야 하므로 사용상 SRAM 보다 복잡함이 따른다. RAM 메모리의 구성은 그림 (6-11)의 (b)와 같이 다량의 정보를 기억하기 위해 셀 매트릭스(cell matrix)가 있고 각 2차적으로 배열해 X, Y 어드레스(열 디코더와 행 디코더)에 의해 정보를 액세스(access)하는 것이 보통이다.

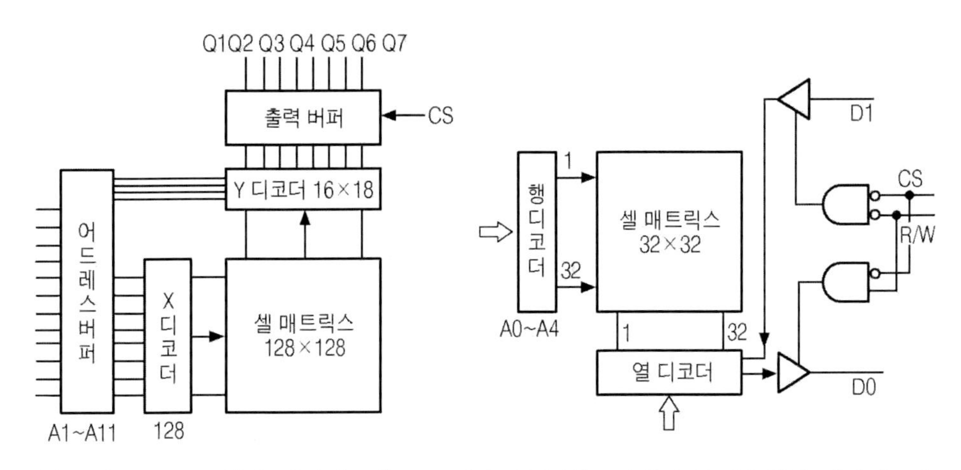

(a) 8비트 ROM 블록 다이어그램 (b) 1024워드 1비트 RAM 블록 다이어그램

그림6-11 ROM & RAM의 블록 구성도

그림 (6-12)는 RAM의 데이터를 읽을 때와 쓸 때의 타이밍을 나타낸 것으로 읽어 내기의 경우에는 어드레스(address) 신호를 주면 RAM은 어드레스를 디코딩하게 되고 이때 CS(Chip Select) 신호를 주면 데이터는 읽어지게 된다. 어드레스 신호를 주어 출력 데이터가 나오기 까지 걸리는 시간을 ta(address access time)이라 한다.

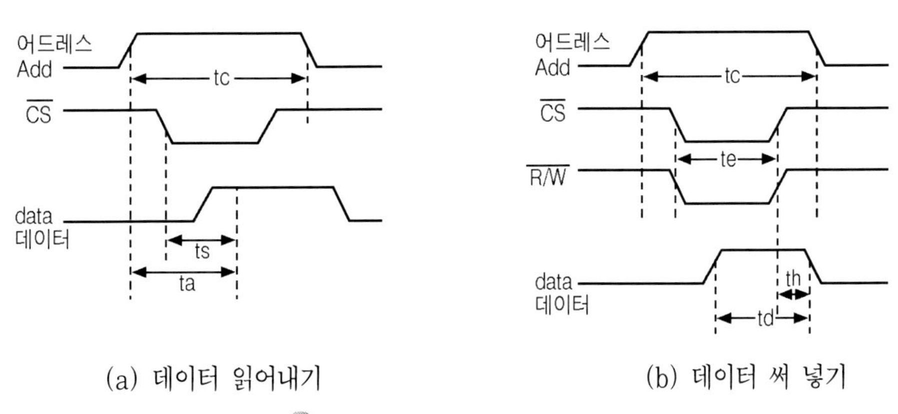

(a) 데이터 읽어내기 (b) 데이터 써 넣기

그림1-5 메모리의 동작 타이밍

데이터를 써 넣기 하는 경우에는 어드레스 신호가 주어지고 R/W(Read & Write) 신호와 CS 신호가 동기 되어 주어지면 데이터(data)는 데이터 셋업 시간(td : data set up time) 동안 써넣기 동작을 하게 된다.

point

기억소자의 핵심 포인트

① **엔코더와 디코더**
- 엔코더(암호기) : 10진수 또는 명령 → 2진수로 변환
- 디코더(해독기) : 2진수 → 10진수 또는 명령으로 변환

※ 스트로브 펄스 : 데이터가 버스상에 올라 올 때 발생하는 enable 신호 또는 다음 데이터를 래치하기 위한 클리어 신호를 말함

② **기억 소자의 용도**
- 레지스터 : 논리 연산이나 데이터의 전송을 용이하게 하기 위해 사용되는 일시적인 기억 소자 또는 회로를 말함
- ROM : 읽기 전용 메모리로 데이터의 프로세스를 처리하기 위한 프로그램 데이터를 저장하는 메모리
- RAM : 읽기 및 쓰기의 전용 메모리로 프로그램 데이터를 처리하기 위해 데이터를 임시 저장하는 메모리

③ **RAM의 동작 모드**
- READ 시 : 어드레스 신호 → CS 신호 → 데이터 출력
- WRITE 시 : 어드레스 신호 → CS 신호 및 W/R 신호 → 데이터 입력

4. 마이크로컴퓨터(CPU)

마이크로 컴퓨터(micro computer)는 내부에 CPU(Center Process Unit)을 포함에 ROM과 RAM 메모리를 내장한 원칩 마이크로 컴퓨터(one chip micro computer)와 CPU에 외부 메모리(ROM & RAM)를 사용하는 마이크로 컴퓨터가 사용되고 있는 데 일반적으로 원칩 마이크로 컴퓨터(one chip micro computer)와 CPU를 통틀어 마이크로 컴퓨터라 부른다. 이러한 마이크로 컴퓨터는 산업용 제어기기 외에 민생용 전자 제품에 널리 사용하게 되는데 자동차에도 예외는 아니어서 ECU(전자 제어 장치)에 핵심적 구성 부품으로 전자 공학과 기계 공학이 만나는 매카트로닉스(mechatronics)라는 신종어를 만들어 내기도 하였다.

마이크로 컴퓨터는 전자 제어 엔진의 엔진 ECU, 자동 미션의 TCU 전자 제어 브레이크 장치인 ABS, 전자 제어 현가장치인 ECS, 자동 공조 장치인 오토 에어컨 등에 이루기까지 폭 넓게 제어 소자로서 사용되고 있어 전자 제어 회로 판독에 보다 넓은 지식을 습득 할 수 있도록 마이크로 컴퓨터에 대한 내용을 간단히 소개하고자 한다.

그림 (6-13)은 원칩 마이크로 컴퓨터의 내부 블록 다이어그램을 나타낸 것으로 여기서 ROM 과 RAM이 내부에 내장되어 있는 것 외에 일반 CPU 칩과 동일하다.

1. 마이크로 컴퓨터의 구성

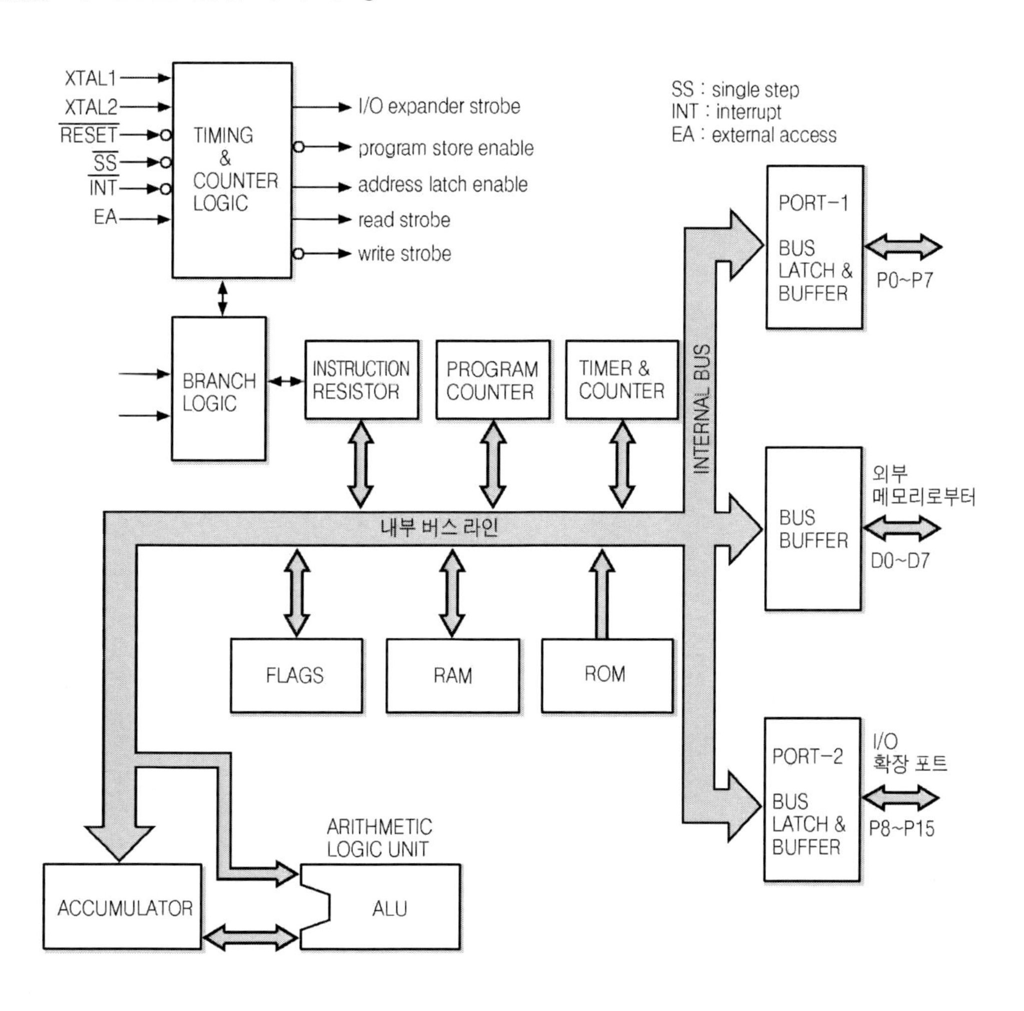

그림6-13 마이크로컴퓨터의 블록 다이어그램

마이크로 컴퓨터(micro computer) 내에는 정보를 저장하는 ROM과 RAM이 있으며 ALU는 ROM 과 RAM 및 레지스터에 있는 데이터를 내부 버스 라인(bus line) 통해 불러와 처리하고 내부 버스 라인(bus line)을 통해 메모리와 레지스터 및 포트(port)를 통해 출력한다. 이 버스 라인(bus line)에는 ALU 및 어큐뮬레이터(accumulator), 플래그 레지스터(flag register), 명령 레지스터(instruction register) 및 데이터 버스(data bus)를 컨트롤(control)하는 타이밍 엔드 카운터 로직(timing & counter logic) 등이 출력 포트(port)와 연결되어 있어서 이 버스 라인(bus line)을 통해 정보를 주고받는 것을 알 수가 있다.

여기서 ALU(Arithmetic Logic Unit)은 2개의 오퍼랜드(operand)간의 데이터를 레지스터(register)를 통해 논리 AND, 논리 OR, 논리 XOR, 논리 NOT 등의 논리 연산 및 자리이동(shift)의 조작을 실행하여 산술 연산 및 논리 연산을 실행하는 일종의 CPU이다. 마이크로 컴퓨터(micro computer)의 내에는 ROM과 RAM과 같은 메모리 외에 레지스터(register)를 사용하는 이유는 ROM에 있는 데이터(data)를 꺼내서 처리하는 것 보다 마이크로 컴퓨터의 내에 있는 레지스터(register)에서 데이터를 불러 처리하는 편이 데이터 처리를 고속으로 할 수 있기 때문이다.

플래그 레지스터(flag register)는 ALU가 산술 연산 및 논리 연산을 실행하면 ALU의 실행한 상태를 나타내는 레지스터(register)이다. 예를 들어 ALU가 2개의 오퍼랜드를 가산하였다고 가정하면 가산한 결과가 마이너스인지 플러스 인지를 나타내는 레지스터이다. 여기서 오퍼랜드(operand)란 연산 대상이 되는 수 또는 데이터를 말 한다. 따라서 플래그 레지스터(flag register)에는 carry flag, half carry flag, zero flag, overflow flog, sign flag, subtract flag를 가지고 있는 8 비트(bit) 레지스터로 구성되어 있어 ALU의 연산 결과 상태를 나타내고 있다. 프로그램 카운터(program counter)는 ALU가 ROM내에 있는 데이터를 처리하는 순서를 가리키는 레지스터(register)로 프로그램 카운터는 다음 처리 할 명령의 번지수(address)를 가리키며 ALU는 현재 실행 중인 명령의 바이트(byte) 길이에 따라 프로그램 카운터는 그 만큼 번지수(address)를 증가시켜 지시하도록 되어 있다.

프로그램 카운터(program counter)는 다음에 실행 될 명령의 번지수를 지시하는 메모리에 대한 포인터(pointer) 인 반면 스택 포인트(stack pointer)는 메모리(memory)의 저장에 대한 포인터(pointer)이다. 스택 포인터는 마이크로 컴퓨터가 갖고 있는 컴퓨터의 독특한 기능으로 서브루틴(subroutine) 명령을 사용 할 때 사용하게 된다. 즉 점프(jump) 또는 브

랜치(branch) 명령으로 다른 명령으로 번지수(address)를 옮길 때 점프(jump) 또는 브랜치(branch) 명령의 번지수를 나타내는 프로그램 카운터의 어드레스(address)를 자동으로 스택 포인터(stack pointer)에 저장(save) 해 두어야 한다.

이 동작을 실행하는 것은 나중에 점프(jump) 또는 브랜치(branch) 명령이 이어지는 장소로 돌아가기 위해 필요한 번진수(address)를 저장하여 두는 것이다. 이 같은 동작은 인터럽트(interrupt)의 경우에도 마찬가지로 적용하게 된다. 마이크로 컴퓨터에서 인터럽트(interrupt) 동작이란 ALU(CPU)가 현재의 프로그램을 실행하여 나가다. 외부 또는 내부에 정보에 의해 현재 수행하는 프로그램을 중단하고 인터럽트(interrupt)를 부른 것부터 프로그램을 수행하라는 명령으로 인터럽트에는 우선 순위를 결정하여 인터럽트가 동시에 들어와도 우선 순위에 의해 처리하도록 되어 있다.

마이크로 컴퓨터에 사용되는 인덱스 레지스터(index register)는 ALU(CPU)가 명령을 수행하기 직전 그 번지수(address)를 변경할 필요가 있는 경우에 연산을 통해 번지수를 변경하여 변경된 번지수를 인덱스 레지스터(index register)가 기억하고 있도록 하는 레지스터(register)이다. 즉 인덱스 레지스터는 메모리의 번지수를 계산하는 데 이용하는 레지스터이다. 또한 인터럽트 벡터 레지스터(interrupt vector register)는 인터럽트를 건 디바이스(device)의 데이터와 ALU(CPU) 데이터의 조합에 의해 인터럽트 처리 루틴(routine)으로 갈 수 있는 번지수(address)를 만드는 레지스터이다.

이와 같이 마이크로 컴퓨터(micro computer)는 여러 정보를 데이터 버스 라인(data bus line) 통해 정보를 주고받는데 데이터의 충돌없이 정보를 전송하기 위해서는 신호의 타임을 맞추고 동기 시키며 제어 신호를 컨트롤하기 위한 타임 엔드 컨트롤 로직(timing & control logic)이 있으며 외부의 정보를 입력 하거나 출력하도록 창구 역할을 하는 데이터 포트(data port)로 구성 되어 있다.

그림 (6-14)는 ROM 메모리와 RAM 메모리의 사용자 저장 장소의 배정을 예로서 나타낸 것으로 실제 사용자가 마이크로 컴퓨터의 프로그램을 하기 위해서는 그림 (6-14)와 같이 메모리(memory)의 매핑(mapping)을 하고 프로그램을 하여야 용도에 맞는 메모리로서 사용할 수가 있다.

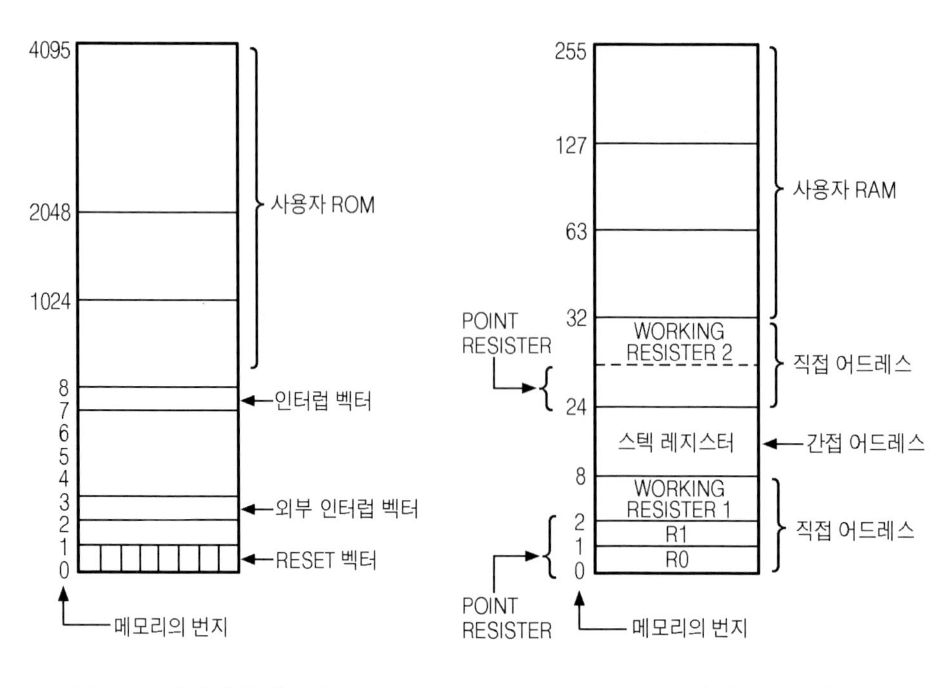

그림6-14 메모리의 저장장소 배정

2. 마이크로 컴퓨터 핀의 구성

그림 (6-15)는 마이크로 컴퓨터(micro computer)의 대표적인 반도체 업체인 인텔(사)의 원칩 마이크로 컴퓨터(INS 8050)의 핀 구성을 나타낸 것이다.

먼저 마이크로 컴퓨터에는 데이터(data)를 주고받는 데이터의 창구 기능을 하는 포트(port)가 있으며 포트는 래치(latch) 회로로 구성되어 있어서 데이터(data)를 래치(latch) 할 수가 있는 버퍼(buffer)이다. 이 포트를 통해 I/O 디바이스(device)를 확장하기 위해 어드레스 포트(address port)로 사용 할 수 있으며 자동차의 전자제어장치(ECU)의 실제 입·출력 단자로 사용되는 단자이다. 또한 8비트(bit)의 데이터 버스(data bus)가 있는데 이것은 외부 메모리와의 정보를 교환하기 위해 또는 외부 메모리의 정보를 위해 사용되는 데이터 버스 단자이다. 이 단자는 자동차 전자 제어 장치(ECU)에 실제 입·출력 단자로도 사용 할 수 있는 단자이기도 하다.

T0, T1입력 단자는 조건부 점프 명령을 수행하기 위해 이 단자의 신호가 들어오면 주어진 점프 명령의 어드레스(address)로 점프하기 위해 사용하는 단자이다.

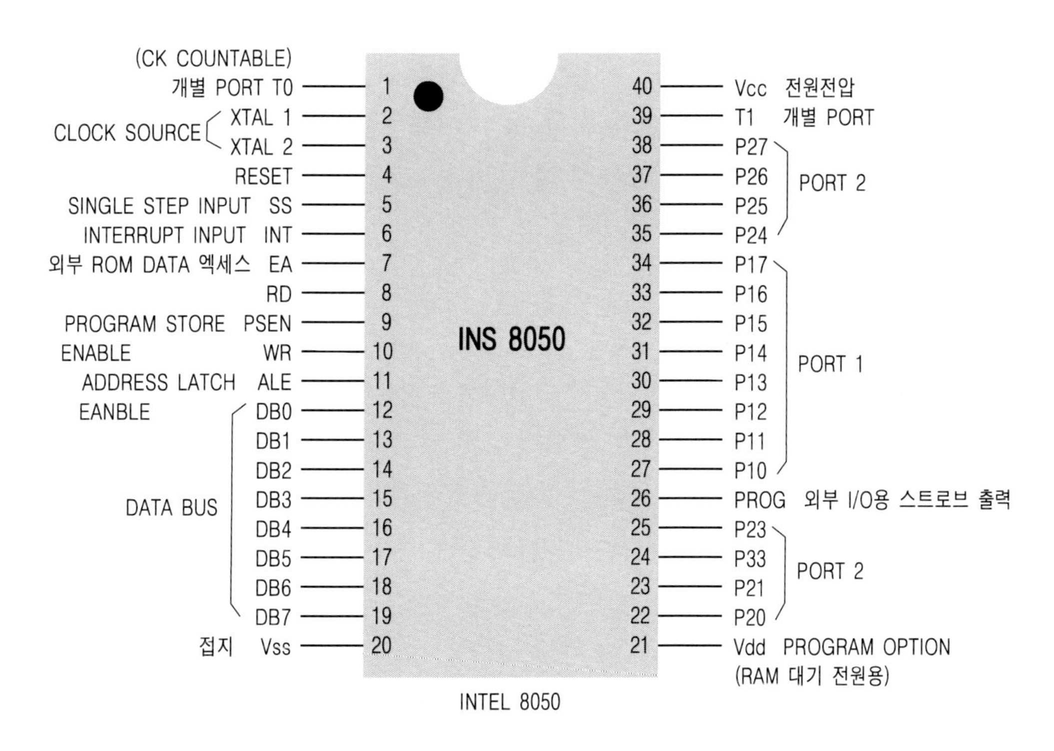

그림6-15 마이크로 컴퓨터의 핀 구성

XTAL 1 및 XTAL 2 단자는 클럭 소스(clock source)를 발생하는 단자이며 주로 크리스털 발진기 및 세라믹 레조네이터를 사용하고 있는 단자이다. RESET 단자는 마이크로 컴퓨터(micro computer)를 리셋(reset) 하기 위한 단자이다. SS단자는 싱글 스텝 입력(single step input) 단자로 프로그램의 실행을 통해 싱글 스텝으로 ALU와 결합하기 위해 사용하는 단자이다. INT 단자는 액티브 로우(active low) 상태가 되면 ALU에 메인 인터럽트 요구(main interrupt request)를 알리게 되고 ALU는 현재 수행하는 명령의 끝에서 INT 신호를 확인한다. ALU는 INT 신호를 확인하면 ALU는 인터럽트를 수락하였음을 알리게 된다. EA 단자는 외부 메모리를 확장할 때 사용하는 단자로 이 단자가 액티브 하이(active high) 상태가 되면 외부 메모리(ROM)으로부터 모든 데이터를 가져 올 수 있는 단자이다. RD, WR 단자는 외부 메모리(ROM)에서 데이터를 읽기나 쓰기를 할 때 이 단자를

통해 RD(read), WR(write) 스트로브 펄스를 출력 하는 단자이다. PSEN 단자는 외부 메모리(ROM)으로부터 데이터(data)을 가져오도록 하기 위해 액티브 로우(active low) 상태를 유지하는 프로그램 스토어 이네이블(program store enable) 단자이다. 이 단자는 ROM으로부터 명령 또는 데이터를 가져올 때 활성화 하여야 하는 단자이다. ALE 단자는 클럭 출력(clock output) 단자로 사용되기도 하며 외부의 ROM , RAM 메모리에 어드레스(address)를 스트로브(stroub)하는데 사용된다.

Vcc는 + 5V의 전원 단자이며 Vss는 회로의 접지 단자로 사용되는 단자이다.

3. 마이크로 컴퓨터의 동작

컴퓨터(micro computer)의 동작시키기 위해서는 컴퓨터(computer)만 가지고는 동작할 수 없다는 것은 누구나 알고 있듯이 마이크로 컴퓨터도 이와 마찬 가지로 컴퓨터라는 하드웨어(hard ware)만 가지고는 동작이 불가능하다.

따라서 프로그램(program)을 한 소프트웨어(soft ware)가 필요하게 되는데 마이크로 컴퓨터(micro computer)의 소프트웨어(프로그램)를 하기 위해서는 마이크로 컴퓨터가 제어하기 위한 각종 입·출력 정보는 물론 언제 어떻게 무엇을 제어 할 것인가를 정확히 알지 못하면 하드웨어는 물론 소프트웨어도 만들 수가 없다. 따라서 제어 대상 과 목적을 정하고 이에 맞는 하드웨어를 설계하여 프로그램(소프트웨어)을 해 나가야 하는데 이렇게 한 소프트웨어(soft ware)는 ROM 메모리에 내장하게 되어 비로소 마이크로 컴퓨터(micro computer)를 동작 시킬 수 있는 시제품이 탄생하게 된다.

ROM 메모리 내에는 하드웨어(hard ware)를 작동시킬 수 있는 명령어(OP CODE)와 오퍼랜드(operand)의 데이터(data)가 저장 되어 있어서 프로그램(program)에 따라 순차적으로 처리하도록 하고 있다. 마이크로 컴퓨터는 클럭 펄스(clock pulse) 신호에 의해 칩(chip)이 활성화 되면 PC(프로그램 카운터)는 스타트 명령의 번지수(address)를 시작으로 프로그램 카운터는 번지수(address)를 지시하면 ALU(CPU)는 ROM 메모리에 있는 OP CODE(operation code)의 바이트(byte)를 읽고 그 것을 디코더(해독)하여 OP CODE에 의한 명령을 수행하게 된다. ALU(CPU)가 OP CODE을 디코드(해독)하면 프로그램 카운터는 데이터 버스 라인(data bus line) 상에 게이트(gate) 되어 다음 명령의 OP CODE의 추출을 준비하게 된다.

예를 들어 자동차 전자 제어 장치의 입력 신호가 마이크로 컴퓨터의 입·출력 포트(port)에 입력되면 ROM에 내에 프로그램 된 OP CODE에 의해 ALU(CPU)에 입력되고 다음 OP CODE의 명령에 의해 논리 연산 및 산술 연산을 통해 마이크로 컴퓨터의 입·출력 포트(port)로 출력하게 된다. 이렇게 출력된 마이크로 컴퓨터의 데이터(data)는 미약한 신호원으로 전자 제어 장치의 솔레노이드 밸브 나 스텝 모터 같은 구동 장치를 구동할 수 없기 때문에 버퍼(buffer) 장치 및 증폭 장치를 통해 전자 제어 장치(ECU)의 출력으로 내보지게 된다. 마이크로 컴퓨터에 사용되는 OP 코드(명령어)는 반도체 메이커의 마이크로 컴퓨터마다 다르지만 지금 까지 설명한 동작의 흐름은 거의 유사 하므로 한 가지 모델을 기준으로 습득해 나가는 것이 좋다.

point

마이크로 컴퓨터의 핵심 포인트

① **메모리와 레지스터**

- 메모리 : 명령어 및 데이터를 저장하여 둔 기억 장치로 컴퓨터의 명령을 수행하기 위해 필요한 정보를 저장 또는 호출하는 기억 장치
- 레지스터 : 외부 메모리에 있는 데이터를 호출하여 연산하는 것 보다 레지스터에 저장하여 호출하여 사용하는 것이 데이터 처리 속도 면에서 효율적이다. 따라서 데이터를 임시 저장한다 하여 메모리와 구분하여 사용하고 있다

② **ALU의 기능**

여기서 ALU는 CPU와 동일한 기능을 하는 것으로 레지스터 및 메모리의 데이터를 받아 논리 연산이나 산술 연산을 하는 레지스터

③ **입·출력 포트**

래치 회로로 되어 있어 입력 신호 및 출력 신호를 래치 할 수 있다 하여 포트(port)라 부른다.

※ 래치(latch) : 다음 신호가 오기 까지 데이터를 유지하는 기능

④ **마이크로 컴퓨터의 동작**

ALU(CPU)는 ROM 메모리에 있는 명령어를 읽고 디코드(해독)하여 그 명령을 실행하여 원하는 입 · 출력 제어하는 장치이다

※ fetch(추출) cycle : ALU는 ROM 메모리에 있는 명령어를 읽고 그 내용을 추출하기 까지 걸리는 기간

5. ECU의 입출력 회로 판독

1. ECU의 입력회로 판독

자동차 전자제어장치 내에는 지금까지 설명 드린 마이크로 컴퓨터(micro computer)가 내장 되어 있어서 마이크로 컴퓨터의 포트(port)를 통해 ECU(전자제어장치)입·출력장치가 연결되어 있다.

ECU의 입력 측에는 위치를 감지하는 센서(sensor), 온도를 감지하는 센서, 회전수를 감지하는 센서 등이 연결되어 있으며 출력 측에는 ON, OFF 제어를 하기 위한 릴레이(relay), 듀티 제어를 하기 위한 솔레노이드 밸브(solenoid valve), 통전 시간 제어를 하기 위한 인젝터(injector) 등의 액추에이터(actuator)가 연결되어 있다.

마이크로 컴퓨터의 포트(port)에는 이들 센서(sensor)에서 들어오는 각종 신호를 수신할 수 있는 신호로 변환하여 입력해 주어야 마이크로 컴퓨터는 이들 센서의 신호를 수신할 수 있게 되며 마이크로 컴퓨터의 출력 측에는 액추에이터(actuator)를 구동할 수 있는 신호로 변환하여 출력하여야 ECU(전자 제어 장치)에 연결 된 액추에이터가 구동하게 된다. 이와 같이 ECU에 입력된 센서 신호가 마이크로 컴퓨터의 포트(port)가 수신할 수 있도록 변환하여 주는 회로를 인터페이스(interface) 회로라 한다. 반면 마이크로 컴퓨터의 포트(port)를 통해 출력 된 신호가 ECU의 액추에이터를 구동할 수 있게 만든 회로를 드라이브(drive) 회로라 한다.

그림 (6-16)은 ECU(전자 제어 장치) 회로의 대표적인 입력 스위치 인터페이스 회로를 나타낸 것으로 마이크로 컴퓨터의 포트(port)에는 저항 R1, R2와 콘덴서(condenser)가 연결된 회로이다. 이 회로의 경우에는 저항 R1을 통해 정전압 전압 +5V 가 연결되어 있는 풀업 저항(pull up resistor)이 연결되어 있어서 스위치(switch) OFF시에는 P점의 전압은 항상 5V가 되며 스위치 ON시에는 0V가 된다. 이것은 그림 (6-16)의 (a) 회로에서 스위치(switch)를 OFF 시에는 L점의 전압이 항상 12V가 되지만 스위치를 ON시에는 L점의 전압은 0V가 되는 것과 같은 이치이다

여기에 사용된 콘덴서(condenser) C는 P점에 노이즈(noise)가 발생시 어스(earth)를 통해 바이 패스(by pass) 하기 위한 필터용 콘덴서 이며 저항 R2는 마이크로 컴퓨터의 포트

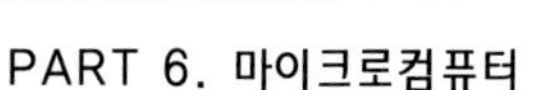

(port)을 보호하기 위한 전류 제한 저항을 포트와 직렬로 삽입하여 놓은 것이다.

마이크로 컴퓨터는 주로 NMOS형 반도체로 만들어져 있어서 마이크로 컴퓨터의 포트(port)가 입, 출력 할 수 있는 전압 레벨(level)은 0.8V 이하의 경우에는 0(low)상태로 인식하고, 2V 이상인 경우는 1(high) 상태로 인식하게 된다. 즉 그림 (6-16)의 (b)에서 스위치(switch)가 자동차의 도어 스위치라 가정하면 도어(door)가 열리면 도어 스위치의 접점은 닫혀 P점의 전압은 0V가 되며 도어(door)가 닫히면 도어 스위치의 접점이 열려 P점의 전압은 5V가 되어 마이크로 컴퓨터의 입력 포트(port)는 도어(door)가 열고 닫힘을 인식할 수 있게 되는 것이다.

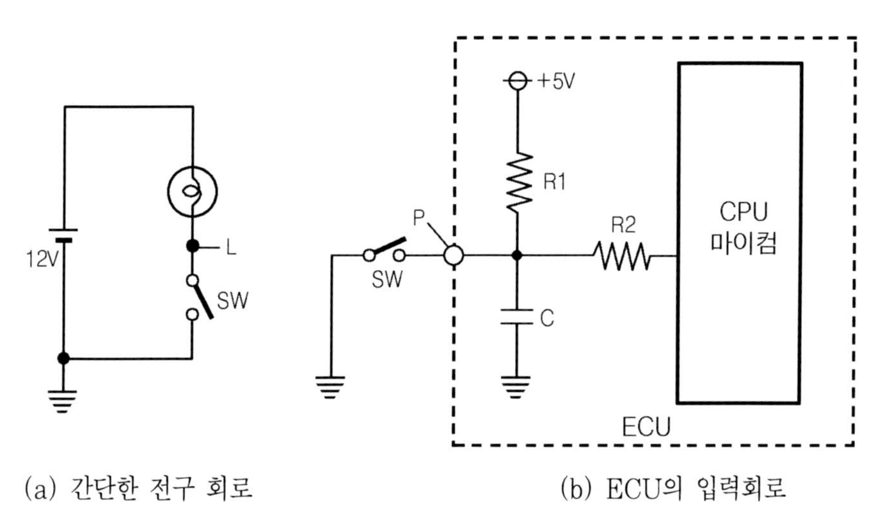

(a) 간단한 전구 회로

(b) ECU의 입력회로

그림6-16 ECU의 스위치 입력회로

그림 (6-17)의 (b) 회로도 ECU(전자 제어 장치) 회로에 많이 사용되는 입력 스위치의 인터페이스(interface) 회로로 그림 (6-16)의 (a)회로와 다른 점은 입력단 스위치(switch)에 배터리(battery)의 +12V가 연결되어 있어 스위치를 ON, OFF 함에 따라 P점의 전위가 12V, 0V로 되어 ECU(전자 제어 장치)의 입력 신호 전압으로 입력되는 회로이다.

이 회로는 마이크로 컴퓨터(micro computer)의 입력 포트(port)와 직렬로 저항 R과 다이오드 D가 연결 되어 있으며 포트(port)와 병렬로 콘덴서 C와 제너 다이오드 Dz가 연결되어 있는 인터페이스(interface) 회로이다. 여기서 다이오드 D는 역방향 전류를 차단하기 위해 삽입하여 놓은 것이며 저항 R은 입력 포트에 대한 전류 제한용 저항이다.

콘덴서(condenser) C는 노이즈(noise) 신호에 대한 바이 패스(by pass)용이며 제너 다이오드는 입력 스위치 ON시 배터리의 전압 12V를 약 5V로 정전압 시키기 위한 다이오드이다. 여기서 사용하는 제너 다이오드(zener diode)는 제너 전압이 5.1V 용이나 4.8V용 제너 다이오드를 사용하고 있다. 따라서 ECU의 입력측 스위치를 ON시키면 P점의 전위는 12V가 입력되지만 마이크로 컴퓨터의 포트(port) 단자에는 제너 다이오드(zener diode)에 의해 약 5V의 전압이 입력 되게 된다. 반면 스위치(switch)을 OFF시 P점의 전압은 0V가 된다. 이것은 마치 그림 (6-17)의 (b)와 같이 스위치를 ON시 S점의 전압은 12V가 되고 스위치를 OFF시는 0V가 되는 것과 같다.

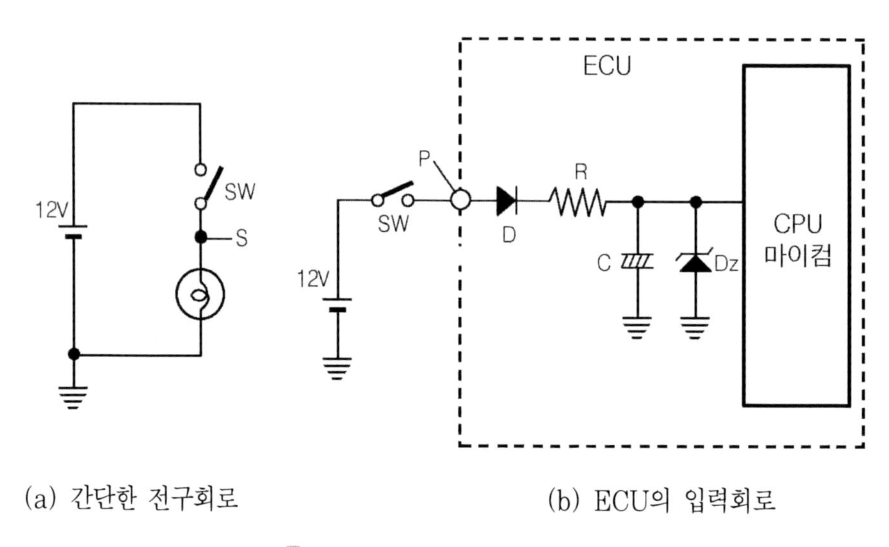

(a) 간단한 전구회로 (b) ECU의 입력회로

그림6-17 ECU의 스위치 입력회로

그림 (6-18)의 회로는 엔진 ECU의 TPS(Throttle Position Sensor)의 입력 인터페이스 회로 사용되는 회로로 스위치(switch)의 입력 인터페이스 회로와 달리 마이크로 컴퓨터의 포트(port)에는 A/D 변환기(analog to digital converter)가 내장 되어 전압 레벨 변화에 따른 신호를 디지털 신호 전압으로 변환하여 마이크로 컴퓨터의 입력 포트(port)에 입력하도록 되어 있다.

또한 최근에는 마이크로 컴퓨터(micro computer)내에 A/D 컨버터가 내장 되어 있는 컴퓨터가 발매되어 있어 하드웨어를 한결 간편하게 설계 할 수 있게 되었다.

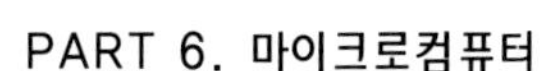

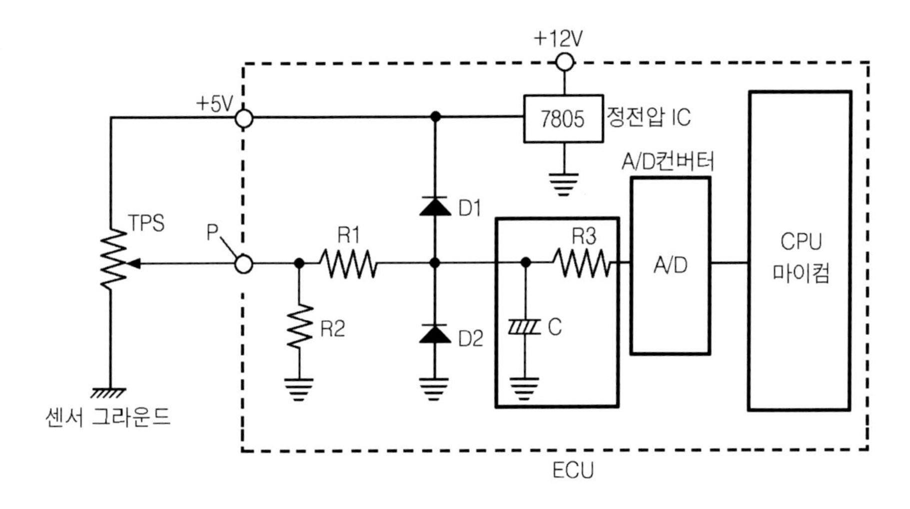

그림6-18 ECU의 저항 입력회로

ECU의 입력단에는 액셀러레이터(accelerator)의 개도에 따라 TPS의 저항값이 변화하는 가변 저항이 ECU의 P점에 연결되어 있는 것을 볼 수 있다. ECU의 P점은 저항 R1을 거쳐 다이오드 D1과 D2가 연결되어 있고 A/D 컨버터의 입력에는 저항 R3과 콘덴서 C가 연결되어 잇는 것을 볼 수가 있다. 여기서 먼저 ECU의 입력단의 가변 저항 회로부터 판독하여 보자.

가변 저항의 한쪽에는 정전압 IC(7805 IC)에 의해 일정한 +5V의 전압이 공급되어 있고 다른 한쪽에는 센서 그라운드(sensor ground)와 연결되어 있어서 P점의 전압은 가변 저항값이 변화에 따라 전압값이 변화하는 것을 알 수가 있다. 이렇게 변환된 P점의 전압은 전류 제한 저항 R1을 통해 저항 R3에 가해지게 되는데 여기서 다이오드 D1 과 D2는 클램프(clamp)용 다이오드로 입력 신호 전압이 +(양) 극성과 −(음)극성을 가지고 있는 경우는 +(양)극성의 전압만을 입력하기 위해 삽입하여 놓은 것이며 콘덴서 C와 저항 R3는 노이즈(noise) 필터(filter)용으로 삽입하여 놓은 것이다.

따라서 가변 저항의 변화에 따라 P점의 입력 신호 전압은 전류 제한 저항 R1과 노이즈 필터(noise filter)를 통해 A/D 컨버터의 입력 단자에 가해지게 되는 회로이다.

2. ECU의 출력 회로 판독

ECU(전자 제어 장치)의 입력 센서(sensor) 들은 마이크로 컴퓨터(micro computer)의

입력 인터페이스(interface) 회로를 통해 마이크로 컴퓨터의 입력 포트(port)에 연결되어 입력 신호를 컴퓨터의 포트(port)로 전달하는 것과 같이 ECU의 출력에도 각종 액추에이터(actuator)를 구동하기 위해 마이크로 컴퓨터의 출력 포트(port)로부터 출력 되는 신호 전압은 다링톤 트랜지스터(darlington transistor)나 FET(Field Effect Transistor)을 통해 증폭되어 액추에이터(actuator)를 구동하고 있다. 실제 마이크로 컴퓨터의 출력 신호 전류는 수 μA~수백 nA 정도의 작은 신호 전류로 스몰 시그널 트랜지스터(small signal transistor)의 1개 정도를 연결(fan in)하여 사용 할 정도로 작은 량이므로 대전류용 트랜지스터를 구동하기 위해서는 별도의 버퍼(buffer) 회로가 필요하게 된다.

그림 (6-19)의 (a)회로는 가장 대표적으로 사용하는 트랜지스터(transistor)식 구동 회로로 마이크로 컴퓨터의 출력 포트(port)에는 출력을 구동할 수 있는 버퍼(buffer)가 연결되어 있고 버퍼의 출력 측에는 전류 제한 저항 R이 트랜지스터의 베이스(base)와 연결되어 있다. 구동 트랜지스터의 출력 측에는 서지(surge)전압은 제거하기 위한 제너 다이오드(zener diode) Dz 가 연결 되어 있어서 코일(coil) 측에서 발생하는 서지 전압을 차단하고 있다. 트랜지스터의 컬렉터(collector) 측에는 ECU의 출력 측으로 솔레노이드 밸브(solenoid valve)가 연결 되어 외부로부터 배터리(battery) 전압을 공급하고 있는 형태를 취하고 있다.

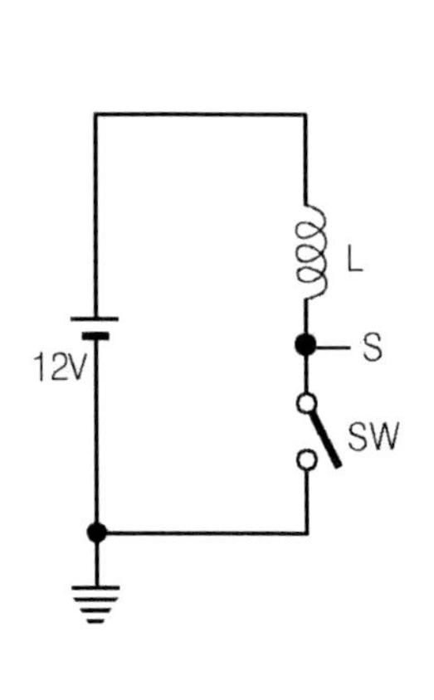

(a) 간단한 전구회로

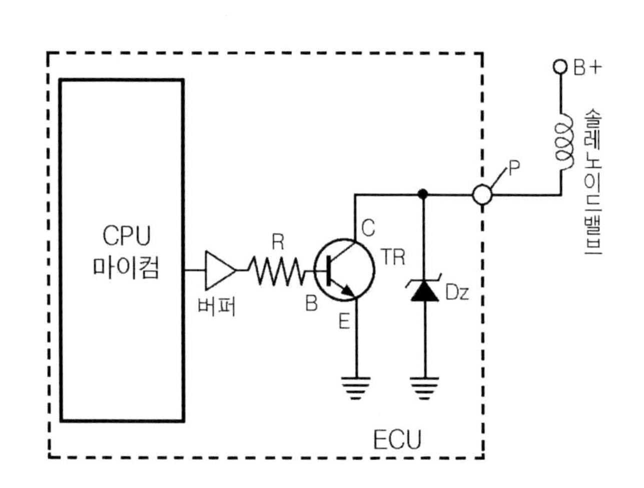

(b) 트랜지스터 출력회로

그림6-19 트랜지스터 출력회로

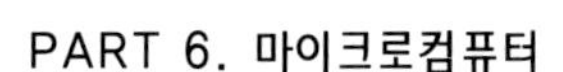

회로의 동작은 마이크로 컴퓨터의 출력 포트(port)에서 출력신호 전압이 마이크로 컴퓨터의 전원 전압 레벨인 5V 전압이 출력되면 버퍼(buffer)를 거쳐 저항 R에 가해지게 된다. 이 전압 레벨은 트랜지스터 TR의 베이스 (base) 전류를 충분히 제어 할 수 있어 트랜지스터는 스위칭 ON 상태가 된다. 트랜지스터가 ON상태가 되면 ECU의 외부에서 공급되고 있는 B+(12V)는 솔레노이드 코일을 통해 트랜지스터의 컬렉터(collector)에서 이미터(emitter)로 전류가 흐르게 되어 솔레노이드 밸브를 구동하게 된다.

반대로 마이크로 컴퓨터의 출력 포트(port)에서 출력 신호 전압 레벨이 0V가 되면 버퍼(buffer)를 거친 저항 R에도 0V가 되어 트랜지스터를 턴 온(turn on) 시킬 수 없게 된다. 이렇게 트랜지스터가 OFF 상태가 되면 솔레노이드 밸브의 전류는 차단되어 구동을 멈추게 된다. 이때 P점의 전압은 12V가 되며 이것은 마치 그림 (6-19)의 (a) 회로와 같이 스위치가 OFF 상태일 때 S점의 전압이 12V가 되는 것과 같다. 반대로 트랜지스터가 ON 상태일 때 P점의 전압은 0V가 되는 것과 같이 그림 (a)의 회로에서 스위치가 ON 상태가 되면 S점의 전압은 0V가 되는 것과 같은 이치이다.

그림 (6-19)의 (b)와 같은 트랜지스터식 회로는 ECU(전자 제어 장치)의 출력 장치인 솔레노이드 밸브를 탈착하면 트랜지스터(transistor)의 컬렉터는 열려(open) 있게 되어 있으며 이때 B+(12V)의 전압을 ECU의 출력 측 P점에 가하게 되면 트랜지스터는 순간 파괴 될 수 있으므로 주의하지 않으면 안된다. 특히 트랜지스터가 ON상태에서 P점에 B+(12V)의 전원 전압을 직접 가하게 되면 트랜지스터는 즉시 파괴 되므로 주의하여야 한다. 필자는 실제 정비 현장에서 잘못 점검으로 인해 ECU를 파손하는 것을 여러 번 본 일이 있어 주의를 강조하기 위함이다.

이러한 트랜지스터 식 출력 회로는 그림 (6-20)의 (b)와 같이 PNP 형 트랜지스터를 사용하는 경우도 있는데 동작은 그림 (6-19)의 회로와 거의 유사하다. 먼저 마이크로 컴퓨터의 출력 포트(port)에서 마이크로 컴퓨터의 전원 전압 레벨인 +5V가 출력되면 버퍼(buffer)를 거쳐 트랜지스터의 베이스(base)에 가해지게 된다. 이때 베이스(base)에 가해진 전압은 베이스(base)와 이미터(emitter) 사이의 역방향 전압으로 이미터에서 베이스 흐르는 전류를 차단하게 하여 트랜지스터는 OFF 상태가 되게 한다. 반대로 마이크로 컴퓨터의 출력 포트(port)에서 0(제로) 상태인 0V 전압이 출력하게 되면 버퍼(buffer)의 출력 측에도 0V가 돼 트랜지스터의 베이스 전류는 흐르게 된다. 이때는 트랜지스터는 ON 상태가

되어 ECU의 외부로 공급되는 전원은 트랜지스터의 이미터(emitter)에서 컬렉터(collector)로 전류가 흐르게 되어 솔레노이드 밸브를 구동하게 된다. 이 때 P점의 전압은 12V가 되며 반대로 트랜지스터가 OFF 상태가 되면 0V가 된다. 이것은 마치 그림 (6-20)의 (a)와 같이 스위치(switch)를 ON시키면 S점의 전압은 12V가 되고 스위치를 OFF 시키면 S점의 전압은 0V가 되는 것과 같은 이치이다. 이와 같은 회로의 특징은 스코프(scope)를 사용하여 파형을 관측시 코일에서 발생하는 역기전력이 전위가 어스(earth) 측에서 높게 나타나기 때문에 마치 전압 파형이 뒤집힌 모습을 띠게 된다.

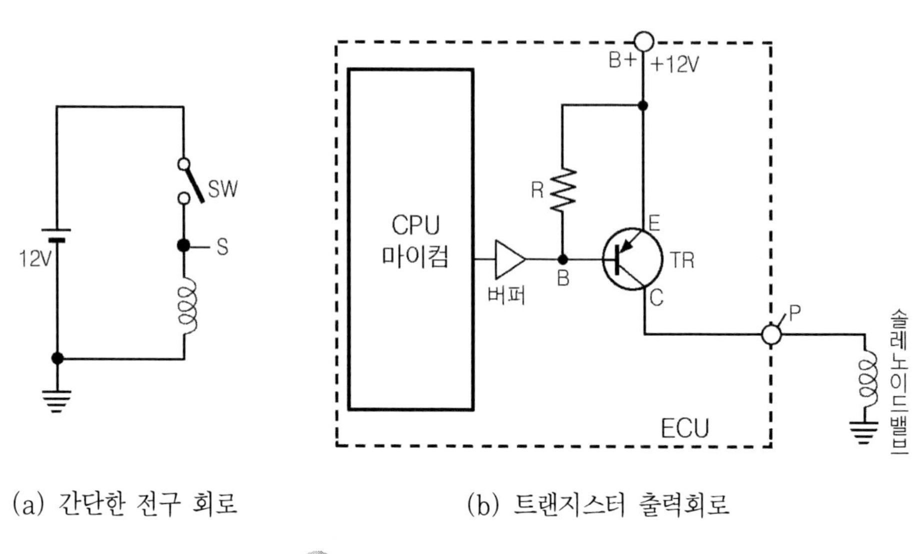

(a) 간단한 전구 회로

(b) 트랜지스터 출력회로

그림6-20 트랜지스터 출력회로

그림 (6-21)은 언헨스먼트(enhencement)형 N 채널 MOS FET를 사용한 출력 구동 회로로 FET(Field Effect Transistor)는 트랜지스터와는 달리 게이트(gate) 전압을 통해 소스(source)에서 드레인(drain)으로 이동하는 전자 캐리어(carrier)를 채널(channel)을 통해 제어하는 방식으로 대전류 제어에 유리하다.

이 회로는 마이크로 컴퓨터의 포트(port)을 통해 트랜지스터를 스위칭하고 트랜지스터(transistor)의 스위칭 전압에 의해 N채널 MOS FET를 게이트하는 구조로 되어 있는 회로이다. MOS FET의 게이트와 드레인에는 스위칭 타임이 빠른 쇼트키 다이오드(schottky diode)를 삽입하여 FET가 ON상태가 될 때 게이트에 존재하는 포유용량에 의해 전하가 축적되는 일이 없도록 하여 신호 전압의 상태 변환시간을 단축하기 위한 것이다. MOS

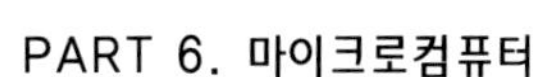

FET의 게이트 저항은 게이트의 전류 제한 저항으로 사용한 것이며 소스 저항은 턴 오프(turn off)시 스위칭 타임을 단축하기 위한 것이다.

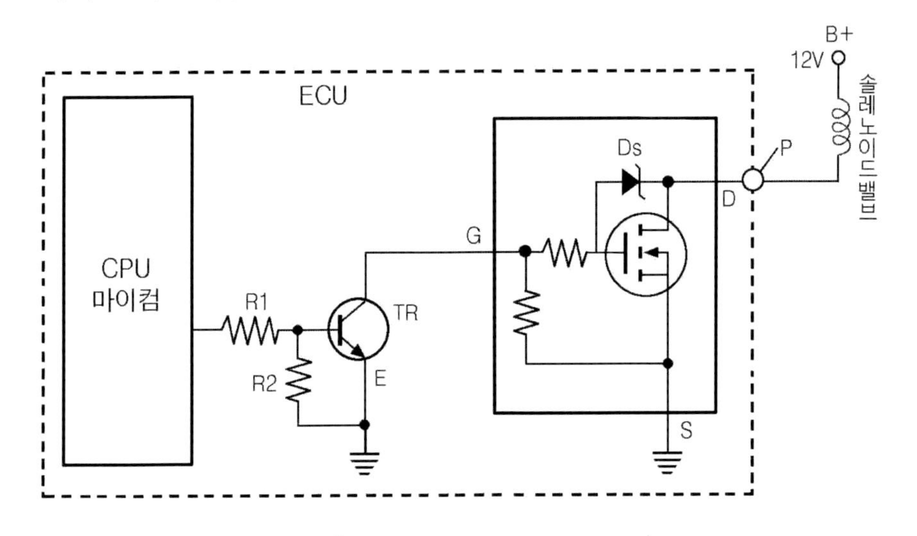

그림6-21 FET 출력 회로

그림 (6-21)의 사각형 안의 MOS FET 회로는 실제는 IC화(집적화) 되어 있어 리드(lead)는 게이트와 소스, 드레인으로 3개만 나와 있어 하나의 MOS FET처럼 사용하고 있는 형식이다. 이 회로의 동작은 마이크로 컴퓨터의 포트(port)을 통해 마이크로 컴퓨터의 전원 전압 레벨인 +5V가 출력 되면 저항 R1을 거쳐 트랜지스터의 베이스에 가해지게 되고 트랜지스터는 ON 상태가 되어 FET의 게이트(gate) 전압을 거의 0V(어스 전위) 상태로 강하 시킨다. 이렇게 FET의 게이트 전압이 0V가 되면 N채널 MOS FET의 닫혀 있던 채널이 열려 소스(source)의 전자는 드레인(drain)으로 이동하게 된다.

즉 FET는 ON상태가 되어 솔레노이드 밸브에 공급되어 있던 +B(12V)의 전원에 의해 전류는 솔레노이드 코일 통해 FET의 드레인(drain)에서 소스(source)로 흐르게 돼 솔레노이드 밸브는 구동하게 된다. 반대로 마이크로 컴퓨터의 포트(port)에서 0V가 출력되면 이 전압은 트랜지스터의 베이스(base) 전류를 흘릴 수 없게 돼 트랜지스터는 OFF 상태가 되고 FET의 게이트(gate) 전압은 상승하게 되어 채널(channel)을 닫히게 한다. 즉 FET가 채널에 의해 OFF 상태가 되어 솔레노이드에 공급되어 있던 전원 전압을 차단하게 된다.

이 회로에 사용된 언헨스먼트(enhencement)형 MOS FET는 소스와 드레인 사이에 채널(channel)이 형성 되어 있지 않아 스위칭 소자로 많이 사용하고 있는 FET형식이다.

그림 (6-22)의 회로는 트랜지스터(transistor)를 이용한 전류 제어식 인젝터(injector) 구동 회로로 다른 회로에 달리 2개의 트랜지스터를 사용하고 있다. 트랜지스터 TR2는 인젝터를 구동하기 위한 드라이브용 트랜지스터이고 TR1은 TR2의 컬렉터 전류를 증폭하기 위한 트랜지스터로 사용하고 있다.

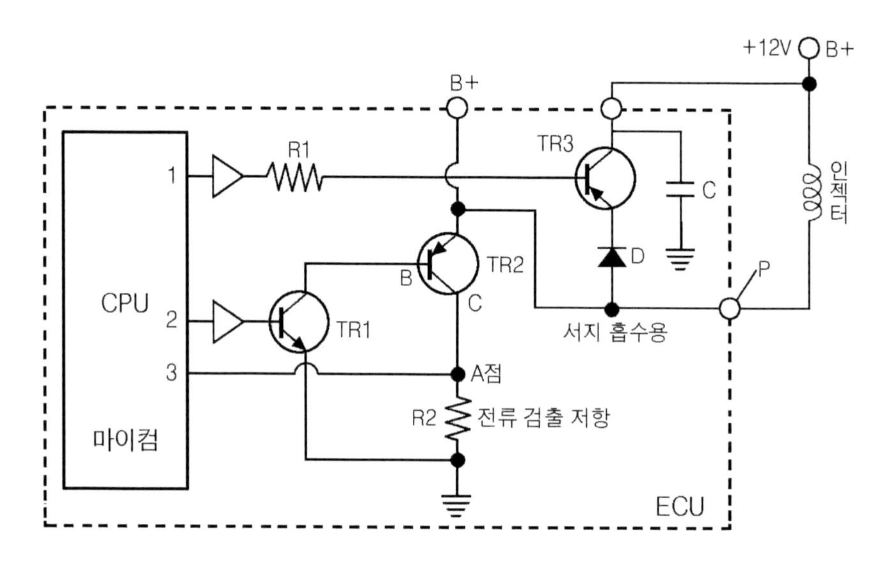

그림6-22 트랜지스터 출력 회로

트랜지스터 TR3는 익젝터 코일(injector coil)에서 발생하는 서지 전압을 바이패스 하기 위해 사용한 트랜지스터이다. 먼저 이 회로의 동작을 설명하기 위해 마이크로 컴퓨터의 출력 포트 2(port 2)에서 마이크로 컴퓨터의 전원 전압 레벨이 +5V의 출력 전압이 출력 되면 버퍼(buffer) 회로를 거쳐 트랜지스터 TR1의 베이스(base)에 가해지게 되고 이 베이스 전류에 의해 트랜지스터 TR1은 ON상태가 된다. 트랜지스터 TR1이 ON 상태가 되면 트랜지스터 TR2의 이미터(emitter)에 공급되어 있던 전원 전압 B+에 의해 TR2의 이미터(emitter) 전류는 TR1의 컬렉터로 전류가 흐르게 되어 트랜지스터 TR2는 ON상태가 된다.

트랜지스터 TR2가 ON 상태가 되면 인젝터(injector)에 공급되어 있던 B+ 전원 전압에 의해 TR2의 컬렉터 전류는 어스(earth)를 통해 흐르게 된다. 이때 TR2의 컬렉터에는 다른 회로에서 볼 수 없는 저항 R2가 삽입 되어 있어서 저항 R2의 A점의 전압은 인젝터 코일(injector coil)의 초기 전류 변화에 의해 증가하게 되고 증가된 전압은 마이크로 컴퓨터의 포트 3(port 3)을 통해 인젝터 코일에 흐르는 전류를 검출하고 있다.

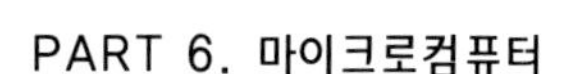

반면 마이크로 컴퓨터의 포트 2(port 2)에서 0V를 출력하면 TR1은 OFF 상태가 되고 TR1의 컬렉터 전압에 의해 TR2도 OFF 상태가 된다. TR2가 OFF 상태가 되면 인젝터(injector)에 공급 되어 있던 B+의 전원 전압은 TR2에 의해 차단 상태가 된다. 이 회로에서 TR2의 컬렉터(collector)에 저항 R2를 삽입한 것은 인젝터 코일(injector coil)에 흐르는 전류를 감지하여 인젝터가 작동영역에 들어가는 것을 마이크로 컴퓨터의 포트 3(port 3)를 통해 검출하여 인젝터가 작동영역에 들어간 것을 확인하고 마이크로 컴퓨터의 포트 2(port 2)를 통해 약 20㎑의 주파수로 신호 전압을 출력하여 인젝터의 구동을 지속시키는 방식으로 이러한 방식의 출력 회로를 사용한 ECU(전자 제어 장치)는 스코프(scope)를 사용하여 파형을 관측하면 인젝터 구동 파형이 한 주기 동안 ON, OFF를 반복하는 형상을 띠고 있다.

또한 전류 검출 저항 R2는 인젝터 코일의 단선, 단락을 검출 하여 마이크로 컴퓨터의 통신 라인을 통해 전송 할 수가 있어 스캔(scan)에 의한 고장 점검시 편리한 이점이 있다. 여기서 사용하는 TR3의 회로는 인젝터 코일(injector coil)에서 발생하는 서지 전압을 흡수하기 위한 회로이다

point

ECU 입·출력 회로 판독의 핵심 포인트

① **스위치 입력 감지 회로**
- SW가 어스와 연결된 경우 : SW ON시 → 0V, SW OFF시 → 5V
- SW가 전원과 연결된 경우 : SW ON시 → 12V, SW OFF시 → 0V

※ 참고) 풀업 저항과 풀 다운 저항(원래는 디지털 회로에서 사용하는 용어로)
- 풀업 저항 : 저항의 한쪽 리드에 전압을 걸고 다른 한쪽 리드에 회로가 차단된 경우 전압을 끌어 올린다 하여 풀업 저항이라 이라 하며
- 풀 다운 저항 : 저항의 한쪽 리드를 접지하면 다른 한쪽의 리드의 전위가 접지 전위로 다운되는 경우 전압을 끌어 내린다 하여 풀 다운 저항이라 한다.

② **트랜지스터의 출력 회로 :**
- ECU의 부하가 전원과 연결 된 경우 :
  TR ON시 컬렉터 전압 → 0V, TR OFF시 컬렉터 전압 → 12V(전원 전압)
- ECU의 부하가 어스와 연결된 경우 :
  TR ON시 컬렉터 전압 → 12V(전원 전압), TR OFF시 컬렉터 전압 → 0V

③ **N채널 언헨스먼트형 MOS FET** : 주로 스위칭 회로에 사용
- G(게이트)에 전압이 low 상태일 때 N 채널 MOS FET → ON 상태
- G(게이트)에 전압이 high 상태일 때 N 채널 MOS FET → OFF 상태

07
전자제어회로 판독

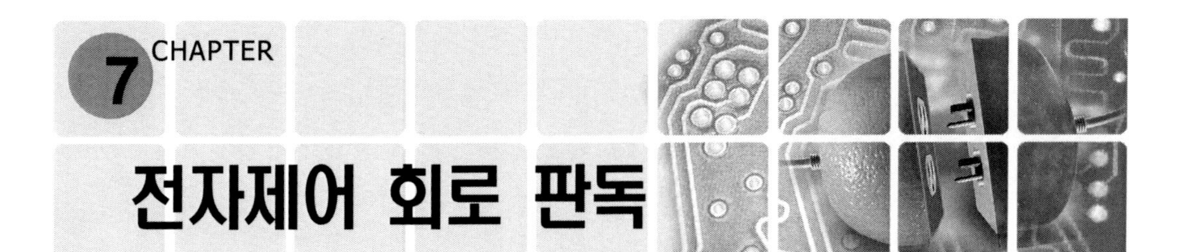

7 CHAPTER 전자제어 회로 판독

1. ETACS 회로 판독

현재의 자동차는 컴퓨터 시스템(computer system)을 도입한 대표적인 매카트로닉스(mechatronics)의 장치로 전자 제어 회로의 판독 능력 없이 자동차의 전장 기술을 습득하는 것은 생각 할 수 없다. 따라서 앞장에서 소개한 마이크로 컴퓨터(micro computer)의 내용을 바탕으로 전자 제어 장치의 회로 판독법에 대해 살펴보면 그림(7-1)과 같이 마이크로 컴퓨터(micro computer)가 내장 되어 있는 전자 제어 회로를 판독하기 위해서는 ETACS(Electronic Time and Alarm Control System) UNIT의 주변 회로만 가지고 ETACS 회로를 판독한다는 것은 마치 연료 없는 자동차를 운행하는 것과 같다. 이것은 ETACS UNIT만 가지고 회로를 판독 한다면 전기적인 연결 상태는 확인할 수 있겠지만 ETACS의 전자 제어 회로가 어떻게 작동하는지는 전혀 알 수가 없게 된다.

이와 같은 전자 제어 회를 판독하기 위해서는 첫째 그 시스템이 무엇을 목적으로 적용하는지를 알고 있지 않으면 안된다. 이것은 메카트로닉스의 기술을 습득하는 기본적 요소이기 때문이다.

둘째는 시스템(system)에 대한 제어 조건을 습득하여야 한다. 시스템에 대한 제어 조건은 입력이 어떤 조건 일 때 출력이 어떻게 구동하는 지를 나타내는 대표 특성표이므로 마이크로 컴퓨터(micro computer)의 지식을 토대로 시스템의 제어 조건을 학습하면 한결 깊이 있는 학습을 진행 할 수가 있다. 또한 시스템(system)의 제어조건을 나타내는 기술 사양 및 대표 특성표에는 마이크로 컴퓨터에서 사용하는 전문 용어 들이 많이 등장하기 때문에 한결 이해하기가 쉽다. 이 같은 시스템(system)의 제어 조건을 나타내는 대표 특성표가 없는 경우라도 전자 제어 회로를 판독하기 위해서는 자 동차의 동작 조건을 알고 있지

않으면 안되는데 여기서 말하는 동작 조건이란 자동차를 조작시 동작하는 기능을 말하는데 예컨대 도어(door)를 열면 실내등(room lamp)이 점등 되었다 약 5초 후에 자동으로 소등 된다는가, 자동차의 점화 스위치를 IGN 위치로 하면 엔진 경고등이 점등 되고 시동 후 소등된다는 것들을 의미하며 이러한 동작 조건은 전자 제어 장치의 회로를 판독하는 데 기초적인 정보가 되기 때문이다.

그림 (7-1)과 같은 ETACS 회로를 판독하기 전에 ETACS가 자동차에 적용된 목적 과 기능을 살펴보면 ETACS는 자동차의 편의 시스템으로 운전자의 운행에 대한 각종 정보를 사전에 알려주고 편의 대한 조작을 자동화 시켜 놓은 시스템으로 그 기능은 자동차의 차종에 따라 다양하다. EATCS의 대표적인 일반 기능은 도어(door)를 열면 실내등이 점등되었다 자동으로 서서히 소등되는 감광식 룸 램프 기능, 점화 스위치를 ON 시키며 안전벨트 경고등을 점멸하는 안전벨트 경고 기능, 점화 키를 삽입한 채 도어를 닫으면 도어 잠김이 수 초간 해제되는 점화 키 리마인드(remind) 기능, 도어 록 스위치(door lock switch)를 ON 시키면 4개의 도어(door)가 동시에 잠기는 집중 도어 록 기능, 와이퍼(wiper)의 속도 조절에 따라 작동하는 간헐 와이퍼 기능, 뒤 유리 성애 제거를 위한 뒤유리 열선 타이머 기능 등이 있다. 이렇게 시스템의 기능적 요소가 파악이 되면 EATCS의 시스템 구성을 확인하여 본다.

그림 (7-1)의 ETACS 전원 회로는 서브 퓨저블 링크를 거쳐 20A의 실내 퓨즈 박스를 통해 공급 되는 상시 전원 B가 ETACS UNIT의 3번 단자에 공급되고 있는 회로이며 IGN 전원은 점화 스위치의 IGN 1 접점을 통해 ETACS UNIT의 2번 단자에 공급되고 있다. 여기서 상시 전원 B 외에 IGN 전원을 공급하고 있는 이유는 무엇일까? 또한 알터네이터이 L단자를 통해 1번 단자에 공급되고 있는 전원은 무엇일까? IGN 전원을 ETACS에 공급한다는 표현은 엄밀히 말해서 옳지 않은 표현이다. 이것은 점화 스위치를 ON(IGN ON)시켰을 때 ETACS UNIT는 IGN 전원이 ON 상태라는 것을 인식하고 IGN ON시에 동작하는 부하에 전원을 공급하라는 입력 정보 신호로 사용되며 알터네이터(alternator)의 L단자의 전원은 ETACS 회로에 사용되는 부하 중 전력 소모가 많은 열선 회로를 구동 할 때 L 단자의 전원 신호가 입력되면 열선 회로가 구동하도록 하기 위한 입력 정보 신호이다. 이와 같이 전자 제어 회로의 판독은 회로 그 자체만으로 회로를 판독하는 것은 연료 없는 자동차를 주행하려는 경우와 같다 하겠다.

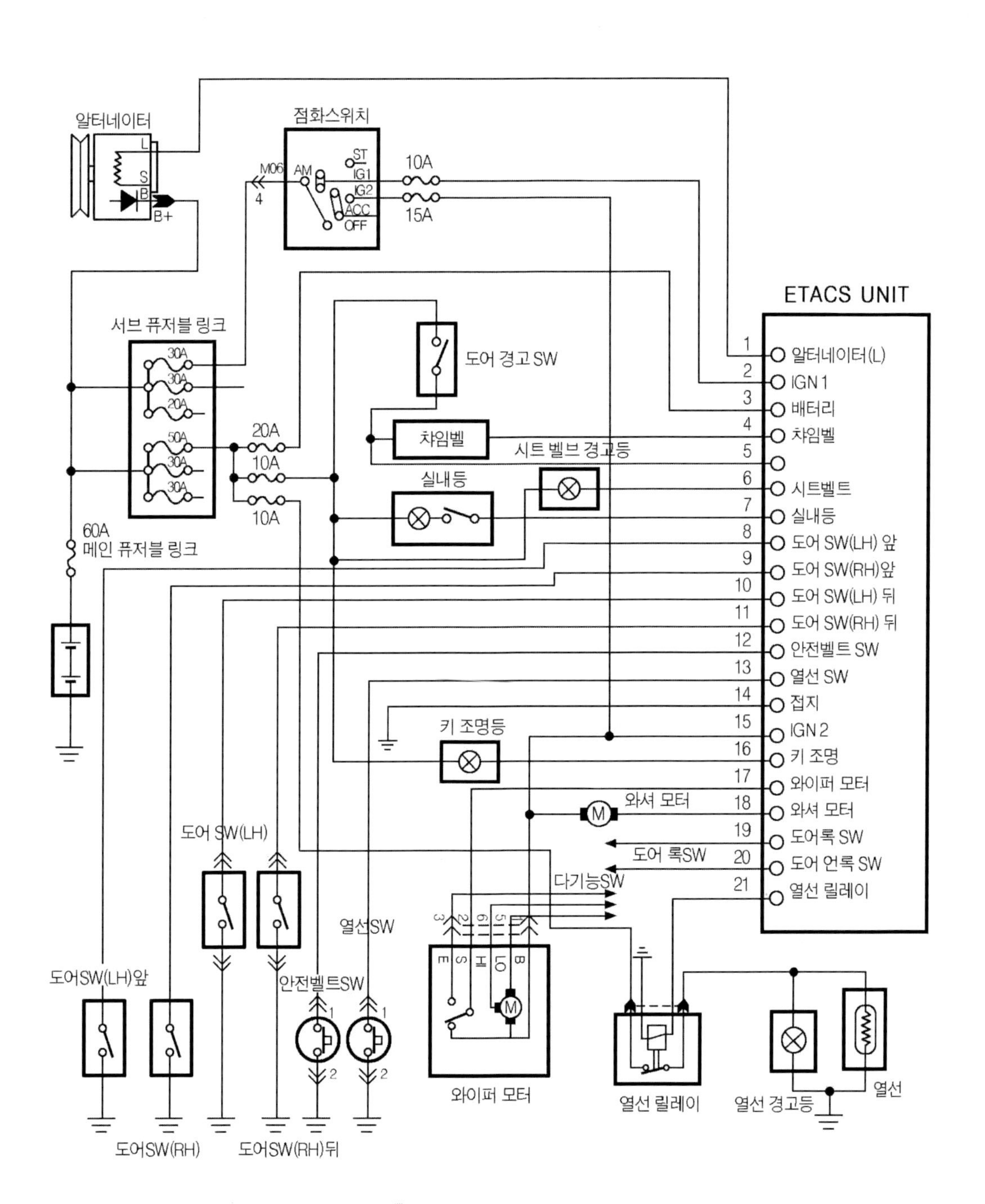

그림7-1 ETACS 회로

전원 공급이 어떻게 공급되고 있는지 흐름이 파악이 되면 다음은 시스템(system)의 회로 흐름을 빨리 판독하기 위해 ETACS UNIT의 입, 출력 상태를 파악하여 본다. 여기서 입력 요소는 도어 스위치(door switch), 안전벨트 스위치와 같은 스위치(switch)류가 다수이며 출력 요소는 챠임벨, 시트 벨트 경고등, 실내등, 및 와셔 모터(washer motor) 및 와이퍼 모터(wiper motor) 등이 있다. 이 중에서 입력 요소 중 에 하나인 도어 스위치(door switch) 회로를 판독하여 보면 4개의 도어 스위치 모두 한쪽 단자는 어스(earth)되어 있고 다른 한쪽 단자는 ETACS UNIT의 8번 단자에서 11번 단자로 연결되어 있는 단순한 회로라는 것을 알 수 있다.

도어(door)가 열고, 닫힘을 ETACS UNIT는 도어 스위치(door switch)의 ON, OFF 상태로 인식하게 되는 데 이 경우 마이크로 컴퓨터(micro computer)의 입력 포트(port)는 앞장에서 설명 했듯이 래치(latch 회로 : 다음 신호가 들어오기 전 까지 현재의 데이터를 유지하는 회로)회로로 되어 있어 도어(door)의 열고 닫힘을 디지털 신호 전압으로 래치(latch)하게 된다. 이와 같이 마이크로 컴퓨터의 입력 포트(port)에 디지털 신호 전압 레벨(level)로 입력 신호를 래치(latch)하기 위해서는 도어 스위치(door switch)의 ON, OFF 전압 레벨을 마이크로 컴퓨터의 입력 포트가 래치(latch) 할 수 있는 신호 전압 레벨을 보증하지 안되기 때문에 도어 스위치(door switch)와 같은 회로에는 그림 (7-2)와 같이 입력측에 인터페이스 회로가 필요하게 된다.

그림 (7-2)의 입력 인터페이스(interface) 회로는 도어 스위치를 ON하면 P점의 전압은 어스(earth)가 되어 0V가 되고 OFF 하면 저항 R1을 통해 +5V의 전압이 공급되고 있어 P 점의 전압은 5V가 된다. 도어 스위치 OFF시 결국 저항 R1을 통해 전압 5V를 풀 업(pull up)시켜 놓음으로써 마이크로 컴퓨터의 입력 포트(port)가 도어 스위치의 전압 레벨을 인식하도록 만들어 놓은 것이다.

이렇게 입력된 도어 스위치(door switch)의 전압 레벨은 마이크로 컴퓨터의 조건부 명령에 의해 지정된 레지스터(register)에 기억되어 논리 연산을 거쳐 출력 명령을 통해 출력 포트(port)을 통해 내 보내지게 되는 것이다. 마이크로 컴퓨터는 실내등을 5초가 점등 후 소등하라는 명령을 하게 되면 마이크로 컴퓨터의 출력 포트에는 5V의 신호 전압 레벨이 출력 된 후 0V로 전환 되는 출력 신호를 래치(latch) 회로를 통해 출력하게 된다.

이렇게 출력된 신호 전압은 버퍼(buffer) 회로를 거쳐 다링톤 트랜지스터의 베이스에 가

해지게 되고 트랜지스터(transistor)의 베이스(base) 전류는 트랜지스터의 전류 증폭율 만큼 컬렉터(collector) 전류를 흐르게 하여 트랜지스터는 스위칭 ON 상태가 되게 된다.

따라서 자동차의 실내등은 약 5초간 점등 되었다 소등하게 되는 것이다. 자동차의 전자제어 회로는 그림 (7-2)와 같이 ECU(전자 제어 장치)의 내부 회로가 나타나 있지 않아 회로에 판독에 있어서 막연한 주측에 의한 판독이 의외로 많으므로 ECU의 대표적인 입·출력 회로는 머리 속에 기억해 두는 것이 회로의 판독 뿐만 아니라 시스템을 점검하기 위해 회로를 판독하고 측정 값을 예측하는 데 좋다.

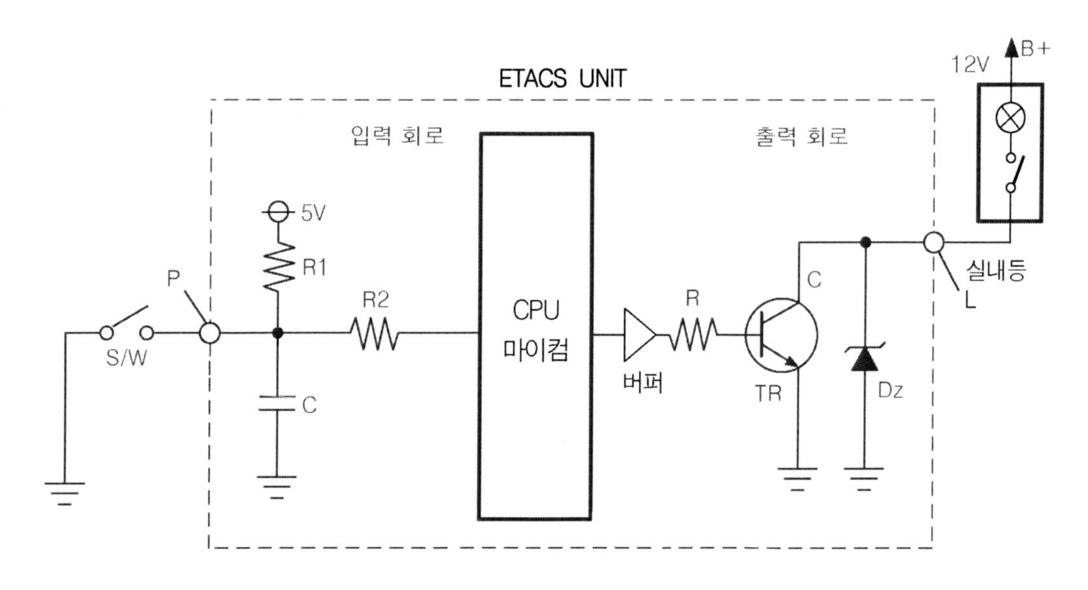

그림7-2 ETACS 입 · 출력 회로(1)

자동차 전자 제어 회로에는 스위치(switch)를 입력으로 하는 경우 그림 (7-2)와 같이 스위치(switch)의 한쪽 단자를 어스(earth) 시켜 놓고 스위치의 접점을 ON, OFF 함에 따라 전압 레벨을 감지하는 경우와 그림 (7-2)의 ETACS UNIT 2번 단자처럼 IGN 입력 스위치의 한쪽 단자에 배터리 전원을 연결하고 스위치를 ON, OFF 함에 따라 배터리의 전압 레벨을 감지하는 경우가 사용되고 있다. 배터리(battery)의 전원 전압을 스위치를 통해 인식하는 경우는 그림 (7-3)의 예를 들 수가 있다.

그림 (7-3)의 회로는 ACC 스위치 한쪽에 배터리(battery)의 전원 전압이 연결되어 있어서 ACC 스위치를 ON시키면 P점의 전위는 배터리 전압인 12V가 되게 된다. 이렇게 큰 전

압은 마이크로 컴퓨터의 입력 포트(port)에 입력하면 입력 포트가 손상되기 때문에 마이크로 컴퓨터가 인식 할 수 있는 전압 레벨로 전환하지 않으면 안된다. 마이크로 컴퓨터의 입력 포트(port)가 인식 할 수 있는 신호 전압 레벨을 이 회로에서는 제너 다이오드가 12V의 전압 레벨을 클램프(clamp)하여 5V의 전압 레벨로 다운 시켜 입력 포트에 입력하게 되는 회로이다. 따라서 12V의 배터리 전압이라도 ECU(전자 제어 장치)는 입력 전압으로 인식 할 수 있게 되는 것이다.

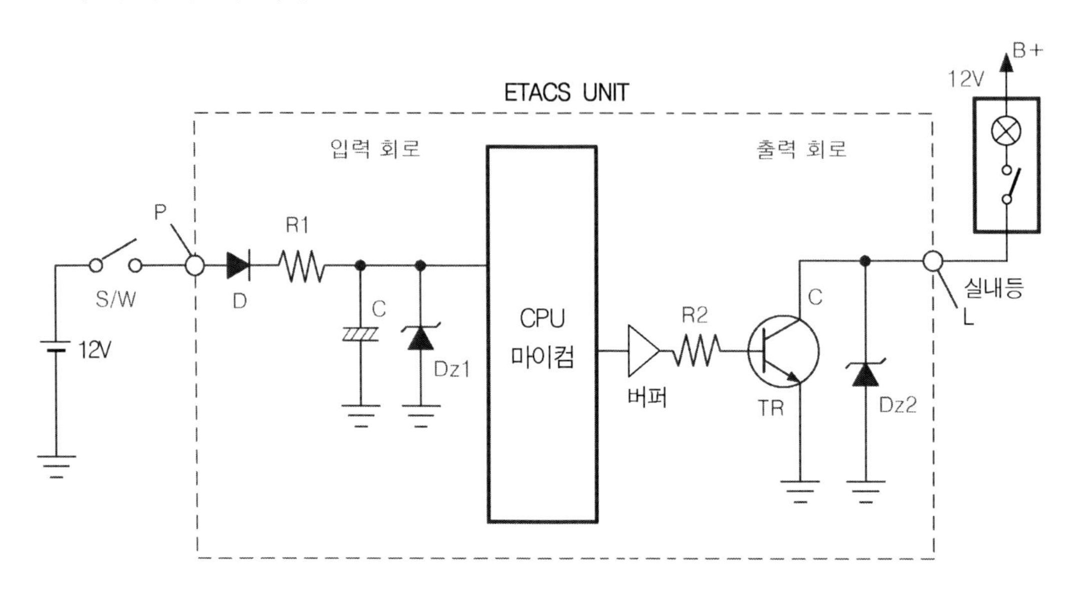

그림7-3 ETACS 입 · 출력 회로(2)

point

ETACS UNIT 회로판독의 핵심 포인트

① **스위치 입력 회로**

- SW가 접지 된 경우 : SW ON시 → 0V, SW OFF시 → Vcc 전압
- SW가 전원과 연결 된 경우 : SW ON시 → 전원 전압, SW OFF시 → 0V

② **전자 제어 회로 판독**

- 시스템의 동작 조건을 파악하라
- 시스템의 제어 조건을 습득하라

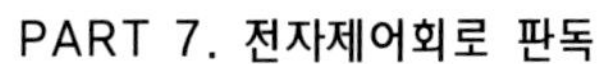

2. 오토 에어컨 회로 판독

그림 (7-4)의 회로는 오토 에어컨(auto air con)회로로 판독 방법은 전과 동일한 방법으로 판독하여 나간다. 먼저 오토 에어컨(auto air con)의 회로를 판독하기 위해서는 적용목적과 기능을 살펴 볼 필요가 있는데 오토 에어컨은 차량 실내의 대기 환경을 최적의 조건으로 자동 공조되도록 시스템을 도입한 것으로 내기의 자동 온도 조절 및 토출 풍량 및 풍향을 자동으로 조절하는 장치이다.

자동 온도 조절 및 풍량과 풍향을 자동으로 조절하기 위해서는 내·외기의 온도 및 습도에 대한 정보가 필요한 데 이 때 시스템에 적용 되는 센서가 내기 온도 센서 및 외기 온도 센서, 일사 센서, 내기 습도 센서 등을 예를 들 수가 있다. 또한 이러한 정보를 토대로 에어컨은 자동 조절하기 위해서는 여러 가지 모드(mode)로 동작하게 되는 데 이에 대한 대표적인 오토 에어컨(auto air con)의 기능을 살펴보면 다음 과 같은 기능 들이 있다.

① VENT : 주로 차량의 실내 환기 및 에어컨(air-con)작동시 사용하며 급속 냉방시에는 내기를 그 외의 경우에는 외기를 사용하는 토출 기능이다.

② DEFROST : 주로 외기를 사용 앞 유리의 성애 제거로 사용되며 풍량은 임의로 선택이 가능한 토출 기능이다

③ FLOOR : 주로 난방시 사용하는 토출구로 내, 외기 임의로 선택하여 사용이 가능한 토출 기능이다

④ LAP VENT : 운전자의 극소 냉방을 하기 위한 토출 기능이다

⑤ BI-LEVEL : 냉, 난방 혼용시 사용하는 모드로 내, 외기는 임의로 선택이 가능하다

⑥ RECIRC/FRESH : 내기(recirc)는 실내 공기 순환용으로 사용하며 급속 냉방시에도 사용한다. 외기(fresh)는 차량의 실내를 환기하기 위해 사용하는 모드이다.

⑦ **온도 조절** : 온도 조절 스위치에 따라 에어 믹스 도어(air-mix door)가 히터 코어의 출구 여닫이의 량을 조절하여 실내의 온도를 제어하는 기능이다

⑧ **풍량 조절** : 자동 모드에서 에어컨의 설정 온도에 따라 실내의 온도에 맞추어 자동으로 풍량이 조절되는 기능으로 수동으로도 조절이 가능하다.

⑨ **믹스(mix)** : 주로 실내의 난방 및 유리의 성애 제거를 동시에 필요로 할 때 사용하는 모드이며 외기를 사용한다.

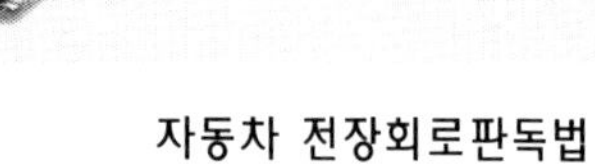

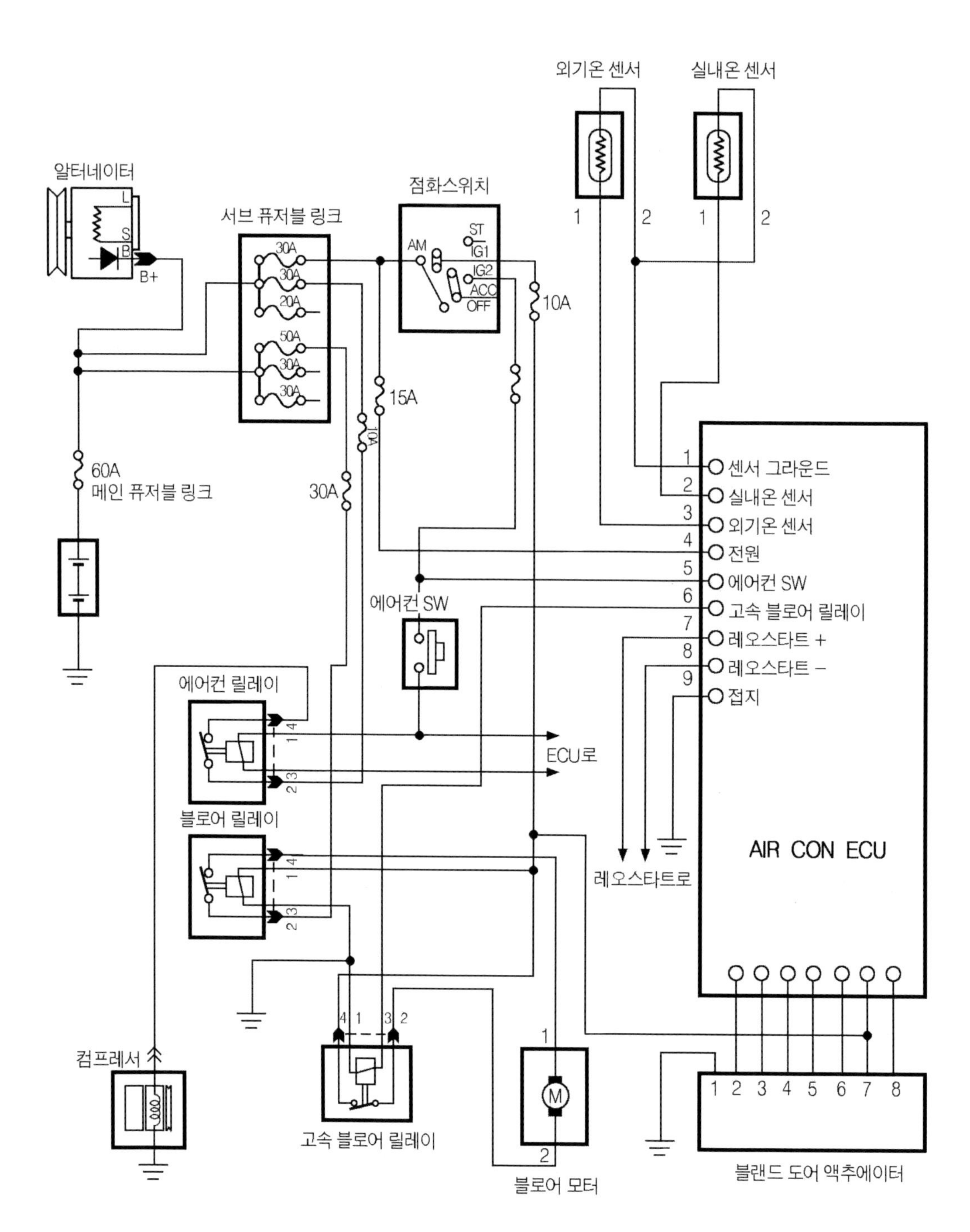

그림7-4 오토 에어컨(반자동식)

그림 (7-4)의 회로는 오토 에어컨(auto air con)의 반자동식 에어컨의 회로도를 나타낸 것으로 이 회로의 구성을 살펴보면 서브 퓨저블 링크 통해 상시 전원 B가 에어컨 컨트롤 ECU의 4번 단자를 통해 전원을 공급하고 있고 에어컨 ECU의 입력 요소로는 온도를 감지하는 외기온 센서와 실내온 센서, 에어컨 스위치(air con switch)로 구성되어 있으며 출력 요소로는 컴프레서(compressor)의 전원을 공급하는 에어컨 릴레이, 블로어 모터의 전원을 공급하는 블로어 릴레이(blower relay) 및 블로어 공기의 믹서 역할을 하는 블랜드 도어 액추에이터(blend door actuator)로 구성되어 있는 비교적 간단한 회로이다.

먼저 이 회로의 입력 요소인 에어컨 스위치(air con switch)의 회로를 살펴보면 점화 스위치를 통해 공급 되는 IGN 2 전원이 에어컨 스위치와 연결되고 다른 한선은 분기되어 에어컨 ECU의 5번 단자와 연결되어 있어 에어컨 스위치 ON시에 에어컨 ECU가 인식하도록 되어 있는 입력이라는 것을 알 수가 있다.

에어컨 스위치(air con switch)의 입력 회로는 그림 (7-5)와 같이 되어 있어 스위치 ON 시 P점의 전위는 배터리 전압인 12V가 되지만 OFF인 경우에는 0V가 된다. 이렇게 입력된 12V의 전압은 앞서 설명한 회로와 같이 제너 다이오드 Dz1에 의해 5V로 풀 다운(pull down) 되게 되어 마이크로 컴퓨터의 입력 포트(port)로 입력하게 된다.

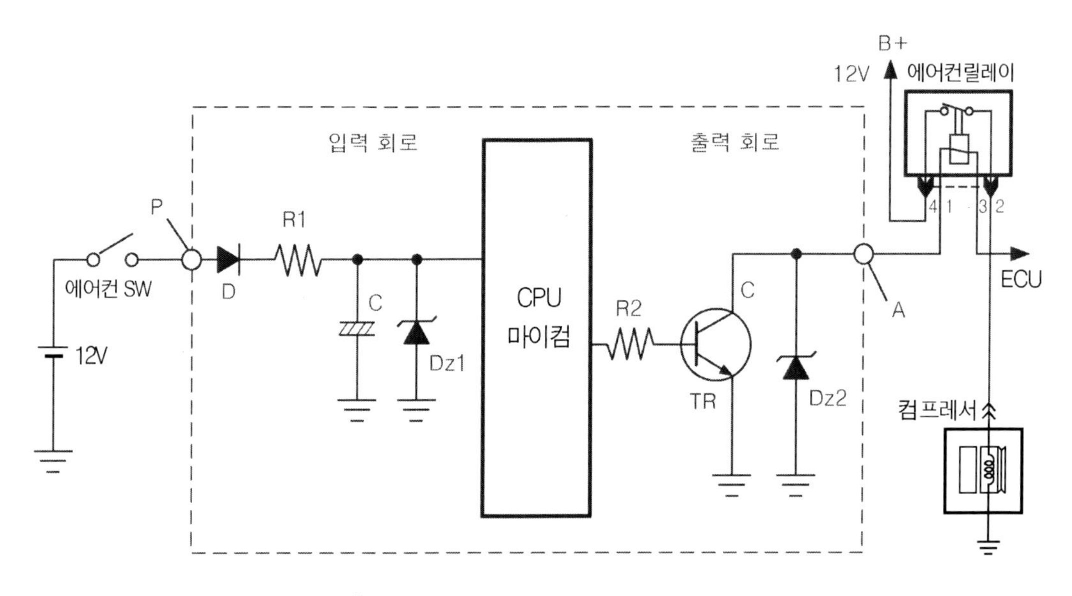

그림7-5 오토 에어컨 입 · 출력 회로(예)

이렇게 입력된 에어컨 스위치의 입력 신호는 ECU와 연결 되어 있어 에어컨 릴레이(air con relay)의 코일측을 여자하게 되고 에어컨 릴레이의 가동 접점에 공급되고 있던 상시 전원 B는 접점의 닫힘으로 컴프레서(compressor)의 전원을 공급하게 된다.

에어컨 스위치의 신호 전원이 엔진 ECU로 연결 된 것은 에어컨 작동시 컴프레서(compressor)의 작동에 의한 전기 부하로 엔진이 공회전 상태의 경우 전기 부하에 의한 엔진 회전수 저하로 차체의 진동이 발생하는 것을 방지하기 위해 에어컨 스위치(air con switch) ON시 엔진 회전수 상승을 위한 아이들 업(idle up) 제어를 하기 위한 것이다. 출력은 측은 릴레이(relay)의 구동회로로 주로 트랜지스터(transistor) 회로를 사용하고 있다.

차량의 온도 정보를 제공하는 외기온 센서와 내기온 센서의 회로를 살펴보면 센서(sensor)의 2번 단자가 외기온 센서와 내기온 센서가 연결되어 에어컨 ECU의 센서 그라운드(sensor ground)로 연결되어 있는 것을 확인할 수 있어 그림 (7-6)과 같이 센서의 한쪽 단자가 접지 되어 있는 것을 확인 할 수 있다.

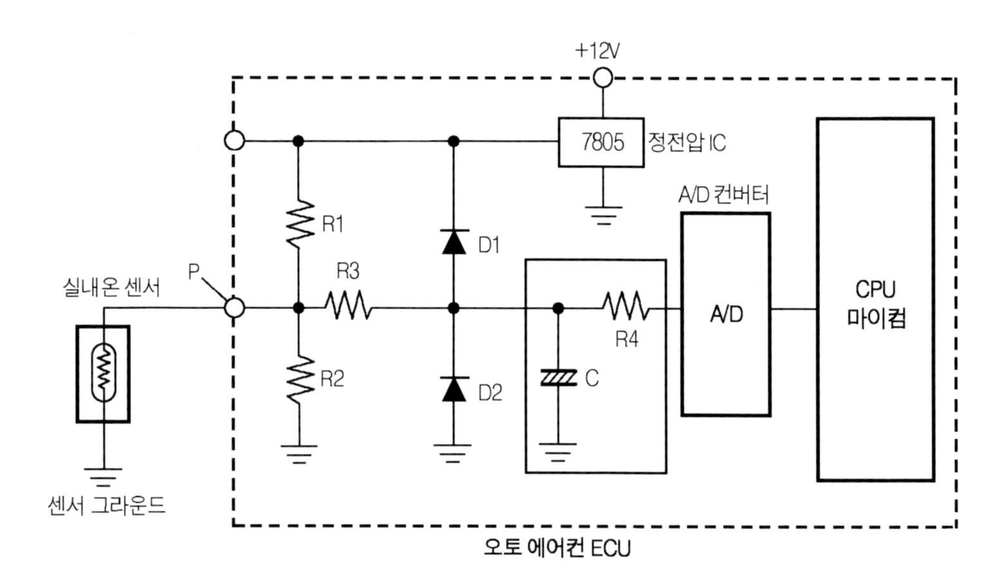

그림7-6 실내온 센서 입력 회로

그림 (7-6)의 회로를 살펴보면 다이오드 R1을 통해 정전압 전원 5V가 플업 업(pull up) 되어 실내온 센서와 연결되어 있는 것을 확인할 수 있어 실내온 센서의 저항 변화에 따라 P점의 전압값이 변화하는 것을 알 수가 있다.

변화된 P점의 전압은 저항 R3를 통해 노이즈 필터(noise filter) 회로 C 및 R4를 거쳐 A/D 컨버터의 입력 신호로 입력되어 마이크로 컴퓨터가 인식 할 수 있는 디지털 신호 전압으로 변환하게 된다. 여기서 저항 R2는 실내온 센서 단선시에도 에어컨이 적정 모드에서 동작 될 수 있도록 삽입하여 놓은 저항이다.

point 

오토 에어컨 회로판독의 핵심 포인트

① **전자 제어 회로 판독법**
- 먼저 시스템의 구성을 파악하라(적용된 부품 및 연결 형태)
- 전원 회로부터 판독하라(전원 공급 형태, 전원 공급 릴레이 등)
- ECU의 입력과 출력을 구분하여 보아라

② **시스템을 가동시켜 판독하라**
- 에어컨 스위치를 ON상태의 조건을 주어 판독하여 나간다.
- 블로어 스위치를 선택하여 판독하여 나간다.

3. ABS 회로 판독

ABS(Anti lock Brake System)는 빗길과 같이 노면이 미끄러운 도로에서 차륜이 브레이크(brake)에 의해 제동 될 때 차륜이 잠기면 차체가 선회하여 운전자는 조향 능력을 상실하여 위험한 상황에 놓이게 되는 것을 방지하기 위해 마스터 실린더(master cylinder)와 캘리퍼(caliper)사이에 솔레노이드 밸브(solenoid valve)를 통해 유압을 조절하여 차륜이 잠기는 것을 방지하여 차체의 직진성을 확보하는 브레이크 시스템(brake system)이다. ABS 시스템의 제어 기능을 살펴보면 차륜이 슬립율이 약 20% 이상의 경우 컴퓨터(computer)는 하이드롤릭 유닛(hydraulic unit)을 작동시켜 이를 통해 각 차륜으로 가는 유압을 감압 모드, 승압 모드, 유지 모드로 제어하는 기능을 가지고 있다.

그림 (7-7)의 ABS 회로의 구성을 살펴보면 4개의 바퀴에 슬립(slip)을 감지하기 위한 4개의 휠 스피드 센서(wheel speed sensor)가 있으며 유압을 조절하기 위한 하이드롤릭 유닛과 하이드롤릭 유닛 내에 장착 되어 있는 모터 펌프(motor pump) 구동을 위한 모터 펌프 릴레이, ABS 경고등 릴레이 및 시스템의 전원을 공급하기 위한 시스템 릴레이(system

relay)가 있다.

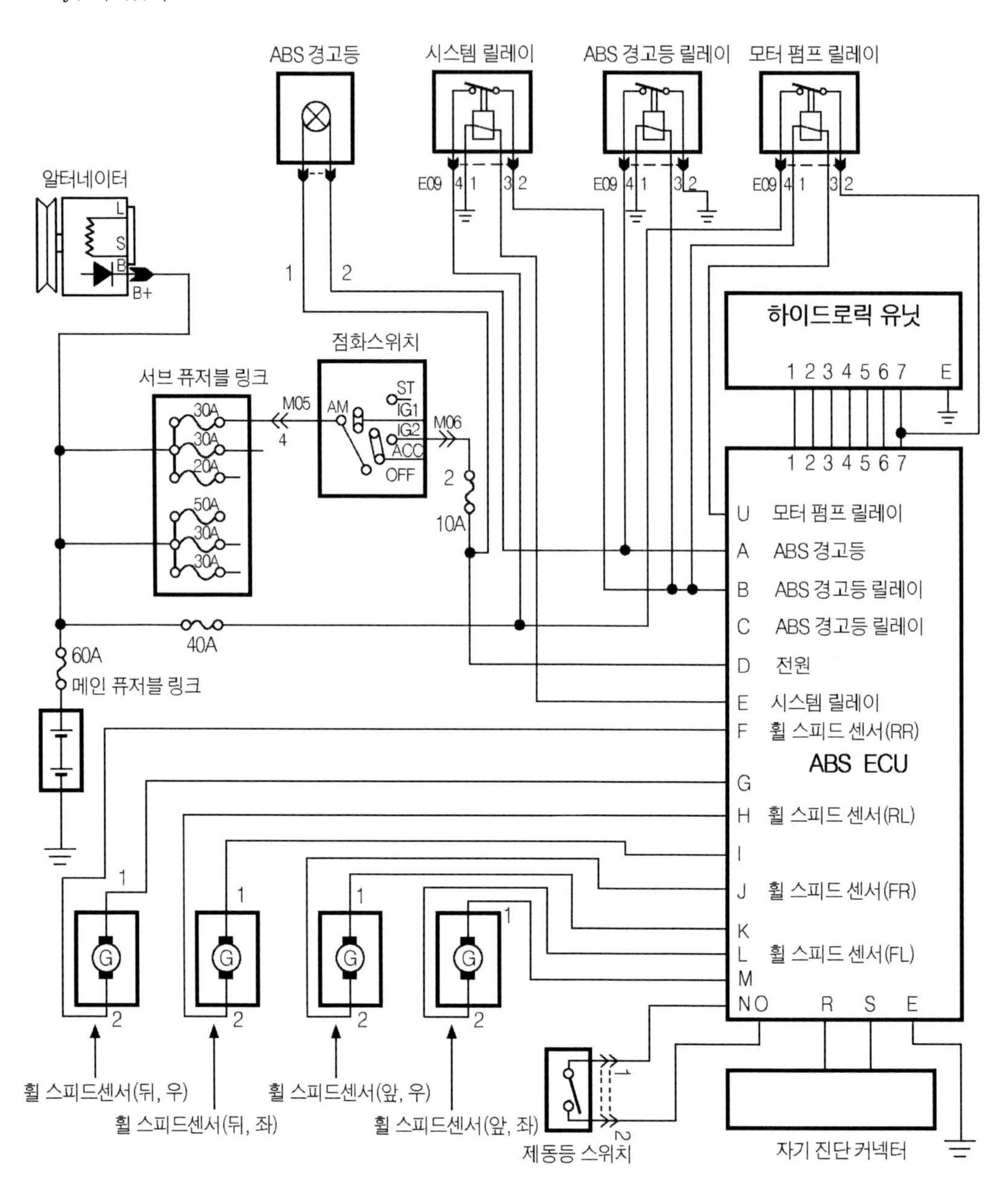

그림7-7 ABS 전자제어장치 회로

ABS 회로의 전원 회로를 판독하면 시스템 릴레이의 고정 접점은 배터리(battery)로부터 40A의 퓨즈를 통해 공급 되는 상시 전원 A가 연결되어 있고 이 전원은 분기되어 한선은 릴레이의 가동 접점을 통해 ABS ECU의 B 단자에 연결 되어 있고 다른 한선은 모터 펌프 릴레이(motor pump relay)의 고정 접점에 연결 되어 하이드롤릭 유닛(hydraulic unit)에 전원을 공급하고 있는 것을 확인 할 수가 있다. 한편 시스템 릴레이(system relay)의 코일측에는 ABS ECU의 E단자에 연결되어 있고 모터 펌프 코일(motor pump coil) 측에는 ABS ECU의 B단자와 연결 되어 있어 시스템 릴레이(system relay)의 구동에 의해 모터 펌프 릴레이(motor pump relay)가 구동할 수 있는 회로라는 것을 알 수가 있다. 결국 이 회로는 시스템 릴레이를 통해 모터 펌프 릴레이의 전원이 공급되고 있다는 것을 ABS ECU의 B 단자를 통해 알리는 회로이다.

ABS 경고등 릴레이의 접점 회로를 판독하여 보면 가동 접점은 어스(earth) 되어 있고 고정 접점에 연결된 라인은 분기되어 한선은 ABS ECU의 A 단자에, 다른 한선은 ABS 경고등과 연결 되어 있는 것을 확인할 수 있어 ABS 경고등은 IGN 전원에 의해 동작 되는 것을 알 수가 있다. 입력 회로는 ABS ECU의 F에서 M단자 까지 4개의 휠 스피드 센서(wheel speed sensor)가 연결되어 있는 것을 확인 할 수 있고 차량의 제동시를 파악 할 수 있는 제동등 스위치가 연결되어 있는 것을 알 수가 있다. 지금까지 회로 판독 결과를 간단히 정리하면 이 회로는 시스템 릴레이의 구동에 의해 모터 펌프 릴레이가 구동되고 ECU의 전원은 IGN 전원에 의해 공급되고 있으며 모터 펌프 릴레이를 통해 하이드롤릭 유닛(hydraulic unit)에 전원을 공급하고 있는 회로이다. 입력 측으로는 4개의 휠 스피드 센서(wheel speed sensor)가 연결되어 있어 4개 바퀴가 독립적으로 슬립(slip) 되고 있는 것을 감지 할 수 있는 회로이다

이 회로의 입력은 휠 스피드 센서(wheel speed sensor)가 주 입력 회로이므로 휠 스피드 센서의 입력 회로를 살펴보면 그림 (7-8)과 같다. 이 회로에 사용되는 휠 스피드 센서(wheel speed sensor)는 단자가 2개를 사용하고 있는 것으로 판단하여 마그네틱 픽 업(magnetic pick up)식 센서인 것을 짐작 할 수 있으며 마그네틱 픽 업식 센서에서 발생하는 신호는 AC(교류) 신호로 +, −전압 레벨이 휠(wheel)의 회전 속도에 따라 변화하는 신호가 ABS ECU의 입력측에 입력되면 ECU의 내부 입력 회로에는 그림 (7-8)과 같이 다이오드(diode) D1, D2가 서로 반대의 극성을 가지고 병렬로 연결되어 있어 A단자 측에 +

이면 B단자는 −가 되어 다이오드 D1를 통해 전류가 흐르게 되고 반대로 A 단자가 −이면 B단자는 +전압이 되어 다이오드 D2로 신호 전류가 흐르는 회로로 되어 OP AMP의 반전 입력 단자에 가해진다. 반면 OP AMP의 비반전 입력 단자에는 저항 R1 과 R2에 비에 의한 증폭 회로가 구성되어 있어 반전 입력 단자에 변화 하는 전압 레벨의 차 만큼 OP AMP 출력 측에는 증폭되어 출력되게 되므로 결국 OP AMP출력 단자에는 저항 R3에 의해 반전 입력 단자의 신호 전압 맥동에 의한 차가 변환 되어 디지털 신호 레벨로 변환하게 되는 회로이다.

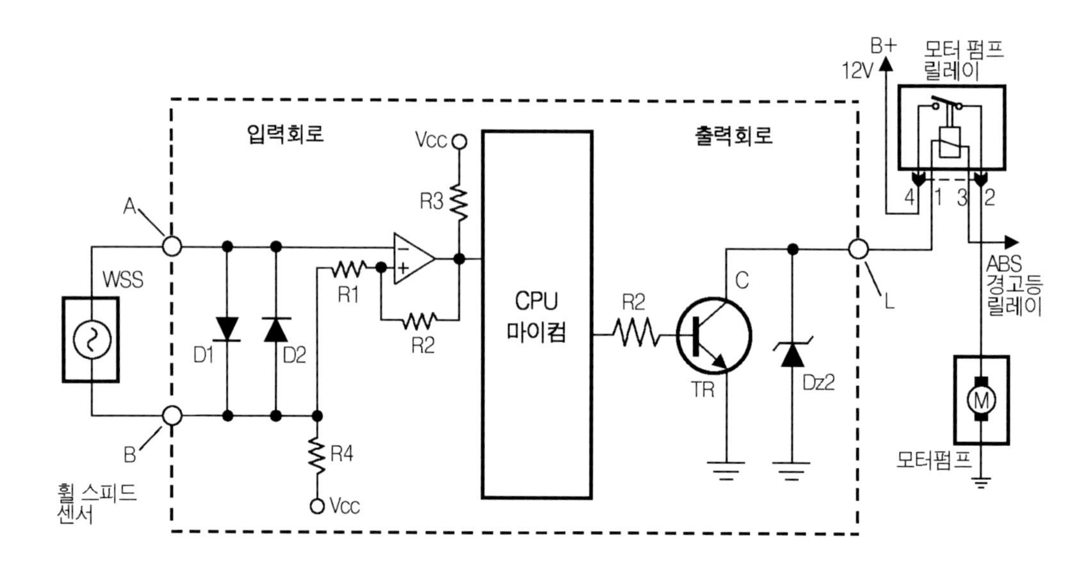

그림7-8 ABS의 펄스 제너레이터 입력 회로

따라서 이와 같은 회로에서는 휠 스피드 센서의 출력 신호 전압이 다이오드(diode)의 순방향 전압 레벨 이상이 되지 않으면 ABS ECU의 인터페이스(interface)회로는 작동되지 않아 휠 스피드 센서(wheel speed sensor)의 신호 레벨이 점검 포인트에 중요한 요소가 된다. 이렇게 변환된 휠 스피드 센서의 신호는 마이크로 컴퓨터에 의해 하이드롤릭 유닛(hydraulic unit)은 각 차륜으로 보내지는 브레이크(brake)의 유압을 솔레노이드 밸브를 통해 제어하게 되는 회로이다.

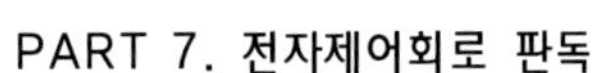

ABS회로 판독의 핵심 포인트

① **ABS 회로 판독 법**
- 먼저 ABS의 적용 배경을 파악하고 ABS의 기능을 파악 한다.
- 구성 부품 중 하이드롤릭 유닛의 유압 회로 제어를 파악 한다.
- ABS회로의 전원 회로와 입, 출력 회로를 판독하여 나간다.

② **휠 스피드 센서의 구분**
- 마그네틱 픽업 방식의 경우 : 2단자형
- 홀 센서 방식인 경우 : 3단자형~4단자형 사용

※ 휠 스피드 센서의 신호 전압 레벨은 ABS ECU의 작동 유무와 직결되므로 각 자동차 메이커가 제공하는 SPEC을 참조할 것

4. 엔진 ECU 회로 판독

자동차의 엔진 제어를 목적으로 한 ECU(전자 제어 장치)는 본래 자동차 배출 가스를 억제하기 위해 배출 중인 가스의 산소 농도를 감지하여 연료 분사량을 제어하는 것이 전자 제어 엔진의 핵심 내용이라 할 수 있다. 화석 연료의 연소에 의해 발생되는 유해 가스를 감소하기 위해서는 실린더 내의 혼합 가스비를 조절하고 혼합된 가스를 완전 연소하여야 가능하다.

따라서 유해 가스를 억제하기 위한 제어 기능을 살펴보면 연료 분사 제어, 점화 시기 제어, 이론 공연비 제어를 하기 위한 피드백(feed back) 제어 등이 있으며 또한 전기 부하에 의한 엔진 회전수 감소를 억제하기 위한 아이들 스피드 제어, 에어컨 릴레이 제어, 노킹(knocking) 방지를 위한 노킹 방지 영역 제어, 질소 산화물을 억제하기 위한 EGR(Exhaust Gas Recirculation) 제어, 연료 펌프 구동을 위한 연료 펌프릴레이 제어 기능 등이 있다. 최근에는 배출 가스 억제뿐만 아니라 엔진의 성능을 최적화하기 위한 제어 기능까지도 제어 기능을 가지고 있어 전자 제어 엔진 시스템을 일명 EMS(Engine Management System) 라고 도 부른다.

그림 (7-9)의 엔진 ECU의 회로 구성을 살펴보면 엔진에 연료를 공급하는 인젝터(injector), 엔진 ECU의 구성 부품에 전원을 연결하여 주는 컨트롤 릴레이(control relay),

연료를 펌핑하는 연료 펌프, 배출 가스 계통 이상시 체크 램프(check lamp) 가 점등 되도록 하는 엔진 경고등, 점화 플러그의 고압 발생 장치인 점화 코일 과 파워 TR(트랜지스터), 엔진의 회전수를 감지하는 크랭크 각 센서, 액셀레이터의 개도 량을 감지하는 TPS(Throttle Position Sensor), 엔진의 냉각수 온도를 감지하는 WTS(Water Temperature Sensor) 등으로 구성되어 있는 것 을 확인 할 수가 있다.

회로의 구성 상태가 어느 정도 눈에 들어오면 먼저 전원 회로부터 판독하여 들어간다.

전원 회로의 판독은 전원 공급원으로부터 판독하여 들어 갈수도 있지만 전원 공급 회로가 복잡하게 느껴지는 경우에는 전원을 공급 받는 쪽에서부터 판독하여 들어가는 것이 효율적이다. 따라서 제어 회로인 경우 ECU에서부터 전원을 파악하는 것이 효과적이다. 일반적으로 ECU에 공급되는 전원은 점화 키 OFF 상태에서도 동작이 될 수 있는 상시 전원, 배터리 백업(battery back up)을 위한 상시 전원 그리고 점화 스위치의 ACC 위치에서 동작되는 ACC 전원 과 IGN 위치에서 동작하는 IGN 전원으로 구분 되어 지므로 ECU 측에서부터 전원 회로를 판독하는 것이 좋다.

이 회로의 전원 회로를 살펴보면 ECU의 1번 단자는 어스(earth) 단자이며 2번 단자는 컨트롤 릴레이의 S1 접점을 통해 공급되는 상시 전원 B임을 알 수가 있으며 5번 단자는 상시 전원 B가 공급 되고 있는 배터리 백 업(battery back up) 전원임을 알 수가 있다. 그런데 여기서 컨트롤 릴레이(control relay)의 접점 S1을 통해 전원이 공급 되려면 코일 L1에 공급되는 5번 단자의 전압이 점화 스위치를 통해 공급되는 IGN 전원이 공급 되어야만 S1 접점이 연결되는 것 을 알 수가 있다. 결국 이 회로는 점화 스위치를 IGN에 위치하였을 때 컨트롤 릴레이의 접점 S1이 닫혀 ECU 및 인젝터(injector) 등에 전원이 공급 되는 것을 확인 할 수가 있다. 또한 컨트롤 릴레이 의 접점 S2가 닫히려면 코일 L2 또는 L3가 여자 되어야 한다.

컨트롤 릴레이(control relay)의 코일 L2는 한쪽 리드가 7번 단자를 통해 접지 되어 있고 6번 단자는 오토미션의 인히비터 스위치(inhibitor switch)와 연결 되어 점화 스위치를 통해 ST(start) 전원이 공급되어야 작동 되는 것을 알 수가 있다. 즉 크랭킹(cranking)시 연료 모터가 작동 되는 것을 알 수가 있는 회로이다. 그런데 여기서 크랭킹이 끝나 ST 전원이 차단되면 컨트롤 릴레이의 S2 접점은 열리게 돼 연료 펌프 모터에 공급되는 전원을 차단하게 되므로 이 상태에서는 엔진 시동은 불가능하다.

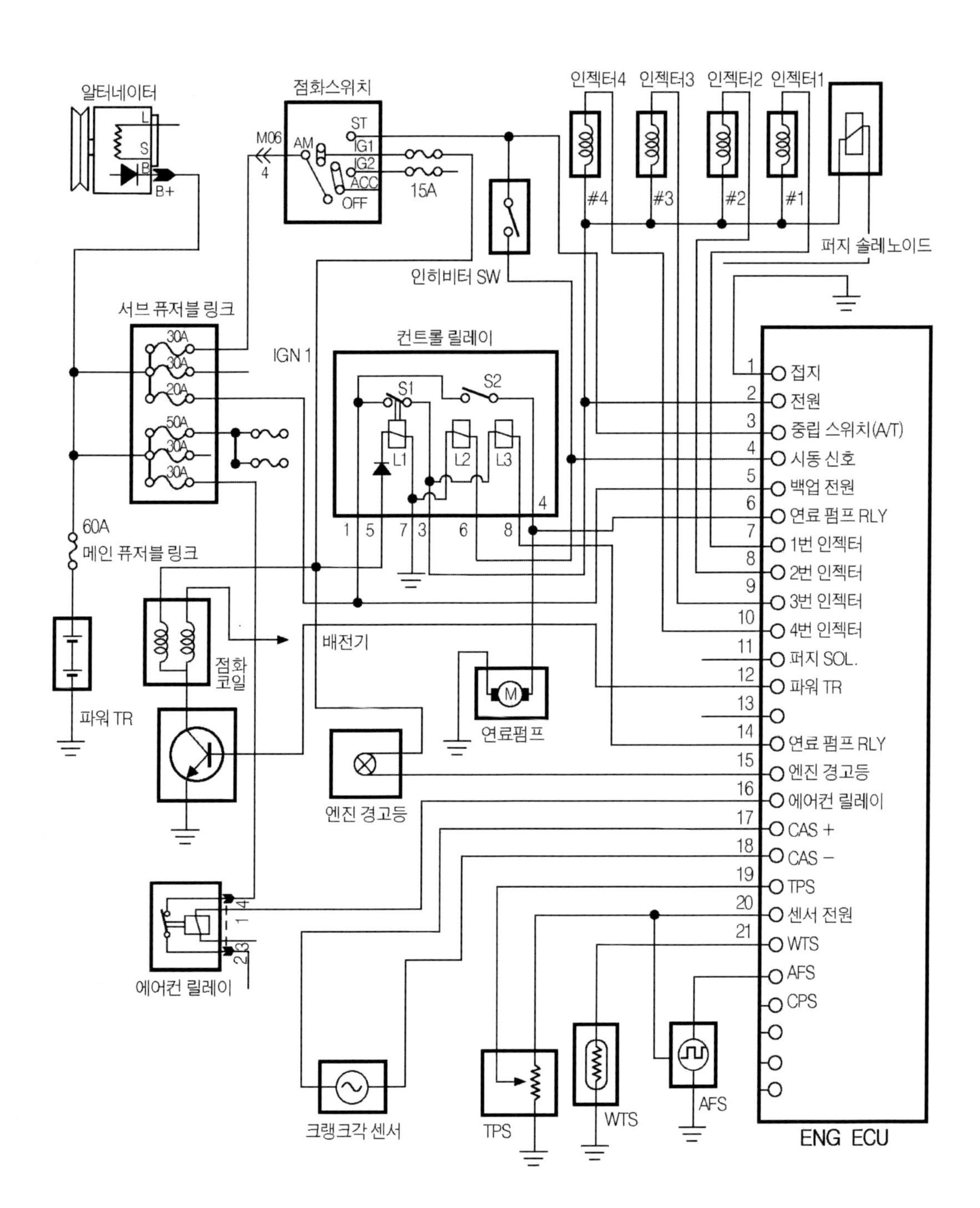

그림7-9 엔진 ECU 회로

이 때 L3 코일이 여자 되어야 하는 이유가 여기에 있는데 L3 코일의 회로를 판독하면 한선은 S1 접점과 연결되어 IGN 전원을 공급 받고 있으며 다른 한선은 컨트롤 릴레이 8번 단자를 통해 ECU 14번 단자와 연결되어 있는 것을 확인 할 수가 있다.

즉 이 ECU가 14번 단자를 접지 전위로 만들어 주지 않으면 컨트롤 릴레이의 코일 L3는 여자 되지 않는 사실을 회로 판독을 통해 확인 할 수가 있다. 여기서 ECU의 14번 단자가 어스(earth) 전위가 되기 위해서는 ECU가 자동으로 판단하여 14번 단자를 어스(earth)로 만들어 주는 것이 아니라 ECU는 어떠한 조건이 성립할 때만 ECU의 14번 단자를 어스(earth) 전위로 낮추어 주게 되는데 이와 같은 조건을 모르면 전자 제어 회로의 정확한 판독은 어렵게 된다.

따라서 전자 제어 회로 판독은 전기 기초 지식과 전자 기초 기식 및 시스템의 동작 조건과 제어 조건들을 알아야 하는 회로의 종합 판독 과정이라 할 수 있다. 그러면 여기서 ECU의 14번 단자가 어스 전위가 되어 컨트롤 릴레이의 L3 코일이 여자되기 위해서는 ECU는 크랭크 각 센서(crank angle sensor)의 신호를 받아 이 신호를 토대로 내부의 마이크로 컴퓨터는 출력 포트(port)를 통해 어스(earth) 전위가 되도록 명령을 하게 되는 것이다.

그림 (7-10)의 회로가 ECU에 의한 컨트롤 릴레이 구동 회로로 요약하여 나타내면 점화 스위치 ON시 작동되는 컨트롤 릴레이(control relay)의 S1 접점에 의해 공급되는 IGN 전원이 인젝터(injector) 등에 전원 공급되고 점화 스위치의 시동 시에만 공급 되는 ST(start) 전원이 S2 접점을 통해 연료 펌프 모터로 공급되며 크랭킹(cranking)이 되어 엔진 회전수 신호가 ECU로 입력되면 컨트롤 릴레이 L3 코일을 여자하여 엔진이 회전하는 동안은 S2 접점을 통해 상시 전원이 연료 펌프 모터에 공급도록 되어 있는 회로이다. L3 코일이 여자 되기 위해서는 ECU의 입력 측으로부터 크랭킹 각 센서(crank angle sensor) 신호가 입력되어야 한다.

현재 자동차에 사용되는 크랭크 각 센서의 종류는 그림 (7-10)과 같이 2개의 단자를 가지고 있는 마그네틱 픽업(magnetic pick up) 방식과 홀 소자를 이용한 홀 센서(hall sensor) 방식, 광전 효과를 이용한 광전식 센서가 사용되고 있다. 이들 센서 중에서 마그네틱 픽업 방식의 경우에 출력 되는 신호는 신호 전압이 낮을 뿐만 아니라 정현파 교류 출력을 가지고 있어 그림(7-10)과 같이 OP AMP(연산 증폭기)의 회로를 이용하여 신호를 증

폭하고 정현파 교류 신호를 디지털 신호로 변환하기 위해 OP AMP의 입력측에 다이오드 회로를 이용해 출력 측에는 디지털 신호가 출력 될 수 있도록 하지 않으면 안된다.

연료 펌프 모터가 구동되어 연료가 인젝터(injector)로부터 공급하게 되면 연료의 공급량은 엔진 ECU의 연료 분사 제어에 의해 분사하게 되고 이때 연료 분사 제어의 변수를 결정하는 것은 기본 분사량과 보정 분사량을 결정하는 입력 센서의 정보에 의해 결정 되게 된다.

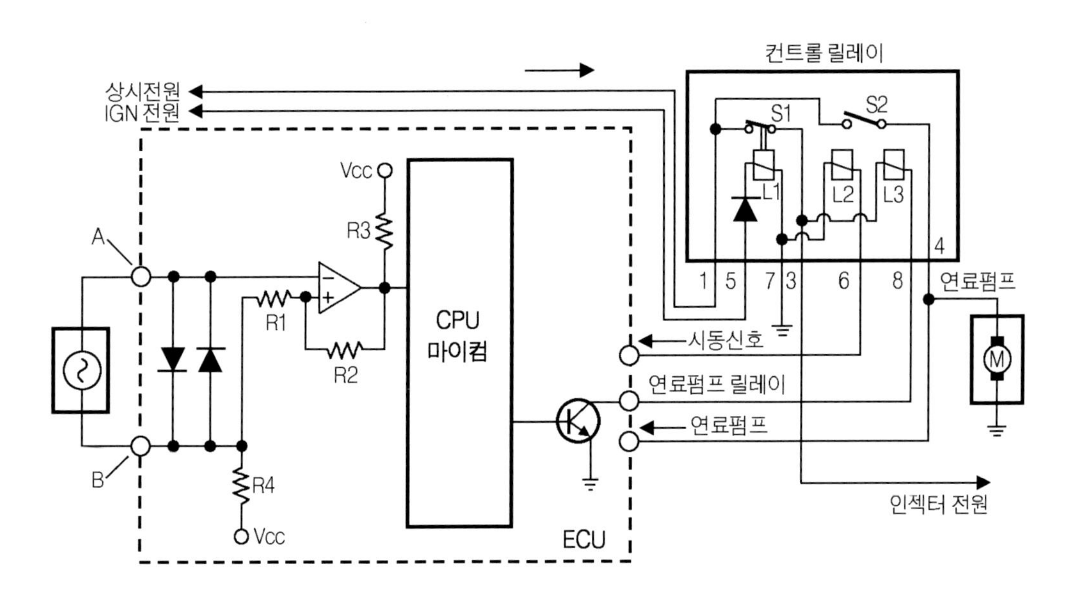

그림7-10 ECU 전원 공급 회로

연료의 기분 분사량을 결정하는 것은 흡입 공기량의 정보를 제공하는 에어 플로우 센서(air flow sensor)와 엔진 회전수에 의해 결정되며 보정 분사량을 결정하는 것은 자동차의 운전 조건에 따라 엔진이 요구 공연비를 보정하는 분사량이므로 TPS(액셀레이터 개도 신호 센서), WTS(냉각 수온 센서), 흡기온 센서, 대기압 센서, 산소 센서 등이 사용되고 있다. 이들 센서 중 TPS(Throttle Position Sensor), WTS(Water Temperature Sensor) 흡기온 센서 등과 같이 저항 변화에 의한 ECU의 입력 회로는 그림 (7-11)과 같은 회로를 이용하고 있다.

TPS(Throttle Position Sensor)는 액셀레이터 페달(accelerator pedal)량에 따라 TPS의 저항 값이 변화하는 포텐션미메터(potention meter)를 사용한 것으로 ECU 내부에 정전압

IC에 의해 5V의 정전압을 공급 받아 센서 전원으로 사용하고 있고 저항값 변화에 따라 그림 (7-11)의 P점의 전위가 변화하는 것을 내부의 A/D 컨버터(analog to digital convertor)를 통해 마이크로 컴퓨터가 인식할 수 있는 신호 전압으로 변환하여 마이크로 컴퓨터의 입력 포트(port)로 입력하게 하고 있다. 입력측 저항 R1은 전류를 제한하기 위해 삽입한 저항이며 저항 R2는 TPS 센서가 단선된 경우라도 페일 세이프 모드(fail safe mode)로 동작시키기 위한 저항으로 적절한 저항값을 설정하여 삽입하고 있다.

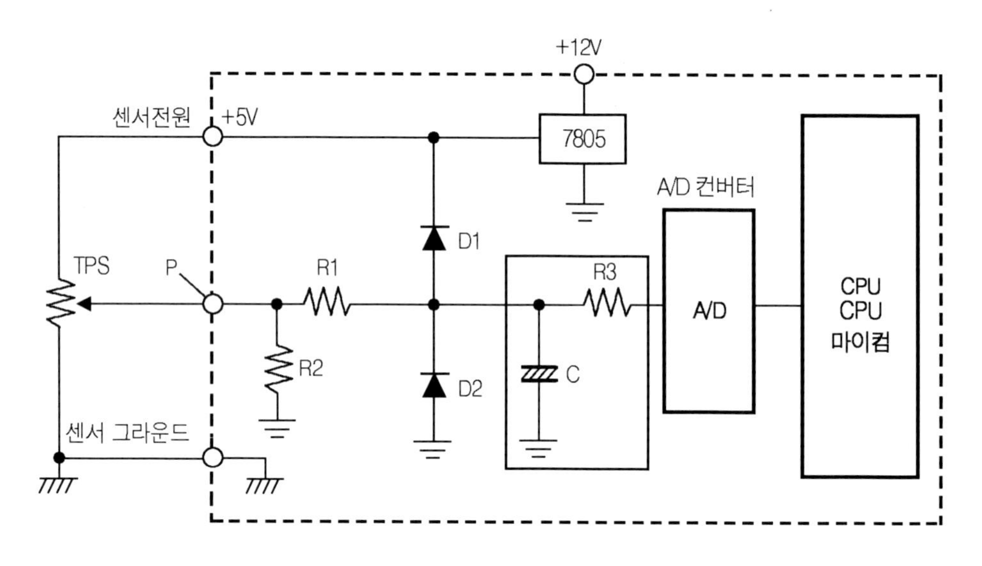

그림7-11 TPS 입력 회로

또한 다이오드(diode) D1, D2는 클램프(clamp) 용 다이오드로 사용되는 것으로 입력 신호 전압 레벨이 +, −극성이 변환 되어도 출력에는 +(positive) 레벨로 변환 되도록 하기 위한 것이며 저항 R3 및 콘덴서(condenser) C는 외부로부터의 잡음(noise)을 제거하기 위해 삽입하여 놓은 저역 필터(filter) 회로를 삽입하여 놓은 것이다. 또한 TPS 측에 센서 그라운드(sensor ground)를 달리하여 놓은 것은 외부의 잡음으로부터 TPS 센서에 영향을 미치지 못하게 하기 위한 것이다.

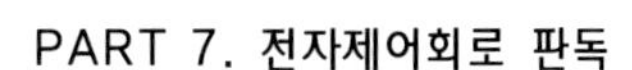

point

엔진 ECU회로 판독의 핵심 포인트

① **전자 제어 회로 판독 법**
- 먼저 시스템의 구성을 파악하라(적용된 부품 및 연결 형태)
- 전원 공급원 보다 전원을 공급 받는 ECU 부터 전원 회로를 판독하라.
- ECU의 입력 과 출력을 구분하여 보아라.
- 제어 조건에 관련된 센서 및 액추에이터를 판독하여 나간다.

② **연료 분사 제어시 관련된 센서**
- 기본 분사량 제어에 관련된 센서 : AFS, CAS
- 보정 분사량 제어에 관련된 센서 : TPS, WTS, 흡기온 센서, 산소 센서, 대기압 센서 등

③ **점화 시기 제어시 관련된 센서** : ROM 내에 기억된 DATA를 기본으로
- 기본 점화 진각도 제어에 관련된 센서 : AFS, CAS
- 보정 점화 진각도 제어에 관련된 센서 : TPS, WTS, 흡기온 센서, 대기압 센서, 노크 센서

5. 전자제어 A/T 회로 판독

전자 제어 오토미션(auto mission)은 자동차의 기어(gear) 변속을 차속에 따라 자동적으로 변속하는 것이 주 기능으로 기어 변속을 자동으로 하기 위한 원리는 오토미션(auto mission) 내부에 기어를 유압을 통해 제어하도록 되어 있어서 유압 회로를 제어하기 위해서는 전기적인 관점에서 생각하면 전자 개폐 기구인 솔레노이드 밸브(solenoid valve)를 제어함으로써 유압 회로를 제어하는 구조를 가지고 있다.

따라서 오토미션의 제어 조건을 살펴보면 오일 펌프에 의해 형성된 토출 압을 차량의 조건에 따라 최적의 라인 압력이 제어 되도록 미리 설정된 기준압의 데이터가 ROM내에 기억되어 있어서 A/T ECU(TCU)는 그 값을 제어 하도록 PCSV(Pressure Control Solenoid Valve)을 듀티(duty) 제어 하고 있다. 또한 차량의 주행 속도 및 액셀레이터의 량에 따라 ROM 내의 미리 설정된 변속 패턴(pattern)을 제어하여 자동적으로 변속이 가능하도록 SCSV(Shift Control Solenoid Valve)를 ON, OFF 제어하고 있으며 연료 절감을 위해 차량의 속도가 어느 정도 상승하면 수동미션(manual mission)과 같이 기계적 결합으로 작동하는 댐퍼 클러치(damper clutch) 제어 기능 등이 있다.

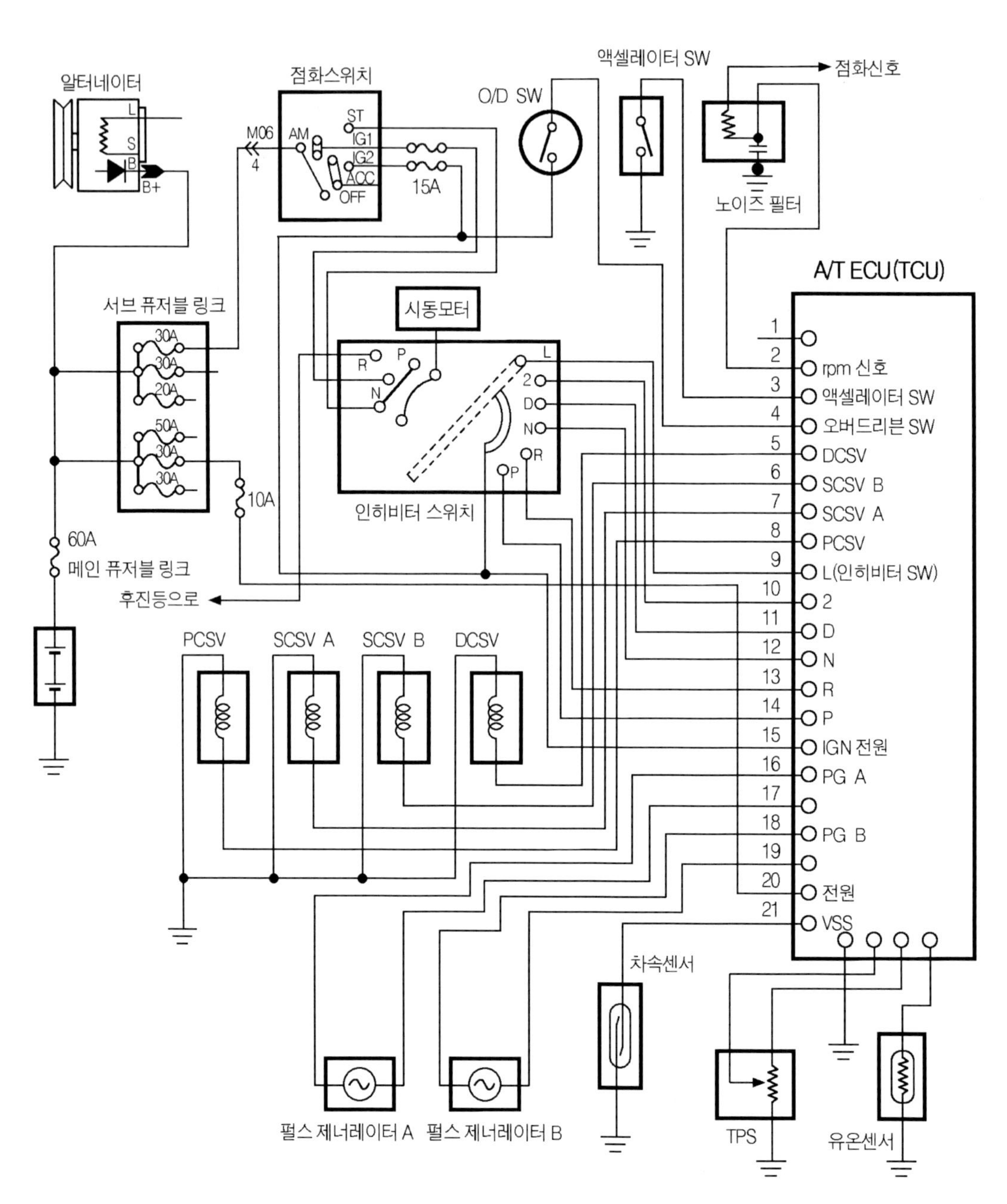

그림7-12 오토 트랜스 미션 회로

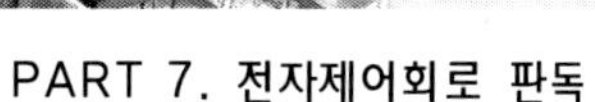

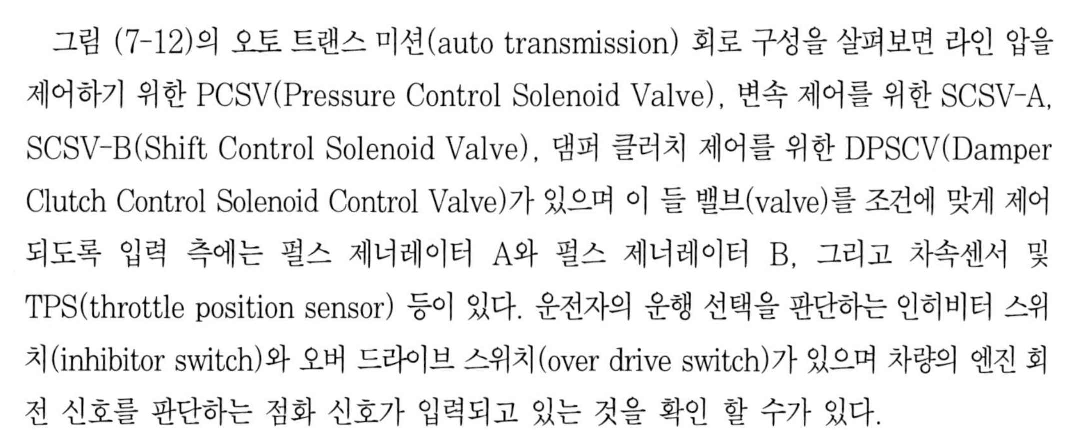

그림 (7-12)의 오토 트랜스 미션(auto transmission) 회로 구성을 살펴보면 라인 압을 제어하기 위한 PCSV(Pressure Control Solenoid Valve), 변속 제어를 위한 SCSV-A, SCSV-B(Shift Control Solenoid Valve), 댐퍼 클러치 제어를 위한 DPSCV(Damper Clutch Control Solenoid Control Valve)가 있으며 이 들 밸브(valve)를 조건에 맞게 제어되도록 입력 측에는 펄스 제너레이터 A와 펄스 제너레이터 B, 그리고 차속센서 및 TPS(throttle position sensor) 등이 있다. 운전자의 운행 선택을 판단하는 인히비터 스위치(inhibitor switch)와 오버 드라이브 스위치(over drive switch)가 있으며 차량의 엔진 회전 신호를 판단하는 점화 신호가 입력되고 있는 것을 확인 할 수가 있다.

그림 (7-12)의 회로에서 먼저 전원 공급 회로부터 판독하여 보면 TCU의 20번 단자가 서브 퓨저블 링크로부터 공급되는 상시 전원 B를 공급 받고 있고 IGN 전원은 15번 단자는 점화 스위치를 통해 공급되고 있어 점화 전원이 입력되고 있음을 알려 주고 있다

그런데 여기서 IGN 전원은 분기되어 인히비터 스위치(inhibitor switch)의 로터리 접점과 연결되어 있는 것을 확인 할 수 있어 인히비터 스위치의 조작시 TCU로 입력되는 것을 볼 수가 있다.

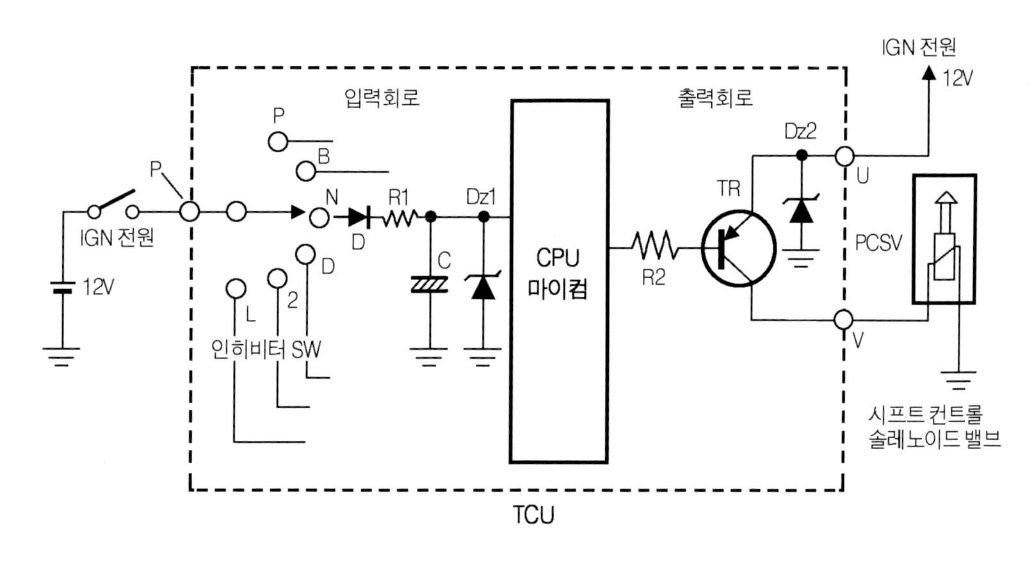

그림7-13 인히비터 스위치 입력 회로

인히비터 스위치를 그림 (7-13)과 같이 N 레인지로 위치하면 12V인 IGN 전압은 Dz1의 정전압 다이오드에 의해 마이크로 컴퓨터가 인식할 수 있는 전압 레벨로 변환하게 되어

마이크로 컴퓨터는 인히비터 스위치가 D 레인지를 인식하게 된다. 즉 인히비터 스위치(inhibitor switch) 회로는 운전자가 운행하기 위해 인히비터 스위치를 조작하면 인히비터 스위치의 가동 접점은 IGN 전원과 연결되어 있어 IGN 전압을 TCU에 입력하게 되고 TCU는 이 신호를 입력으로 다음 명령을 수행하게 된다.

이렇게 인히비터 스위치를 D 레인지로 위치하면 유압 회로는 각 클러치에 전달되어 동력을 전달하게 되는 데 이 때의 기어(gear)의 자동 변속은 차속 센서 및 TPS, 액셀레이터 SW의 입력 신호를 받아 SCSV(Shift Control Solenoid Valve)를 ON, OFF 제어하게 된다. 인히비터 스위치를 D 레인지 위치시 회로를 살펴보면 TCU의 11번 단자를 통해 IGN 전압이 입력되어 TCU는 D 레인지 상태를 인식하게 되고 이 때 액셀레이터를 밟아 액셀레이터 스위치가 ON 상태가 되면 액셀레이터 스위치의 접점은 0V가 되는 것을 TCU는 액셀레이터를 밟은 것으로 인식하고 이것과 연동해서 입력되는 TPS 신호와 rpm 신호에 따라 오토미션의 라인압을 PCSV(Pressure Control Solenoid Valve) 통해 제어하게 되고 차속 센서의 입력을 받아 SCSV 밸브를 통해 오토미션의 자동 변속을 행하게 된다.

차속 센서의 입력 회로와 SCSV 밸브의 출력 회로를 살펴보면 그림(7-14)와 같이 되어 있어 마이크로 컴퓨터가 어떻게 차속을 검출 하는지를 알 수가 있다. 리드 스위치 형식의 차속 센서는 엔진 1회전 당 리드 SW의 접점이 4번 ON, OFF를 반복하여 P점에는 4개의 펄스(pulse) 신호가 입력하게 된다.

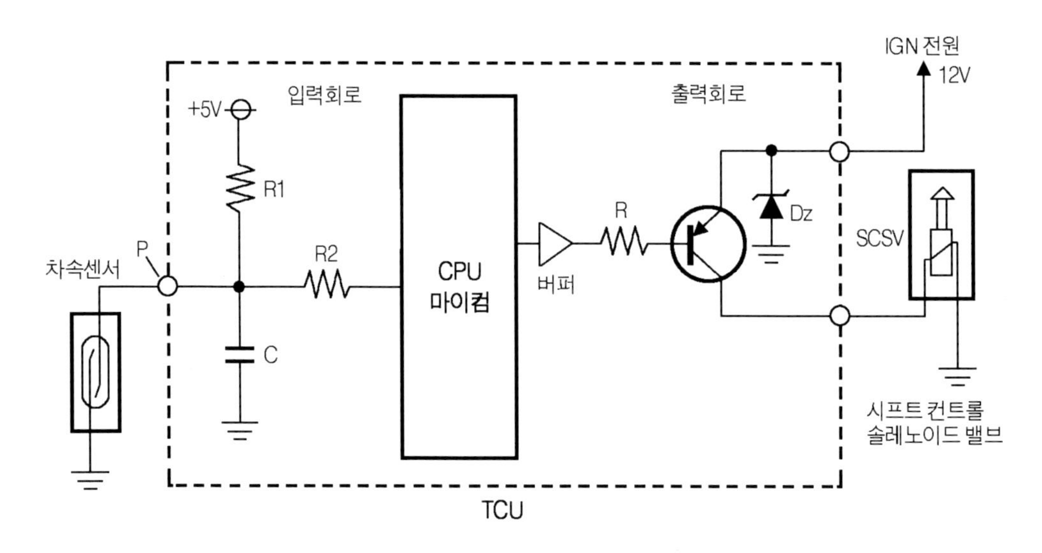

그림7-14 차속센서 및 SCSV의 출력 회로

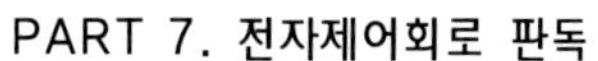

이렇게 입력된 차속 신호는 마이크로 컴퓨터의 입력 포트(port)에 입력 되게 되고 입력된 차속 신호는 카운터 레지스터(counter register)에 입력시켜 입력된 펄스(pulse)의 수를 카운트하고 이 값을 차속으로 환산하여 출력측에 있는 SCSV 밸브를 제어하게 된다.

이렇게 환산된 차속 값은 ROM내에 미리 설정된 출력 데이터(data)에 의해 SCSV-A, SCSV-B의 밸브를 제어 하므로서 변속을 하게 된다. 그림 (7-14)와 같은 SCSV의 출력 회로는 SCSV밸브의 리드 한쪽이 어스되어 있어 구동시 파형은 뒤집힌 모양을 나타나게 하는 회로이다.

1. 전자 제어 회로의 판독 요령 (Ⅳ)

(1) 전자 제어 회로 판독법

① 구성 부품의 기능을 이해하라

② 시스템이 적용 목적을 이해하라

③ 메카트로닉스의 회로 판독은 시스템의 기본적인 동작원리를 이해하고 회로 판독에 접근하는 것이 순서이다.

④ 마이크로 컴퓨터의 기본적인 지식을 습득하라

- 마이크로 컴퓨터의 최소한 기본 원리 정도는 이해하라
- 마이크로 컴퓨터의 기본적인 입력 인터페이스 회로를 이해하라
- 마이크로 컴퓨터의 기본적인 출력 구동 회로를 이해하라

⑤ 전자 제어 시스템의 제어 조건을 습득하라

- 시스템의 기능을 파악하라
- 시스템이 제어 조건을 습득하라
- 시스템에 대한 제어 조건을 모르는 경우는 최소한 시스템의 작동하는 조건은 알고 있어야 한다.

⑥ 시스템의 회로 구성을 파악하라

- 한눈에 들어 오지 않는 전원 회로의 경우 : 공급을 받는 ECU부터 판독하여 나가는 것이 효과적이다.
- 전원 회로의 구성을 확인 하라 : BATT 전원, ACC 전원, IGN 전원
- 공급 전원용 인지, 입력 신호용 인지를 확인하라

⑦ 제어 모드별 입력 요소에 대한 출력 요소를 습득하라

- 시스템의 입력 및 출력 요소를 확인 한다.
- 구성 부품의 기능을 알고 있어야 하는 것은 필수이다 : 만일 구성 부품의 기능을 모르는 경우에는 구성 부품의 핀 설명서를 참고하라
- 제어 모드별 관련 센서 및 액추에이터를 학습하여 이해하라.

예) 엔진 ECU의 경우 연료 분사 제어에 관련된 센서는 :

- 기본 분사량 제어에 관련된 센서 : AFS, CAS
- 보정 분사량 제어에 관련된 센서 : TPS, WTS, 흡기온 센서, 산소 센서, 대기압 센서 등

⑧ 제어 조건을 가정하여 판독하라

- 동작 조건을 가정하여 판독하여 나간다.
- 제어 조건을 가정하여 입, 출력 회로를 판독하여 나간다.

(2) ECU 입력, 출력 회로 판독법

① **스위치 입력 회로 판독**

- SW의 한쪽 리드가 어스된 경우 : SW ON시 → 0V, SW OFF시 → 12V
- SW의 한쪽 리드가 전원과 연결된 경우 : SW ON시 → 12V, SW OFF시 → 0V

② **저항 입력 회로 판독** : 저항 변화에 의한 입력 회로의 경우

- 저항이 단선 되더라도 훼일 세이프 모드로 들어가기 위해 일정 저항값이 고정되어 있다.
- 저항 변화에 의한 전압 변화 인식 : A/D 컨버터에 의한 전압 신호를 변환하여 인식하는 방식과 OP AMP를 통해 몇가지 입력 신호 레벨을 인식하는 방식을 사용하고 있다.

③ **펄스 신호 입력 회로 판독**

- 입력 신호 전압 레벨을 마이크로 컴퓨터의 포트가 인식 할 수 있는 전압 레벨로 변환하여 입력 포트에 입력하면 내부의 카운터 레지스터에 의해 계수하게 하는 회로를 가지고 있다.

※ 참조) 마이크로 컴퓨터의 포트 : 다음 신호가 들어 오기 전 까지 현재의 신호를 유지하고 있는 레치 회로로 되어 있다.

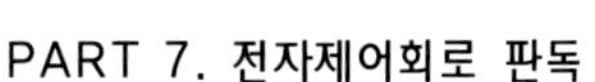

④ **TR 출력 회로의 판독**

◈ NPN TR

- B(베이스) 전압이 low 일 때 NPN TR은 → OFF 상태
- B(베이스) 전압이 high 일 때 NPN TR은 → ON 상태
- 부하가 한 쪽 리드가 전원과 연결된 경우 :
  TR ON시 → 출력 전압 0V, TR OFF시 → 출력 전압 12V
- 부하의 한 쪽 리드가 어스와 연결된 경우
  TR ON시 → 출력 전압 12V, TR OFF시 → 출력 전압 0V

◈ PNP TR

- B(베이스) 전압이 low 일 때 PNP TR은 → ON 상태
- B(베이스) 전압이 high 일 때 PNP TR은 → OFF 상태

⑤ **FET 출력 회로의 판독** : 언헨스먼트형 MOS FET 소자는 주로 스위칭 회로에 많이 사용한다. 따라서 여기서은 언헨스먼트형 MOS FET에 관해 나타내었다

◈ N채널 언헨스먼트형 MOS FET

- G(게이트)에 전압이 low 상태일 때 N 채널 MOS FET → ON 상태
- G(게이트)에 전압이 high 상태일 때 N 채널 MOS FET → OFF 상태

08

부 록

(주요약어)

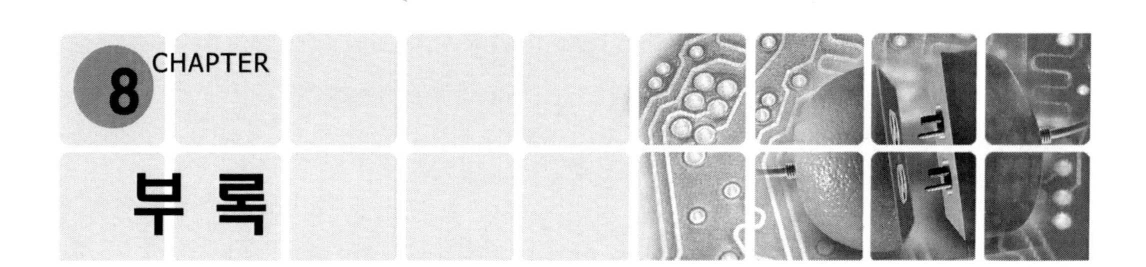

주요 약어

AAP(auxiliary acceleration pump)	보조 가속 펌프
ABS(anti lock brake system)	차륜 록(lock) 방지의 브레이크 장치
AC(altetnating current)	교류
A/C(air conditioner)	공기 조화 장치(냉방 장치)
ACC(accessory)	보조 기구의 통칭
ACK 비트(acknowledge field bit)	데이터의 확인 비트
ACU(air bag control unit)	에어벡 ECU
ACV(air cut valve)	2차 공기 차단 밸브
ADC(analog to digital converter)	A/D 변환기
A/F(air fuel)	공연비
AFS(air flow sensor)	공기류량 센서
AI(artificial intelligence)	인공 지능
ALT(alternator)	알터네이터의 약어로 발전기를 말한다.
ALT-G	알터네이터의 G단자
ALT-FR	알터네이터의 FR 단자
ALU(arithmetic logic unit)	연산 논리 유닛
AM (aimer)	에이머의 약어로 조준기 또는 조준자를 뜻한다.
AM (ampiltude modulation)	진폭 변조
AMP(amplifier)	증폭기의 약어

API(american petrol institute)	미국 석유 협회
ARB(air resource board)	미국 캘리포니아주에 있는 대기 자원국
A/T(automatic transmission)	자동 변속기
ATC(automatic temperature controller)	자동 온도 조절 장치
ATDC(after top dead center)	상사점후
ATF(automatic transmission fluid)	자동 변속기 오일
AV(audio & vedio)	음향 및 영상
AV(outlet valve)	출구 밸브
ATC(automatic temperature controller)	자동 온도 조절 장치

B(black)	검정색
Br(brown)	갈색
BATT(battery)	배터리
BCV(boost control valve)	과급 제어 밸브
BCM(body control module)	운전자의 편의를 위한 경보 및 시간 제어 장치를 말함
BWS(back warning system)	후방 물체 감지 시스템을 말함
BTDC(before top dead center)	상사점전
BZ(buzzer)	부저

CAS(crank angle sensor)	크랭각 센서
CAN(controller area network)	전자 제어용 표준 통신 방식
CC(catalytic converter)	촉매 장치
CCS(cooling control seat) 회로	냉난방 및 시트 회로의 약어
CD(compact disk drive)	컴펙트 디스크 드라이브 약어
CDI(condenser discharge ignition)	축전기 용량식 점화 장치
CK(clock)	클럭의 약어
CPS(cam posistion sensor)	캠 포지션 센서의 약어
CKP(crank posistion sensor)	크랭크 포지션 센서의 약어
CPU(center process unit)	컴퓨터의 중앙 연산 처리 장치
CV(constant velocity)	등속도

DC(direct current)	직류
DCC(damper clutch control)	댐퍼 클러치 컨트롤의 약어
DCU(door control unit)	도어 컨트롤 유닛
DIAG(diagnosis)	자기 진단의 약어
DLI(distributor less ignition)	배전기가 없는 점화 방식
DOHC(double over head cam)	흡·배기 밸브가 각각 2개인 흡배기 장치
DVV(double vacuum valve)	2중 전자 밸브를 말함

ECM(engine control module)	전자 제어 엔진 의 제어 모듈
ECU(electronic control unit)	전자 제어 장치
ECS(electronic control suspension)	전자 제어 현가장치
EEPROM(electrical erasable and programmable read only memory)	플래시 메모리
EFI(electronic fuel injection)	전자 제어 연료 분사
EGI(electronic gasoline injection)	전자 제어 연료 분사
EGR(exhaust gas recirculation)	배기가스 재순환 장치
EGW(exhaust gas warning)	배기가스 경보
ELC A/T(electronic control automatic transmission)	전자 제어 오토 트랜스미션
EMP(empty)	비어 있다는 표시로 주로 연료계에 사용한다.
EPS(electronic power steering)	전자 제어 조향 장치
E/R(engine room)	엔진 룸의 약자
ESV(experimental safety vehicle)	안전 실험차
ESS(engine speed sensor)	차속 센서
ESA(electronic spark advance)	전자 제어 점화 진각 장치
ETACS(electronic time and alarm control system)	시간 및 경보 제어 장치
EV(inlet valve)	입구 밸브
EX(exhaust)	배기, 배출을 의미

FCSV(fuel cut solenoid valve)	연료 차단 밸브
FBC(feedback carburetor)	전자 기화기 방식
FET(field effect transistor)	전계 효과 트랜지스터
FF(front engine front drive)	전륜 구동 방식
FIC(fast idle control)	워밍업 시간 단축을 위한 공회전 속도 조절
FL(front left)	앞 좌측
F/P(fuel pump)	연료 펌프
FR(front right)	앞 우측
FR(front engine rear dirve)	후륜 구동 방식
FS(fail safe)	페일 세이프의 약어
FSV(fail safe valve)	페일 세이프 밸브의 약어
F1(formula-1)	경주용 전용 자동차
FT(foot)	영국식 길이의 단위로 1 foot 는 12 인치를 말함

G(green)	녹색
Gr(gray)	회색
G-센서(gravity sensor)	가속도를 검출하는 센서
G-신호(group signal)	실린더 판별 신호
GND(ground)	접지
GPS(global positioning system)	위치 추적 시스템

HBA(hydraulic brake assist)	하이드롤릭 브레이크 어시스트
HC(hydro carbon)	탄화수소
HCU(hydraulic coupling unit)	동력전달 장치의 유압 연결 유닛
HECU(hydraulic ECU)	ABS ECU를 의미한다.
HID 헤드램프 (high intensity discharge head lamp)	HID 헤드램프

HIVEC A/T(Hyundai intellgent vehicle electronic control)	현대 하이백 A/T
H/LP	헤드램프(head lamp)
H/P(high pressure)	고압
HSV(hydraulic shuttle valve)	하이드롤릭 셔틀 밸브
HU(hydraulic unit)	ABS의 유압 발생 작동부

IC(integrated circuit)	집적 회로
I/C(inter cooler)	인터쿨러
IDL(idle)	아이들 스위치
IG(ignition)	점화
IGN(ignition)	점화
INS(inertial navigation system)	관성식 항법 장치
INT(interval)	간격, 간극
INT(intermit)	간헐적
I/O(input & output)	입출력을 말함
ISC(idle speed control)	공회전 속도 조절
ISO(international standardization organization)	국제 표준화 기구
ITC(intake air temperature compensator)	흡기 온도 보정

J/B(junction box)	와이어 하니스의 중간 커넥터, 퓨즈 박스, 릴레이 등을 연결하기 위한 박스
J/C(junction connector)	와이어하니스와 와이어하니스를 연결하는 커넥터

KCS(knock control system)	노킹 컨트롤 장치
KD(kick down)	킥 다운

L(blue)	청색
Lg(light green)	연두색
L(lubricate)	윤활
LAN(local area network)	시리얼 통신 방식의 일종
L/C(lock up clutch)	록업 클러치
LCD(liquid crystal display)	액정 표시의 약어로 사용한다.
LED(light emitting diode)	발광 다이오드의 약어
LF(low frequency)	저주파수
LH(left hand)	좌측
LLC(long life coolant)	부동액
LNG(liquefied natural gas)	액화 천연 가스
L/P(low pressure)	저압의 약어로 사용한다.
LPA(low pressure accumulater)	저압을 축압하는 어큐뮬레이터
LPG(liquefied petroleum gas)	액화 석유 가스
LPWS(low pressure warning switch)	ABS 어큐뮬레이터의 하한 설정 액압 감지
LR 솔레노이드 밸브 (low reverse solenoid valve)	로우 리버스 솔레노이드 밸브
LSD(limited slip differential)	차동 제한 장치

MAP(manifold avsolute pressure)	흡기관 압력
MAX(maximum)	최대
MCS(multi communication system)	생활 정보, 방송 수신 등의 기능을 갖춘 총칭
MCV(mixture control valve)	throttle valve가 급격히 닫힐 때 별도 공기 도입밸브
MDPS(motor driven power steering)	전동 모터식 파워 스티어링
MF battery(maintanance free battery)	무보수 배터리
MIL(mal function indicator lamp)	고장 코드를 표시하는 경고등
MIN(minimum)	최소
MOS IC(metal oxide semiconductor integrated circuit)	산화 절연층에 반도체를 확산하여 금속을 증착한 반도체

MPI(multi point injection)	전자 제어 엔진의 한 방식
MPU(micro process unit)	마이크로 컴퓨터를 말함
MPS(motor position sensor)	모터 포지션 센서
MSC(motor speed control)	모터 스피드 컨트롤의 약어
M/T(manual transmission)	수동 변속기
MTR(motor)	전동 모터
MTS(mobile telematics system)	모빌 텔레메틱스 시스템 약어
MUT(multi use tester)	전자 제어 장치의 고장 진단 테스터
MWP(mulitipole water proof-type connector)	전극별 독립 방수 커넥터

N(neutral)	중립
N/A(natural aspiration)	자연 흡기
NC(normal close)	노말 크로스(상시 닫힘)
Ne 신호	크랭각 신호
NO(normal open)	노말 오픈(상시 열림)
Nox(nitrogen oxide)	질소산화물

O(orange)	주황색
OBD(on board diagnosis)	배출가스장치를 모니터링 하는 자기진단기능 규정
OCV(oil control valve)	유압 통로를 개폐하여 2차 흡기 밸브를 제어하는 밸브
OD(over drive)	고속용 기어 기구
OD SOL 밸브(over drive solenoid valve)	오버 드라이브 솔레노이드 밸브
ODO 메터(odometer)	거리계
OHC(over head cam)	1개의 캠 샤프트로 흡기, 배기의 밸브를 개폐하는 캠 샤프트
OPT(option)	선택 품목
OP AMP(operational amplifier)	연산 증폭기

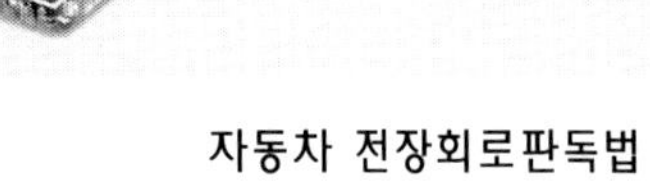

P(pink)	분홍색
P(parking)	주차
Pp(purple)	자주색
PCB(printed circuit board)	인쇄 회로 기판
PCM(pulse code modulation)	펄스 코드 변조
PCV(positive crankcase ventilation)	블로우 바이 가스 재순환 장치
PG(pulse generator)	펄스 제너레이터(마그네틱 픽업 코일 방식)
PIA(peripheral interface adapter)	병렬 처리 인터페이스 회로 소자
PIC(personal identification card)	개인 인증 카드
PIM	흡기관 압력
PROM(programmable read only memory)	쓰기가 가능한 ROM 메모리
PS(power steering)	파워 스티어링
PTC(positive temperature coefficient)	정온도 특성
PTO(power take off)	엔진의 동력을 이용한 윈치 또는 펌프
P/W(power window)	파워 윈도우
PWM(pulse width modulation)	펄스 폭 변조

R(red)	빨강색
R(resistor)	저항
R-16(resistor-16)	고압 케이블의 저항이 1m에 16kΩ을 의미
RAM(random access memory)	일시 기억 소자
RF(radio frequency)	고주파수
RH(right hand)	우측
RKE(remote key less entry)	리모트 키 레스 엔트리
RL(rear left)	뒤 좌측
ROM(read only memory)	영구 기억 소자
RPM(revolution per minute)	1분간의 회전수
RR(rear engine rear drive)	후부의 엔진과 후륜 구동
RR(rear right)	뒤 우측

RTR 비트(remote transmission request bit)	자동 원격 송신 요구 비트
RV(recreation vehicle)	레크레션용 자동차
RX(receiver)	수신 또는 수신기의 약어

S(silver)	은색
SAE(society of automotive engineer)	미국 자동차 기술자 협회
SAT (SIEMENS adaptive transmission control)	지멘스(사)의 자동 변속기의 제어 알고리즘
SBSV(second brake solenoid valve)	2ND 브레이크 솔레노이드 밸브
S/C(super charger)	슈퍼 챠져 과급기
SCR(silicon controlled rectifier)	실리콘 제어 정류 소자
SCSV(slow cut solenoid valve)	감속시 연료 차단밸브
SI(system international units)	국제 단위계
SIG(signal)	신호의 약어
SL(side left)	측면 좌측
SLV(select low valve)	ABS에서 차륜의 유압을 조절하는 밸브
SNSR(sensor)	센서의 약어
SOF(start of frame)	초기 데이터 비트
SOHC(single over head cam shaft)	캠 축이 1개인 OHC 엔진
SP(speaker)	스피커
SPI(single point injection)	전자 제어 연료 분자 장치의 일종
SPW(safty power window)	세이프티 파워 윈도우
SR(side light)	측면 우측
SRS(supplemental restraint system)	에어-백 장치
SS(standing start)	정지에서 발진을 말함
SSI(small scale integration)	소형 집적 회로

T(tawny)	황갈색
T(tighten)	단단한
TACS(time and alarm control system)	시간, 경보등을 제어 하는 편의 제어 장치
TC(torque converter)	토크 컨버터
T/C(turbo charger)	터보 챠져
TCL(traction control system)	구동력 제어 장치
TCM(transmission control module)	전자 제어 자동변속기 의 제어 모듈
TCM(tilt control module)	스티어링의 위치를 자동으로 제어하는 모듈
TCU(transmission control unit)	전자 제어 자동변속기의 ECU 약어
TCV(traction control valve)	트랙션 컨트롤 밸브
TDC(top dead center)	상사점
TEMP(temperature)	온도
TPS(throttle position sensor)	스로틀 개도 위치 감지 센서
TR(transistor)	트랜지스터의 약어
T/S L(turn signal left)	좌측 방향 지시
T/S R(turn signal right)	우측 방향 지시
TTL(transistor transistor logic)	트랜지스터 로직으로 이루어진 디지털 IC
TX(transmitter)	송신, 송신기의 약어

UCC(under floor catalytic converter)	언더 플로우에 장착된 촉매장치
UD(under drive)	언더 드라이브의 약어
UD SOL 밸브(under drive solenoid valve)	언더 드라이브 솔레노이드 밸브
UV(ultraviolet ray)	자외선

V(violet)	자주색
VCU(viscous coupling)	비스커스 커플링, 점성 계수
VCM(vacuum control modulator)	배큠 컨트롤 모듈레이터
VDC(vehicle dynamic control)	비이클 다이내믹 컨트롤
VENT(ventilator)	환기, 통기 장치의 약어
VOL(volume)	체적, 음량
VSO(vehicle speed output)	차속 신호 출력
VSV(vacuum switching valve)	부압 교체 밸브
VSS(vehicle speed sensor)	차속 센서의 약어

W(white)	흰색
WB(wheel base)	축간 거리
4WD(4 wheel drive)	4륜 구동
W/P(water pump)	워터 펌프
WTS(water temperature sensor)	수온 센서

Y(yellow)	노랑색

전기전자시리즈 ❸

◈ 자동차 전장회로판독법

정가 20,000원

2006년 1월 13일 초 판 발 행
2022년 4월 20일 제1판5쇄발행

엮 은 이 : 김 민 복
발 행 인 : 김 길 현
발 행 처 : ㈜ 골든벨
등 록 : 제1987-000018호
Ⓒ 2006 *Golden Bell*
I S B N : 89-7971-648-6-93550

㈮ 04316 서울특별시 용산구 원효로 245 (원효로1가 53-1) 골든벨빌딩
TEL : 영업부 (02) 713-4135 / 편집부 (02) 713-7452 • FAX : (02) 718-5510
E-mail : 7134135@naver.com • http : // www.gbbook.co.kr
※ 파본은 구입하신 서점에서 교환해 드립니다.